Josef Blank

Der Jesus des Evangeliums

Entwürfe zur biblischen Christologie

Kösel-Verlag München

CIP-Kurztitelaufnahme der Deutschen Bibliothek

Blank, Josef:
Der Jesus des Evangeliums : Entwürfe zur bibl.
Christologie / Josef Blank. – München : Kösel,
1981.
   ISBN 3-466-20215-9

ISBN 3-466-20215-9
© 1981 by Kösel-Verlag GmbH & Co., München.
Printed in Germany. Alle Rechte vorbehalten.
Gesamtherstellung: Kösel, Kempten
Umschlag: Günther Oberhauser, München.

Inhalt

Vorwort

Bei der Entwicklung der modernen Exegese konnte es nicht ausbleiben, daß ihre Ergebnisse, aber auch ihre Methoden in fast allen Bereichen der Theologie tiefgreifende Wirkungen zeitigten, welche die herkömmliche »scholastische« Tradition und Behandlungsweise theologischer Aussagen mit völlig neuen Problemen konfrontierten. Dies gilt vor allem für den ganzen Bereich der Christologie. Fragestellungen wie die nach dem »Historischen Jesus und dem Christus des Glaubens«, oder nach dem »Einen Jesus Christus und der Vielzahl der christologischen Konzeptionen und Titel«, bereits im Neuen Testament selber, mußten auch von der katholischen Theologie aufgenommen und neu durchdacht werden. Die Aufnahme dieser neuen Fragestellungen und die Auseinandersetzung mit ihnen, zunächst innerhalb der Exegese, aber in zunehmendem Maße auch innerhalb der Dogmatik gibt der christologischen Diskussion seit den sechziger Jahren weithin das Gepräge. Der vorliegende Band gibt einen Einblick, in welcher Weise meine eigenen Beiträge zur Diskussion der christologischen Probleme in den letzten zwanzig Jahren – seit 1959, als der erste Beitrag über den johanneischen Pilatus-Prozeß erschien – erfolgten. Sie zeigen, wenn ich recht sehe, vor allem eine mögliche Vielzahl verschiedener Aspekte und Zugangsweisen zu der im letzten doch unergründlichen und geheimnisvollen Gestalt Jesu Christi.

Wenn nämlich die moderne Exegese in vielerlei Hinsicht allzu festgefahrene Vorstellungen und Denkgewohnheiten erschüttert hat und hoffentlich auch weiterhin erschüttern wird, dann hat sie damit doch etwas sehr Positives bewirkt, indem sie nicht nur das Interesse an Jesus von Nazaret selbst in ungeahnter Weise erweckte, sondern auch ein neues Gespür für die

Einzigartigkeit Jesu, für seine eigentümliche Vollmacht und für das nicht anders als »göttlich« zu bezeichnende Geheimnis seiner Person. Wir wissen heute vielleicht wieder besser, daß die Gestalt Jesu letztlich durch keine Formel einzufangen ist und daß weder das Konzil von Nikaia noch das von Chalkedon dieses Geheimnis in vollkommener Weise zum Ausdruck brachten. Vielmehr geht es darum, auf dem Wege der Annäherungen, der verschiedenen Aspekte, der immer notwendigen aber auch immer nur vorläufigen und begrenzten »Bilder« diesem Geheimnis Jesu Christi auf der Spur zu bleiben. Auf diese Weise zeigt sich immer neu, daß ER SELBST in seinem Wort und seinem Verhalten bis hinein in seinen Tod am Kreuz, in den verschiedenen Vorstellungen und Aussagen des Neuen Testamentes, es ist, der das eigentliche Movens des christologischen Fragens und Denkens ausmacht, und nicht etwa nur menschliche Heilsvorstellungen, die man von außen an ihn heranträgt. Es scheint doch so zu sein, daß »Christologie« nur dann lebendig und interessant bleibt, wenn man in ihr wirklich nach Jesus von Nazaret, dem Christus und Gottessohn fragt, und nicht bloß nach irgendwelchen Begriffen und Formeln, in denen man seiner oder sonst einer Sache endlich habhaft zu werden wähnt. Freilich, ohne grundlegende Kenntnis der »Formeln und Titel« geht es nicht. Doch bleibt Christologie als »Formel-Lehre«, sei diese noch so orthodox oder auch noch so modern, ein höchst langweiliges, spekulatives Spiel.

Daß die Arbeit der Exegese sich inzwischen auch in der modernen Dogmatik mehr und mehr bemerkbar macht, darf mit aufrichtiger Genugtuung vermerkt werden. Dabei ist nicht nur an die »Theologie der Befreiung« zu denken, deren Christologie von *Claus Bussmann*[1] eindrucksvoll dargestellt wurde, oder an die Jesus-Bücher von *Hans Küng*[2], *Edward*

[1] Befreiung durch Jesus? Die Christologie der lateinamerikanischen Befreiungstheologie. München 1980.
[2] Christsein. München [9]1977; 20 Thesen zum Christsein. München [4]1976.

Schillebeeckx[3] und *Walter Kasper*[4], um nur diese zu nennen. Vielmehr hat erst kürzlich die »Internationale Theologenkommission beim Heiligen Stuhl« eine Studie zur heutigen christologischen Problematik publiziert,[5] die der veränderten Problemlage in erstaunlich offener Weise Rechnung trägt. Man kann nur wünschen, daß diese Studie auch in praktischer Hinsicht Früchte zeitigt, und zwar im Sinne eines breitgefächerten Pluralismus, der nicht von einem doktrinären »Maximalismus« ausgeht, sondern die Vielzahl der theologischen Aspekte, solange diese sich nicht gegeneinander exklusiv verhalten, gelten läßt. Auf dieser Grundlage sollte sogar die Revision von Fehlentscheidungen der jüngsten Vergangenheit möglich sein. Jedenfalls, »Christologie« bleibt theologisch weiter aktuell und das ist, wie schon Paulus sagte, hocherfreulich: »Wenn nur auf alle Weise, in unlauterer oder in wahrhaftiger Absicht, Christus verkündigt wird, so freue ich mich darüber« (Phil 1,18).

Saarbrücken im Juni 1981   Josef Blank

---

[3] Menschliche Erfahrung und Glauben an Jesus Christus. Eine Rechenschaft. Freiburg 1979.
[4] Jesus der Christus. Mainz [7]1978; Disput um Jesus und um die Kirche. Aspekte – Reflexionen. Innsbruck 1980.
[5] Vgl. Herder-Korrespondenz, Heft 3/1981, 137–145.

Einleitung: Exegese als theologische Basiswissenschaft

Im Laufe dieses Jahrhunderts, ganz besonders in den letzten dreißig Jahren, hat die biblische Exegese, und zwar in ihrer modernen wissenschaftlichen, von der historisch-kritischen Methode geprägten Form im Bereich der katholischen Theologie sich von einer Hilfswissenschaft für die systematischen Disziplinen zu einer eigenständigen theologischen Disziplin entwickelt[1]. Sie ist heute dazu aufgefordert, sich in vollem Umfang als »Theologische Basiswissenschaft« zu begreifen und dementsprechend ihre Methoden und Problemstellungen zu überprüfen, um sie gegebenenfalls zu erweitern und zu vertiefen.

Der Begriff der »historisch-kritischen Methode« (auch »historisch-philologische« Methode) ist nun freilich eine prägnante *Kurzformel* für ein ganzes Bündel verschiedener methodischer Verfahrensweisen, die von der Textkritik bis zum höchst

---

[1] Vgl. dazu vor allem *Kümmel,* Das Neue Testament, Geschichte der Erforschung seiner Probleme; *ders.,* Das Neue Testament im 20. Jahrhundert; die Forschungsgeschichte seit Renaissance und Reformation läßt eine beachtenswerte Kontinuität erkennen, die zwar mit den üblichen Umwegen und Irrwegen zu rechnen hatte, aber doch nach dem »*trial and error*«-Prinzip echte Fortschritte gemacht hat. Vgl. auch *E. Käsemann,* Vom theologischen Recht historisch-kritischer Exegese, in: ZThK 64 (1967) 259–281. Zur historisch-kritischen Exegese sagt *Käsemann:* »Niemand kann bestreiten, daß sie ihren Ursprung im modernen Humanismus hat... Niemand wird übersehen, daß sie ihre Radikalität antithetisch zur herrschenden kirchlichen Tradition gewann und entfaltete... Dagegen interessiert die Frage, was historische Kritik sich auch theologisch überall dort durchsetzen ließ, wo Wissenschaftlichkeit anerkannt und beansprucht wird. Mir würde die Antwort genügen, daß sie sich als zweckmäßig erwies. Die erfolgreiche Aufhellung der biblischen Geschichte spricht für sich selbst und kann sich trotz unzähliger Hypothesen, verbleibender Rätsel und stets wachsender Probleme mit jeder anderen Leistung im geisteswissenschaftlichen Felde messen« (ebd. 260).

komplexen Vorgang einer kunstgerechten Textinterpretation führen, bis zur umfassenden Gesamtdarstellung einer atl. oder ntl. Theologie, vielleicht sogar einer »biblischen Theologie«, oder auch einer »Geschichte Israels, Jesu, des Urchristentums« usw., die man sich auch wieder sehr unterschiedlich vorstellen kann. Aufgrund ihrer Texte, der biblischen Zeugnisse und deren Eigenart ist Exegese nicht erst im nachhinein, sondern von ihrem ersten Ansatz an mit dem Ganzen der Theologie befaßt. Vom »Gegenstand« her gesehen, besteht also eine ursprüngliche Einheit »historisch-kritischer Methode« und Theologie.

Darum muß die Exegese heute sich dazu bereitfinden, die ihr zugewachsene theologische Verantwortung sowohl für die theologische Arbeit im ganzen wie für die kirchlichen und gesellschaftlichen Probleme voll wahrzunehmen. Darüber soll in diesem Beitrag etwas gesagt werden.

Der erste Schritt auf diesem Wege war, daß die Exegese als historisch-theologische Disziplin zu ihren eigenen Methoden und Fragestellungen fand und sich allmählich aus der Bevormundung traditioneller Meinungen und Lehren, insbesondere der Dogmatik, sowie bestimmter autoritärer Verfahrensweisen des kirchlichen Lehramtes befreite[2]. Auf diese Weise errang sie ihre wissenschaftliche Wahrhaftigkeit und Glaubwürdigkeit, unter anderem auch dadurch, daß sie die beachtlichen Ergebnisse der protestantischen Bibelwissenschaft übernehmen konnte. Im Grunde genommen lebt die Exegese, wo immer sie in der Theologie und darüber hinaus Beachtung findet, von diesem Kredit, den sie dem wissenschaftlichen Wahrheitsethos und ihrer methodischen *disciplina* verdankt.

Dazu gehört aber wesentlich die permanente kritische Diskussion der gewonnenen Ergebnisse, ebenso die kritische Überprüfung der eigenen Problemstellungen und Methoden, also die beiden Grundelemente der freien Diskussion und der gegenseitigen Kritik. Es gibt keine *a priori* unerlaubten Thesen

---

[2] Vgl. dazu die aufschlußreichen Ausführungen von *Kuss*, Auslegung und Verkündigung II, Vorbemerkungen, XVIII–XXII.

und Fragestellungen, soweit sie der einen Grundbedingung sich unterordnen: Sie müssen sich diskutieren und kritisieren lassen. Inzwischen hat sich auch gezeigt, daß es auf diese Weise durchaus möglich ist, in der theologischen Wahrheitssuche voranzukommen, und daß extreme Auffassungen durch die disziplinierende Selbstkontrolle der Wissenschaft ins rechte Lot gebracht werden können, ohne autoritäre Eingriffe von außen. Im Gegenteil, in den meisten Fällen hat das Lehramt, wo es mit autoritären Verbotsschildern operierte, zurückstekken müssen[3]. Im Rückblick auf die eigene Forschungsgeschichte sollte deshalb die Exegese, bei aller Kritik, die ihr heute manchmal widerfährt, zunächst einmal ein ruhiges Selbstvertrauen in ihre methodisch zuverlässige und kontrollierte Arbeit setzen. Solches Selbstvertrauen hat nichts mit selbstsicherer Überheblichkeit zu tun; es handelt sich vielmehr um das Vertrauen in die *Sache,* mit der man es zu tun hat, und daß geduldige Arbeit ohne Hektik schon zu ihrem Ziel kommt.

Als Nebenprodukt gewissermaßen hat die Exegese in Theologie und Kirche entscheidend dazu beigetragen, einen Raum der Freiheit, der Mündigkeit und der wissenschaftlichen Selbstverantwortung zu schaffen. Durch sie wurde, in Verbindung mit den anderen historischen Disziplinen der Theologie, wie der Kirchen- und Dogmengeschichte, die *autonome historisch-kritische Vernunft der Neuzeit* in das theologische Denken eingebracht[4].

Die Frage nach der historisch-faktischen Wahrheit, nach der genauen Bedeutung des Litteralsinnes eines biblischen Textes oder nach den historisch eruierbaren Tatsachen, etwa der

[3] Vgl. die Äußerungen zur mosaischen Authentizität des Pentateuch v. 27. 6. 1906, E Bibl 181–184; Zur Verfasserschaft und historischen Wahrheit des Johannesevangeliums v. 29. 5. 1907, l. c. 187–189; Zum Jesajabuch v. 28. 6. 1908, 276–280; Zur paulinischen Verfasserschaft der Pastoralbriefe v. 12. 6. 1913, 407–410; Zum »*Comma Johanneum*« (1 Joh 5,7) v. 13. 1. 1897, 135 f.; Enzyklika *Humani generis*« von Pius XII. v. 12. 8. 1950, 611–620.

[4] Vgl. dazu vor allem *Käsemann,* Vom theologischen Recht historisch-kritischer Exegese (vgl. Anm. 1); *J. Blank,* Was bleibt vom Worte Gottes? in: Interpretation 29–49, bes. 31–39; *ders.,* Das politische Element in der historisch-kritischen Methode, ebd. 80–109.

Geschichte Jesu, brachte in die Theologie einen *neuen Wahrheitsbegriff* herein, nämlich den *induktiven oder positiven Wahrheitsbegriff* einer bestimmten, geschichtlich verankerten Wahrheit. Dieser Wahrheitsbegriff verbindet die Exegese mit den induktiven und hermeneutischen Methoden der modernen Geisteswissenschaften der Literaturwissenschaft, der Sprachwissenschaft und der Geschichtswissenschaft[5]. Man darf die These vertreten, daß diese Entwicklung keineswegs nur auf den »modernen Zeitgeist« zurückgeführt werden kann, sondern daß sie dem geschichtlichen (»heilsgeschichtlichen«) Wahrheitsverständnis der Bibel selber entspricht[6].

Dieser Wahrheitsbegriff geriet notwendig in Konflikt mit dem traditionellen dogmatisch-autoritären[7] Wahrheitsverständnis, nach welchem von vornherein festzustehen hatte, was als die »geoffenbarte Glaubenswahrheit« galt. Der »Beweis aus Schrift und Tr-adition« hatte ja bekanntlich nur die Aufgabe, im nachhinein das zu belegen, was man ohnehin schon wußte und bewiesen haben wollte. Es war schon höchst verdächtig, der wirklichen Geschichte einer theologischen Anschauung, etwa des päpstlichen Primats nachzugehen[8]. Erst recht wurde es gefährlich, wenn dies in kritischer Absicht geschah und wenn das Ergebnis den dogmatischen oder auch »ideologischen« Erwartungen nicht entsprach.

Von Anfang an hat die Frage nach der geschichtlich konkreten (»positiven«) Wahrheit das ideologische Moment im dogmatischen Wahrheitsanspruch getroffen und kritisiert. Hier lag

[5] Vgl. die zur »Hermeneutik« angeführten Autoren (am Ende dieses einleitenden Beitrags).

[6] Vgl. dazu die Arbeiten von *H. de Lubac, Catholicisme. Les aspects sociaux du dogme.* Paris [4]1947: V. *Le Christianisme et l'histoire,* 105–132, VI. *L'interprétation de l'Écriture* 133–178; *ders., Histoire et Ésprit. L'intelligence de l'Écriture d'après Origène.* Paris 1950; *J. Daniélou, Essai sur le Mystère de l'historie.* Paris 1953.

[7] Vgl. *Kuss* II, Grundsätzliches zu Schriftlesung und Bibelkunde, 32–50, 32 f., 36 f.

[8] Vgl. *H. Küng,* Unfehlbar? Zürich–Einsiedeln–Köln [2]1970; *ders.,* Fehlbar? Zürich–Einsiedeln–Köln 1973; *A. B. Hasler,* Pius IX. Päpstliche Unfehlbarkeit und 1. Vatikanum, in: *G. Denzler* (Hrsg.), Päpste und Papsttum 12,1–2. Stuttgart 1977, 1, 200–365.

auch der wunde Punkt, von dem die orthodoxen Empfindlichkeiten herrühren. Man wird also nicht bestreiten können, daß in der historisch-kritischen Methode *ein ideologiekritisches Moment* steckt, und man sollte auch in Zukunft auf diese kritische Seite einer methodisch soliden Arbeit in keiner Weise verzichten[9].

Die Einübung in exegetisches Denken hat wohl für die meisten von uns den Abbau einer dogmatisch-absoluten Denkweise zur Folge gehabt[10]. Diese Denkweise war gleichsam das »theologische Über-Ich«, die autoritäre Denkstruktur, von deren verinnerlichter Aufsicht man sich befreien mußte. Man mußte die Auffassung als unhaltbar preisgeben, zwischen dem kirchlichen Dogma und den historisch ermittelten biblischen Aussagen bestehe eine Art prästabilierter Harmonie. Dem war nicht so. Hier zeitigte die diszplinierende Seite der exegetischen Arbeit ihre subjektiven Aspekte und Wirkungen, die man als »theologisch emanzipierend« bezeichnen kann[11]. Man ging

---

[9] Es ist keine Frage, daß die Theologie das Ideologieproblem (Welche besonderen Interessen liegen vor? Mit welchen Theorien werden sie behauptet oder abgedeckt? Wie verhalten sich diese Interessen zum NT, zu kirchlichen Strukturen, zur besonderen Position des Autors usw.) in ihre Reflexionen aufnehmen muß. Vgl. dazu *R. Hernegger,* Ideologie und Glaube. Eine christliche Ideologienkritik. Nürnberg 1959; *H. Barth,* Wahrheit und Ideologie. Zürich–Stuttgart 1961; *J. Habermas,* Erkenntnis und Interesse. Frankfurt a. M. 1968; *H. R. Schlette,* Art. Ideologie, HphG (= Handbuch philosophischer Grundbegriffe) 3. München 1973, 720–727; *A. Esser,* Art. Interesse, HphG 3, 738–747; *J. Nolte,* Dogma in Geschichte. Versuch einer Kritik des Dogmatismus in der Glaubensdarstellung. Freiburg–Basel–Wien 1971, bleibt in seiner Analyse zu einseitig und kommt leider zu keiner überzeugenden theologischen Ideologiekritik.

[10] Vgl. auch *Kuss* II, Vorbemerkungen XX: »Mit einigem Erstaunen und mit steigendem Unwillen freilich sah mancher das neue Experiment mit der Bibel einen anderen Weg nehmen, als er erwartet hatte. Vielen, die sich mit frommer und froher Leidenschaft der Bibel zuwandten, schien es zuweilen, als hätten sie Dynamit in die Hände bekommen.«

[11] Typisch für die dogmatische Erwartungshaltung sind die Ausführungen von *K. Rahner,* Exegese und Dogmatik, vgl. *Vorgrimler,* Exegese und Dogmatik 25–52, die noch naiv davon ausgehen, daß die Exegese mehr oder weniger die dogmatischen Aussagen des Lehramtes zu bestätigen hätte. Daß die Exegese an die Dogmatik kritische Fragen zu stellen hätte, kam *Rahner* damals noch nicht in den Sinn.

15

also zunächst von der Überzeugung aus, kirchliches Dogma und Schriftaussagen könnten sich nicht widersprechen. Als Übergangsphase war diese Auffassung verständlich. Aber auf die Dauer wurde man doch tiefer in den Konflikt zwischen methodisch-wissenschaftlicher Wahrhaftigkeit gegenüber den biblischen Texten und dem absoluten Wahrheitsanspruch traditioneller Dogmatik hineingetrieben. Dazu kam, daß man mit der historisch-kritischen Methode nicht ein »neutrales Arbeitsinstrument« übernommen hatte, sondern einen ganzen Komplex zusätzlicher neuer Probleme und im Hintergrund *ein umfassendes neues Wahrheitsverständnis.* Wenn man seine Seele retten und nicht im Zwiespalt einer doppelten Wahrheit[12] steckenbleiben wollte, dann mußte man sich irgendwann einmal entscheiden. Man mußte grundsätzlich auf den »dogmatischen Überbau«, auf die geheimen Rückversicherungen im Über-Ich einer absoluten Wahrheit und Wahrheits-Autorität verzichten, ein mitunter schmerzlicher, im Endergebnis jedoch befreiender Vorgang. Ich selbst würde den Vollzug dieses Verzichts als die entscheidende subjektive Voraussetzung für eine kritische und konstruktive Exegese betrachten. Es ist der Schritt zur wissenschaftlichen Selbstverantwortung. Demgegenüber mutet es merkwürdig an, wenn man da und dort noch immer versucht, für exegetische Aussagen einen absoluten Bekenntnischarakter zu postulieren. Hat man sich einmal auf historisch-kritisches Denken eingelassen, dann muß man auch konsequent genug sein und auf theologische Tabuvorschriften jeder Art verzichten. Es tut der Sache keinen Eintrag, wenn dabei zunächst einmal das absolute theologische Behauptungspathos mit seinen latenten, aber oft auch unverhüllten Ängsten und Aggressionen in die Binsen geht. Nichts ist uns Theologen nötiger, nichts fällt uns aber auch so schwer wie

---

[12] *J. Ratzinger,* Einführung in das Christentum. München 1968, bleibt völlig in diesem Zwiespalt befangen, wenn er gegenüber der historischen Kritik einen dogmatischen Geschichtsbegriff postuliert, 171–172. Dabei übersieht er ganz schlicht, daß wissenschaftstheoretisch gesehen auch Dogmen Postulats- und Hypothesen-Charakter haben, auch wenn sie für den Glauben mehr bedeuten.

dieses Wahrhaft-Sein in der Liebe – ἀληθεύειν ἐν ἀγάπῃ (Eph 4,15)[13].

Demgegenüber treten die Fragehaltung, der offene, unabgeschlossene Lernprozeß in ihre Rechte ein. Wer an die Bibel mit festen, unerschütterlichen Überzeugungen herangeht und nicht bereit ist, sein gesamtes hergebrachtes theologisches Wissen radikal aufs Spiel zu setzen und dranzugeben, um genauer hinzuhören, zu lernen und sich etwas Neues sagen zu lassen, der mag alles treiben, nur nicht Exegese; für diese ist er untauglich. Also, die Wahrheit, gerade auch die Glaubenswahrheit, nicht als ein fester Besitz verstanden, sondern als Prozeß, als »Weg«. Damit vollzieht sich in der Exegese konkret die alte Wahrheit von der »*theologia in statu viatoris*«. Zwar ist der Konflikt mit dem autoritär-dogmatischen Wahrheitsbegriff noch nicht ausgestanden. Dieser muß sich heute fragen lassen, ob er nicht stillschweigend den »*status viatoris*« mit dem »*status possessionis et gloriae*« vertauscht hat. Doch nehmen die fortschrittlichen Dogmatiker heute den Gedanken der Geschichtlichkeit der Wahrheit und der Dogmen sowie die hermeneutische Betrachtungsweise entschieden mehr ernst als früher, auch wenn sie noch manchmal zögern und die Interessen- und Ideologiekritik des Dogmas noch nicht in genügender Weise geleistet haben.

In welcher Weise ist nun die Exegese als theologische Basiswissenschaft zu verstehen?

1. Zunächst einmal auf Grund der Bedeutung des alt- und neutestamentlichen Kanons[14]. Man mag theoretisch über den

---

[13] Umgekehrt liegt in solchem Verzicht auf »absolutes Wahrheitspathos«, im Mehr an plausibler und diskutabler Relativität das Wohltuende solcher Bücher wie *H. Küng*, Christ sein. München ⁹1977, und *E. Schillebeeckx*, Jesus. Freiburg–Basel–Wien 1975.

[14] Zum Kanon-Problem vgl. *E. Käsemann* (Hrsg.), Das Neue Testament als Kanon. Dokumentation und kritische Analyse zur gegenwärtigen Diskussion. Göttingen 1970; *K.-H. Ohlig*, Woher nimmt die Bibel ihre Autorität? Zum Verhältnis von Schriftkanon, Kirche und Jesus. Düsseldorf 1970; *ders.,*

Kanon denken was man will; man mag seine historische Abgrenzung kritisieren oder seine theologische Weisheit bezweifeln, er bildet trotzdem die faktische vorgegebene Grundlage der Bibelwissenschaft, mit der pragmatisch gearbeitet wird. Auch die Beurteilung der frühjüdischen, »zwischentestamentlichen« Literatur ist, wie schon die Formulierung zeigt, durch das Vorurteil zugunsten des Kanons bedingt. Das historische, aber auch das theologische Gewicht des biblischen Kanons, zumal des neutestamentlichen, ist so groß, daß es kaum erschüttert werden kann, auch in der Zukunft nicht. »Die Bibel«, mit der gearbeitet wird, ist nun einmal die Sammlung dieser kanonischen Schriften; daneben gibt es die frühjüdische oder frühchristliche Literatur außerhalb der Bibel. Im Grunde zehrt die exegetische Arbeit für die gesamte Theologie von der stillschweigenden Anerkennung einer wie immer verstandenen »Schriftautorität«. Dabei geht man auch von der Überlegung aus, im NT das ursprüngliche, authentisch Christliche zu finden[15], das heißt letztlich, das gültige Zeugnis von Jesus Christus, von seiner Person und seiner Lehre. Wer sich mit dem NT befaßt, geht wohl mit einem solchen oder ähnlichen Vorverständnis an dieses Buch heran.

Um so dringlicher bedarf das Kanonproblem von neutestamentlich-exegetischer Seite her einer eingehenden Diskussion. Man darf ziemlich allgemein unterstellen, daß die allermeisten

Die theologische Begründung des neutestamentlichen Kanons in der alten Kirche. Düsseldorf 1972; *W. Marxsen,* Das Neue Testament als Buch der Kirche. Gütersloh 1966; *A. Stock,* Einheit des Neuen Testaments. Erörterung hermeneutischer Grundpositionen der heutigen Theologie. Zürich–Einsiedeln–Köln 1969; *H. von Campenhausen,* Die Entstehung der christlichen Bibel. Tübingen 1968.

15 So etwa *O. Kuss* im Rückblick auf die Nazizeit: »Es war also nötig, zu den Quellen zurückzugehen, und nichts lag dann näher, als sich wieder fragend und um Auskunft ersuchend an das heilige Buch der Christen zu wenden und von dorther neu oder doch besser zu begreifen, worum es dem genuinen Christentum zu tun sein muß«, II, XII. – Die Frage nach dem »ursprünglichen authentisch Christlichen« ist immer wieder zu stellen, nicht nur wo das Christentum angefochten wird, sondern gerade auch dort, wo es etabliert ist, also gerade innerhalb von Kirche und Theologie. Bei der Beantwortung dieser Frage kommt der Bibel eine entscheidende Rolle zu.

Exegeten heute kein formales, biblizistisch geprägtes Kanonverständnis mehr vertreten, wonach man etwa an der apokalyptischen Katastrophentheorie einfach deshalb festhalten
müßte, weil sie im NT vorkommt. Man kann das Problem, um
das es geht, kurz so formulieren: Einerseits kommt dem
Schriftkanon eine besondere Autorität zu, die man mit der
Formel »*norma normans non normata*« beschreiben kann, in
Verbindung mit dem Gedanken der »Schriftinspiration«;
andererseits eignet dieser Schriftensammlung eindeutig ein
historischer Gelegenheits-Charakter. Außerdem sind diese
Texte in ihrer theologischen Qualität recht unterschiedlich, und
schließlich verteilen sie sich auf einen relativ großen Zeitraum,
der nach heutigen Auffassungen mindestens drei Generationen
der Urkirche umfaßt. Was ist dazu zu sagen?

Man muß wohl davon ausgehen, daß bei der Kanonsfrage
historische und theologische Relevanz nicht voneinander
getrennt werden können, daß sie aber auch nicht einfachhin
zusammenfallen, sondern zueinander in Spannung stehen;
jedenfalls müssen sie unterschieden werden. Gleichwohl ist die
theologische Bedeutung der Texte keine über diesen schwe-
bende »dogmatische Aura«, sondern nichts anderes als die
sachlich-inhaltliche Bedeutung dieser Texte selber als den
Ur-Zeugnissen des werdenden Christentums, des christlichen
Glaubens der Kirche usf. M. a. W. die Begriffe des »Kanonischen« und der »Inspiration« müssen heute so modifiziert und
umgedacht werden, daß sie zur historischen und sachlichen
Vielfalt der neutestamentlichen Texte passen. Also, das histo-
risch-kritisch-theologische Verständnis der Bibel mit seinem
konkreten Befund ist zunächst einmal dafür ausschlaggebend,
wie man heute den Kanonsbegriff zu verstehen hat.

Das entspricht auch den Aussagen, wie sie in der »Dogmatischen Konstitution über die göttliche Offenbarung« des
Zweiten Vaticanums im 3. Kapitel »Die göttliche Offenbarung
und die Auslegung der Heiligen Schrift«[16] enthalten sind. Man

[16] Vgl. LThK 2. Vat. II, 544–558; sowie den Kommentar von *A. Grillmeier,*
528–557.

hat den Eindruck, daß weder die Exegeten noch die Systematiker, noch das kirchliche Lehramt selbst, die hermeneutische
und dogmatische Tragweite dieses Textes erfaßt und die
entsprechenden Konsequenzen daraus gezogen hätten, wenn
es da z. B. heißt:

»Um die Aussageabsicht der Hagiographen zu ermitteln, ist
neben anderem auf die literarischen Gattungen zu achten.
Denn die Wahrheit wird je anders dargelegt und ausgedrückt
in Texten, von in verschiedenem Sinn geschichtlicher, prophetischer oder dichterischer Art, oder in anderen Redegat-
tungen.

Weiterhin hat der Erklärer nach dem Sinn zu forschen, wie ihn
aus einer gegebenen Situation heraus der Hagiograph den
Bedingungen seiner Zeit und Kultur entsprechend – mit Hilfe
der damals üblichen Gattungen – hat ausdrücken wollen und
wirklich zum Ausdruck gebracht hat.«[17]

Einfacher und deutlicher kann die Rezeption der »historisch-
kritischen Methode« ja wohl kaum ausgedrückt werden. Dabei
ist es entscheidend, daß auch die Bedeutung der literarischen
Gattungen in bezug auf die *Wahrheitsfrage* gesehen wird. Auch
darin geht der Text über heute noch oder wieder herrschende
Auffassungen weit hinaus: Die Wahrheit wird je anders *(aliter
enim atque aliter)* ausgedrückt in den unterschiedlichen Text-
sorten, Redeweisen etc. und in je anderem soziokulturellen

[17] Über die göttliche Offenbarung 3, 12; LThK 2. Vat. II, 550ff. Dazu
Grillmeier: Die biblische Wahrheit hängt an der Aussageabsicht des oder
der Hagiographen, in der sich Gottes Aussagewille kundtut. Diese
Feststellung ist zunächst wichtig für das Verständnis der Inspiration der
Schrift. Die Kirche bekennt sich nicht zu einer Verbalinspiration, die mehr
oder weniger »mechanisch« verstanden werden kann. Die Wahrheit der
Schrift erschließt sich in Sinngehalten, die erst aus den Worten und Sätzen
erhoben werden müssen. Damit gewinnt die Idee der Inspiration selber eine
neue Tiefe und einen besonderen Bezug zur Heilsoffenbarung«, a. a. O.
551. – Gilt das, was hier für Schrift und Exegese gesagt wird, nicht für alles
theologische Reden der Kirche überhaupt? Dann wäre zu sagen: Auch für
die Dogmen gibt es keine »Verbalinspiration«. Auch ihre Wahrheit hängt an
der Aussageabsicht der jeweiligen Autoren. Sie erschließt sich in Sinngehalten, die erst aus den Worten und Sätzen erhoben werden müssen; sie ist nicht
mit dem Wortlaut der Formel einfach identisch.

Milieu! Die historisch-kritische Methode hat also in der theologischen Wahrheitsfrage mitzusprechen; sie hat dabei auf die verschiedenen Aussageweisen aufmerksam zu machen und für deren sachgerechte Interpretation zu sorgen. Danach läßt sich die Frage nicht mehr umgehen, ob nicht auch für jede dogmatische Aussage der Kirche ganz genau dieselben Regeln zu gelten haben? Oder sind seit dem 1. christlichen Jahrhundert nach dem Neuen Testament die kulturgeschichtlichen Bedingungen menschlicher Rede plötzlich andere geworden, so daß etwa beim Konzil von Chalkedon nicht nach Zeit, Ort, näheren Umständen und kulturgeschichtlichem Verständnis dieser Wahrheitsaussage gefragt werden müßte? Was für die Exegese billig ist, muß auch für die Dogmatik recht sein.

Es dürfte mithin klar sein, daß kritische Überlegungen zu einem neuen Verständnis des Kanons aufgrund der Ergebnisse der historisch-kritischen Exegese sogar zum Zweiten Vaticanum nicht nur abgedeckt sind, sondern von dorther geradezu nahegelegt werden.

2. Das »neue Kanonverständnis« muß also dem historischen Ursprung, dem damit gegebenen Problemhorizont der biblischen Texte, der Zielsetzung ihrer Autoren und den Problemen der jeweiligen Adressaten sowie der besonderen Gewichtung eines biblischen Textes Rechnung tragen. Das heißt, nicht alle biblischen Textaussagen haben gleichen Aussagewert. Es gibt vom sachlichen Inhalt her gesehen beträchtliche Wertunterschiede im Hinblick auf Glauben und christliches Leben. Man kommt an der Unterscheidung zwischen zeitbedingten Aussagen und bleibend Gültigem nicht vorbei. Man muß auch für die Schrift eine »Hierarchie der Wahrheiten« postulieren, was die urchristlichen Autoren übrigens selbst getan haben, vermutlich unter Berufung auf Jesus, indem sie ganze Teile der alttestamentlichen Tora für irrelevant erklärt haben. Man bezeichnet das als »Sachkritik«; und heutige Exegese kommt, wenn es darum geht, die Schrift für die Gegenwart zu interpretieren, nicht ohne solche »Sachkritik« aus.

3. Doch zunächst noch einige weitere Bemerkungen zum Kanonproblem. Was die Entstehung des neutestamentlichen Kanons betrifft, so hat man immer wieder auf die Bedeutung des Marcion hingewiesen[18]. Nun sind die Anstöße, die Marcion zur Ausbildung eines formalen Kanonsbewußtseins gab, unverkennbar; aber die sachliche Kanonbildung, die Ausbildung und Sammlung verbindlicher Texte für die werdende Kirche geht entschieden weiter zurück und ist im Grunde mit der Entstehung der neutestamentlichen Literatur identisch. Die Entstehung dieser Literatur hängt ihrerseits wesentlich mit der Geschichte des Urchristentums zusammen und darf davon nicht isoliert werden. Es ist ja gewiß kein Zufall, wenn die neutestamentliche Literatur als Briefliteratur mit Paulus beginnt. Das bedeutet: Das zunächst mündlich gepredigte Evangelium *bedarf der Bekräftigung und der Absicherung der Wiederholung etc., und dies geschieht durch schriftliche Texte.* Mit Recht sagt *H. von Campenhausen:* »Überblicken wir das Ganze der paulinischen Aussagen unter kanongeschichtlichem Gesichtspunkt, so ergibt sich ein merkwürdiges Bild. Alle Elemente, die das Neue Testament einmal umschließen und mit einer einheitlichen Autorität ausstatten wird, sind erkennbar.«[19]

Ebenso kommt es darauf an, die Einsichten, wie sie in Verbindung mit den Methoden der Form-, Traditions- und Redaktionsgeschichte gewonnen wurden, für das Kanonverständnis fruchtbar zu machen. Wie die Entstehungsgeschichte

---

[18] Vgl. vor allem *A. von Harnack,* Lehrbuch der Dogmengeschichte I. Die Entstehung des christlichen Dogmas. Darmstadt 1964, 372ff.; *ders.,* Marcion. Das Evangelium vom fremden Gott. Darmstadt 1960, 72: »Sowohl die Zusammenstellung im Sinne eines einheitlichen Kanons als die Idee, das AT durch eine neue Sammlung *abzulösen,* sind sein Werk, und dieses Werk hat er der großen Kirche siegreich aufgenötigt ...« Es ist klar, daß *von Harnack* mehr die äußeren Bedingungen und Motive der Kanonbildung unterstreicht und die innerkirchlichen Gründe, Bedürfnisse usw. viel zuwenig beachtet. Zur Kritik vgl. vor allem *H. von Campenhausen,* Entstehung 124ff.; *G. Bardy, La Théologie de l'Église de Saint Irénée au concile de Nicée.* Paris 1947, 80ff.

[19] *H. von Campenhausen,* Entstehung 133.

der Evangelien zeigt, entstand für die Urkirche um 70 n. Chr. und danach das Problem, die Jesusüberlieferung, die man bis dahin mündlich weitergab, vor dem Vergessen und Auseinanderfallen zu bewahren und sie schriftlich zu fixieren. Gründe dafür sind das Aussterben der ersten Jüngergeneration, vielleicht auch die Parusieverzögerung, die Erfahrung längerer Dauer, auf die man sich einrichten muß, Konsolidierung der Gemeinden, veilleicht auch Abwehr des »Enthusiasmus« bzw. besser, Auseinandersetzung mit häretischen Gruppen. *Der Sinn der Evangelienschriften ist es in erster Linie, die bleibende Autorität Jesu sicherzustellen,* die nicht einfach historisch gemeint ist, sondern zugleich als bleibend gültige Autorität des erhöhten Jesus Christus gegenüber der Kirche, so wie es die Abschlußerscheinung des Auferstandenen bei Mattäus eindrucksvoll demonstriert (vgl. Mt 28,16–20). Wenn der scheidende Paulus nach Apg 20,35 den Ältesten von Ephesus und Milet einschärft, »der Worte des Herrn Jesus eingedenk zu bleiben«, dann darf man mit Gewißheit annehmen, daß er dabei auch an seine eigene Evangelienschrift denkt und dieser damit einen quasi-kanonischen Wert für die Zukunft zuschreibt. Die Rückbindung an die Anfänge ist ein wichtiges Anliegen der Gemeinden gegen Ende des 1. Jh.[20]. Ebenso diente die Produktion pseudonymer Paulusschriften der Rückbindung an den Apostel und der kontinuierlichen Weiterführung paulinischer Tradition, unter Berücksichtigung völlig neuer Problemstellung der späteren »nachapostolischen« Zeit, die genaugenommen schon zwischen 60 und 70 n. Chr. beginnt. Von daher legt es sich auch nahe, daß das entstehungsgeschichtliche Verständnis des NT, vor allem unter dem Anstoß der »Form-, Traditions- und Redaktionsgeschichte« zu einem historisch-theologischen Gesamtverständnis der Bibel hintendiert. Ansätze in dieser Richtung finden sich vor allem bei *W.*

[20] Vgl. dazu *N. Brox,* Falsche Verfasserangaben. Zur Erklärung der frühchristlichen Pseudepigraphie (SBS 79). Stuttgart 1975; *ders.* (Hrsg.), Pseudepigraphie in der heidnischen und jüdisch-christlichen Antike (WdF CDLXXXIV). Darmstadt 1977; *Blank,* Paulus und Jesus 17 ff.

Marxsen und bei *E. Lohse*[21]. Hier geht es vor allem darum, die Entstehungsgeschichte des Neuen Testaments in enger Verbindung mit einer »Geschichte des Urchristentums« zu konzipieren, weil beide sich wechselseitig befruchten. Neutestamentliche Einleitung, Geschichte des Urchristentums und neutestamentliche Theologie laufen also, wenn sie chronologisch und überlieferungsgeschichtlich konzipiert werden, parallel.

Sieht man die Sache so, dann lassen sich, grob gesehen, drei traditionsgeschichtliche Schwerpunkte erkennen: 1. die paulinische Tradition – sie umfaßt die von Paulus übernommene »vorpaulinische« Tradition, wie sie dann in die echten Paulusbriefe eingegangen ist; dann die Weiterführung der paulinischen Tradition, ihre Neuinterpretation in den Deuteropaulinen (Kolosser-/Epheserbrief; Pastoralbriefe; 2. Thessalonicherbrief; vielleicht [?] 1. Petrusbrief); 2. die zum Teil sehr unterschiedlich orientierte »synoptische Tradition«, die nicht so einheitlich ist, wie es auf den ersten Blick erscheint, sowohl was die Vorgeschichte (vormarkinische Quelle – Q) als auch die endgültigen Texte (Markus-, Matthäus- und Lukasevangelium) angeht. Hierzu gehören als Weiterführungen die lukanische Apostelgeschichte als auch der Jakobusbrief, den ich mit *Mussner*[22] in der Nähe der Mt-Tradition ansiedeln möchte, die auch Beziehungen zur Didache erkennen läßt; 3. endlich die »johanneische Tradition« (Johannesevangelium, 1.–3. Johannesbrief), die einen Sonderfall darstellt, aber mit ihrem Offenbarungsverständnis Verbindungen zu Q zeigt (vgl. Mt 11,25–27; Lk 10,21–22), auch Querverbindungen zur synoptischen Tradition erkennen läßt[23] und schließlich manche Ge-

---

[21] *W. Marxsen*, Einleitung in das Neue Testament. Eine Einführung in ihre Probleme. Gütersloh 1963; *ders.*, Das Neue Testament als Buch der Kirche; *E. Lohse*, Entstehung des Neuen Testaments. Stuttgart 1972. Leider haben diese Versuche bis jetzt noch wenig Nachfolger gefunden.

[22] *F. Mussner*, Der Jakobusbrief (HTK XIII) 1. Freiburg–Basel–Wien 1974, 52: »Das Frömmigkeitsideal des Briefes berührt sich in vieler Hinsicht mit dem der Gemeinde des Matthäus.« Dazu die aufschlußreichen Vergleichstafeln S. 48 ff.

[23] Zur Problemlage vgl. *J. Blinzler*, Johannes und die Synoptiker (SBS 5). Stuttgart 1965.

meinsamkeiten, vor allem in der Christologie, mit dem Hebräerbrief aufweist. Bleiben als Restbestände noch Apokalypse, Hebräerbrief, 1. und 2. Petrusbrief und Judasbrief. 1. und 2. Petrusbrief sind offenbar Zeugnisse der römischen Gemeinde; 1. Petrusbrief ist wohl doch um 100–110 n. Chr. anzusetzen, also zeitlich nach dem 1. Klemensbrief, während 2. Petrusbrief als »wohl die fragwürdigste Schrift des Kanons«[24] ziemlich spät in der Mitte des 2. Jh. anzusetzen ist. Für unser Problem ist sie deshalb von Bedeutung, weil sie bereits die Synoptiker (einen zumindest) voraussetzt und interpretiert (2 Petr 1,16–21; vgl. Mk 9,2–7 par.), ebenso eine Sammlung von Paulusbriefen (3,14–16). Dabei wird das schwierige Verständnis des Paulus betont und vor falscher Paulus-Interpretation gewarnt; was zumindest an gnostische Irrlehrer denken läßt, wenn nicht an Marcion selbst. Daß der 2. Petrusbrief selbst wieder den Judasbrief voraussetzt und exzerpiert, ist bekannt. Die traditionsgeschichtliche Diskussion um den Hebräerbrief ist gerade wieder neu in Gang gekommen; sie dürfte m. E. seine tiefergehende Verwurzelung in der urchristlichen Tradition erbringen als bislang angenommen[25]. Ähnliches gilt auch für die theologisch eigenständige Johannesapokalypse.

Nimmt man diesen Befund zur Kenntnis, dann ergibt sich, daß die Entstehung eines ntl. Kanons nicht ganz so willkürlich und zufällig verlief, wie man das oft hingestellt hat. Es zeichnen sich deutlich *traditionsgeschichtliche Schwerpunkte ab, Hauptströme gleichsam,* die man gut bis an die Quelle zurückverfolgen kann, *und Nebenflüsse,* die allmählich dazukamen. Evangelien und Paulusbriefe wurden ziemlich schnell und problemlos in den Gemeinden rezipiert, bei anderen, sachlich weniger bedeutsamen, ist ein relativ langes Schwanken zu beobachten. Insofern ist die bekannte Unterscheidung von »*Homologumena*« und »*Antilegomena*« ein ziemlich treues Bild der fakti-

---

[24] *E. Käsemann,* Eine Apologie der urchristlichen Eschatologie, in: Exegetische Versuche und Besinnungen I. Göttingen 1960, 135–157, 135.
[25] Vgl. dazu *H. Zimmermann,* Das Bekenntnis der Hoffnung. Tradition und Redaktion im Hebräerbrief. Köln–Bonn 1977.

schen Entwicklung, die sich am besten mit soziologischen Kategorien erfassen läßt. Bei der Entstehung des Neuen Testaments und der Urkirche waren auch soziologische Faktoren ganz natürlicher Art und Auslese wirksam, die man eigentlich recht präzise benennen kann und in denen sich die theologischen Faktoren auswirkten. Es gilt also auch: die Entwicklung verlief auch nicht so genau und planmäßig logisch, wie es die Systematiker gerne haben möchten und wie sie nach den schon ziemlich festgefahrenen Begriffen der frühen Kirchenväter, eines Irenäus etwa, erscheint, die bis heute das landläufige Denken bestimmen.

4. Eine weitere Frage ist: *Woher nimmt der Kanon seine Autorität?* Sicher nicht von einer kirchenamtlichen Satzung her. Der vielberufene Spruch des *Augustinus*: »Ich würde den Evangelien nicht glauben, wenn mich die Autorität der katholischen Kirche nicht dazu veranlassen würde«[26], muß aus seinem Kontext heraus verstanden und darf nicht verabsolutiert werden. Er besagt kaum mehr, als daß man normalerweise das Evangelium in Verbindung mit der Autorität der Kirche durch die kirchliche Verkündigung kennenlernt; aber das bedeutet keineswegs eine Überordnung der kirchlichen Autorität über die Schrift. Wenn es richtig ist, wie oben dargelegt wurde, daß die Entstehung der Evangelien letztlich dem Umstand zu verdanken ist, durch schriftliche Fixierung der anfänglich mündlichen Überlieferung Jesu *die bleibende Autorität Jesu gegenüber der Gemeinde für alle Zeiten zu garantieren,* dann ist allein dadurch schon festgestellt, daß die Kirche letztlich den kanonischen Schriften keine Autorität verleiht, sondern daß sie diese Autorität Jesu und »der Apostel« (global gesprochen) gelten läßt und anerkennt, daß sie sich selbst, ihr Lehren und Wirken, *dieser Autorität unterordnet.* Es stimmt also nicht ganz, wenn früher oft darauf hingewiesen wurde, daß

---

[26] »*Ego vero evangelio non crederem, nisi me catholicae ecclesiae commoveret auctoritas*«, *Augustinus,* Contra epistulam Manichaei quam vocant fundamenti (397 n. Chr.), 5, 6. Zitiert nach *M. J. Rouët de Journel* SJ, Enchiridion Patristicum ed. XIV., Nr. 1581.

die Formgeschichte mit ihrer Betonung der mündlichen Überlieferung *vor* der schriftlichen Fixierung dem »katholischen
Verständnis« von Tradition und Schrift näher käme. Natürlich
ist das NT ein »Buch der Kirche«, von urkirchlichen »apostolischen« Autoritäten verfaßt; aber diesen Autoritäten ging es ja
letztlich einzig und allein um die bleibende Autorität Jesu, des
Kyrios, bzw. des Evangeliums, die der Kirche, der Tradition,
dem apostolischen Amt *vorausliegen;* die Schrift als solche
bezeugt gerade diesen fundamentalen Tatbestand. Genau aus
diesem Grund sind die neutestamentlichen Autoren darum
bemüht, kirchliche Lehren, Verhältnisse und Gegebenheiten,
auch wenn sie nicht direkt von Je-sus selber stammen, doch
durch die Reduktion auf Jesus zu legitimieren. Auch Paulus
und dem Johannesevangelium geht es um die bleibend gegenwärtige Autorität Jesu, die als solche der kirchlichen Autorität
gegenübersteht und mit ihr niemals identisch sein kann.
Zugleich erkennt die den Kanon rezipierende und definierende
Kirche *die bleibende Gültigkeit und Unüberholbarkeit, die
qualitative Besonderheit ihres eigenen geschichtlichen Ursprun-
ges an.* Die »Gründerzeit« bekommt »normativen« Charakter,
sie bleibt für alle folgenden Zeiten verbindlich. Auch das darf
nicht starr legalistisch verstanden werden; das geht schon
deshalb nicht, weil die »Zeugnisse« dieser Gründerzeit nicht
auf einen einzigen theologischen Nenner gebracht werden
können.

In jüngster Zeit hat sich vor allem *Karl-Heinz Ohlig* mit dem
theologischen Problem des Kanons befaßt in den zwei leider
noch wenig beachteten Schriften »Woher nimmt die Bibel ihre
Autorität?« und »Die theologische Begründung des Kanons in
der alten Kirche?«[27]. Ohlig zeigt, daß man in der Tat zwischen
der Überlieferung der Urkirche, der beginnenden Schriftwer-
dung, also der entstehenden neutestamentlichen Literatur,
deren Anerkennung und Rezeption im Frühkatholizismus und
ihrer endgültigen Festlegung durch die Großkirche nicht jene

[27] Vgl. Anm. 14.

scharfen Zäsuren machen kann, wie man früher oft meinte. Vielmehr handelt es sich um einen komplexen, kontinuierlichen, längerfristigen Prozeß. Bei diesem Prozeß ist vor allem auf die Vielfalt der Auswahlkriterien zu achten[28]. Gewöhnlich war niemals ein Kriterium allein ausschlaggebend; vielmehr wirkten meist eine Mehrzahl von Kriterien zusammen, solche formaler und solche inhaltlicher Art. Also auch hier ging es sehr konkret und geschichtlich zu; die üblichen Formeln erweisen sich wieder einmal als Abstraktionen. Schließlich kommt *Ohlig* zu folgenden Aussagen:

»Die Kanonsgeschichte zwingt zu einer Vertiefung der Fragestellung. Fragen muß man nicht nur nach der Kanonizität der Schriften, sondern nach der Normativität schon der apostolischen Überlieferung: Beide sind begründet in der Autorität des Herrn, ja im letzten sind sie mit dieser Autorität identisch. *Theologisch* gründet alle neutestamentliche Kanonizität in der Kanonizität des Herrn bzw. – hermeneutisch exakt ausgedrückt – in der (*Offenbarung* und) *Erfahrung* dieser Autori-

---

[28] Da ist zunächst das Kriterium der »Apostolizität« einer Schrift. *Ohlig* meint dazu: »Gerade weil die Kirche selbst das Kriterium der Apostolizität sehr differenziert verstanden hat, darf man es heute nicht einseitig in nur *einer* der möglichen Interpretationen verstehen«, Autorität 59; vgl. Die theologische Grundlegung 153 ff. *Ohlig* hat zweifellos recht, daß das Prädikat »apostolisch« nicht auf die Frage apostolischer Verfasserschaft eingeschränkt werden darf, sondern im weiteren Sinne verstanden werden muß. Auch ist sie nicht das alleinige Kriterium. *Ohlig* nennt daneben noch folgende Kriterien: Das hohe Alter einer Schrift; Geschichtlichkeit im Sinne historisch verbürgter Wahrheit; Orthodoxie; Übereinstimmung mit der »Schrift«; Erbaulichkeit einer Schrift; Bestimmung für die ganze Kirche = Katholizität; Verständlichkeit und Sinnhaftigkeit einer Schrift; Geistliche Kriterien, und schließlich das »Kriterium der Kriterien: Die Rezeption einer Schrift durch die Kirche«; vgl. Autorität 39–91. Nach *Ohlig* wurde die Zugehörigkeit einer Schrift zum neutestamentlichen Kanon »*faktisch* entschieden gemäß ihrer Rezeption in den Gemeinden«, Autorität 82. »Kirchenamtliche Beschlüsse haben den Umfang des Kanons nicht mehr entscheidend bestimmen können, sondern im wesentlichen nur noch die Entwicklung der Kanongeschichte ratifiziert und damit den Kanon noch mehr zu einer festen Regel gemacht«, a. a. O. 90. – Nach dem Ergebnis der Arbeit von *Ohlig* dürfte es in der Kanonfrage keine grundsätzliche Differenz zwischen protestantischem und katholischem Kanonverständnis mehr geben.

tät.«[29] Das heißt: »Die alte Kirche hat die Kanonizität neutestamentlicher Schriften in einem ganz radikalen Sinn christologisch, pneumatologisch und theologisch begründet. Von *Schrift*kanonizität kann deswegen nur in einem abgeleiteten Sinn gesprochen werden: es gibt nur *eine* Norm, nur *einen* Kanon; *Jesus den Christus*«, d. h. nicht die Kirche, »sondern der Herr gibt den Schriften ihre absolute Relevanz.«[30] Und noch ein letztes Zitat: »Der Kanon ist seiner *konkreten* Gestalt nach Auswirkung der Geschichtlichkeit Jesu . . ., seiner absoluten Verbindlichkeit nach Auswirkung der göttlichen Kanonizität Jesu.«[31]

Aber wird damit nicht, wie *H. Schlier* meint, der »historische« Jesus geradezu zum »fünften Evangelium und zum Kriterium der vier Evangelien« gemacht, und bedeutet das nicht eine praktische Aufhebung des Kanoncharakters der Heiligen Schrift[32]? Hat man den Biblizismus einmal definitiv verabschiedet und sich dazu bereit gefunden, den konkret-geschichtlichen Charakter des Kanons ernst zu nehmen, dann verfangen solche Argumente nicht mehr; es sind Scheinargumente. Denn das mit der Floskel des »fünften Evangeliums« angesprochene *Problem* hat es immer gegeben, es läßt sich gerade vom Kanon her nicht umgehen. Es geht da nämlich einfach um den Tatbestand, daß den vier Evangelien mit ihren vier »Jesus-Bildern« eben doch der *eine Jesus* vorausliegt, auf den sie sich beziehen und von dem sie sprechen. Die Frage nach dem »historischen Jesus« als dem historischen Ursprung der Jesusüberlieferung wird also gerade durch die relative Verschiedenheit der vier Evangelien aufgenötigt. Sie ist auch von grundsätzlicher theologischer Bedeutung, weil es die Offenbarung ohne ihren historischen Kontext biblisch nicht gibt. Aber sie ist noch nicht alles! Denn es ist kein Zweifel, daß für die

---

[29] *Ohlig,* Autorität 26.
[30] A.a.O. 98.
[31] A.a.O. 106.
[32] Vgl. *H. Schlier,* Das Ende der Zeit. Exegetische Aufsätze und Vorträge III. Freiburg–Basel–Wien 1971; Einleitung 10f.

neutestamentlichen Autoren der historische Jesus von Nazareth als der geschichtliche Ursprung der Überlieferung angesehen wird (so höchstwahrscheinlich auch von Paulus 1 Kor 11,23), aber seine bleibende Autorität ist doch durch die Auferstehung, durch seine Erhöhung zum Kyrios begründet. Sie wird als gegenwartsmächtige Autorität im Walten des Geistes erfahren: »Der Herr ist der Geist; wo aber der Geist des Herrn ist, da ist Freiheit« (2 Kor 3,17).

Man muß also unterscheiden: Zwischen historischem Ursprung und der eschatologisch-theologischen Begründung der Autorität der Schrift; *Jesus als der Herr, als Christus steht für beides.* Nur auf diese Weise ist das historische »Einmal« mit dem theologisch (»dogmatischen«) »Ein für allemal« sachlich inhaltlich verbunden; ist es auch möglich, beiden Seiten ihr relatives Recht zukommen zu lassen.

5. Zugleich ist damit dem berühmten *Problem des »Kanons im Kanon«*[33] *eine gewisse Berechtigung zuzugestehen.* Die früheren katholischen Äußerungen, die diesem kanonkritischen Aspekt das »Ganze der Schrift« gegenüberstellten[34], hatten in

[33] Das Problem des »Kanons im Kanon« hat vor allem die jüngste evangelische Diskussion nachhaltig beschäftigt; es stellt gleichsam den Knotenpunkt dar, wo sich historisch-kritisches Kanonverständnis und theologisch-dogmatisches Kanon- und Schriftverständnis ineinander verknoten, wo es gerade um die theologische Bedeutung historisch-kritischer Exegese geht, vgl. die verschiedenen Beiträge bei *Käsemann,* Das Neue Testament als Kanon; zum Problem etwa 382 f.

[34] Aufschlußreich für eine an der Sachproblematik interessierte katholische Position ist der Beitrag von *H. Küng,* Der Frühkatholizismus im Neuen Testament als kontroverstheologisches Problem, in: *Käsemann,* Kanon 175–204, mit der einschränkenden Selbstkritik 204. *Küng* plädiert dafür »grundsätzlich nach allen Richtungen hin offen zu sein, die das *Neue Testament* freigibt, keine neutestamentliche Linie grundsätzlich oder faktisch auszuschließen«, 198. Das Neue Testament sei ja selbst eine *complexio oppositorum.* »Die katholische Kirche ist also neutestamentlich ausgerichtet, wenn sie versucht, die *opposita* (nicht alle, sondern diejenigen, die auch diejenigen des Neuen Testamentes sind!) in einem guten Sinn zu umfassen und *das ganze Neue Testament* als Evangelium zu verstehen«, 198 (Unterstreichung von mir). Eben dieses, so meine ich heute sagen zu müssen, geht nicht mehr; man muß vielmehr *zwischen Evangelium und*

gewissem Sinne recht, aber sie taten das viel zu abstrakt, formalistisch und global. Sie verkannten, daß der Kanon keine Landkarte ist mit einheitlicher Fläche, sondern eher ein gewaltiges Gebirge mit sehr unterschiedlichen Höhenlagen. Es gibt aber in der Tat nicht nur eine *äußerliche,* sondern auch eine *innere* Kanonizität, d. h. Sachkriterien, um zwischen Wesentlichem und Unwesentlichem, Zentralem und Peripherem, Wichtigem und Unwichtigem unterscheiden zu können. Das Schleiertragen der Frauen in Korinth ist in der Tat weniger wichtig als das Glaubensbekenntnis (1 Kor 15,3–5) oder als die Herrenmahltradition (1 Kor 11,23 ff.). Man mag durchaus mit *E. Käsemann* die Rechtfertigungslehre als »Kanon im Kanon« bestimmen, zumal er sie gerade nicht als fixes Prinzip, sondern sehr offen versteht[35]. Doch würde ich eher dafür plädieren, unter dem »Kanon im Kanon« jene sachliche Mitte zu verstehen, auf welche die verschiedenen Zeugnisse auf unterschiedliche Weise hinweisen, ohne sie je einzeln für sich genommen vollständig, allseitig und adäquat zum Ausdruck zu bringen. Man mag sie als die »Christologische Mitte« bezeichnen, die sich unterschiedlich auslegt, und darüber hinaus den

Neuem Testament genau unterscheiden; das NT bezeugt das Evangelium, daran ist nicht zu zweifeln, aber nicht überall, nicht einmal Paulus hat es durchgängig bezeugt und festgehalten! Es gibt im NT neben dem Evangelium seine konkrete Interpretation und Applikation, die nicht mehr wörtlich nachvollziehbar sind. Kurz, das NT selbst zwingt uns heute dazu, zu differenzieren. Man war und ist katholischerseits gerne versucht, dieser unbequemen Differenzierung auszuweichen; aber man kann keine historisch-kritische Exegese treiben, ohne die Konsequenzen auch dann zu übernehmen, wenn sie an harte theologische Fundamentalprobleme heranführen.

[35] *Käsemann,* Kanon 383: »Was ich ›Mitte der Schrift‹ nenne, läßt sich nicht auf literarische Komplexe verengen und in einem Reduktionsprozeß gewinnen, obgleich es sich weithin nur in andeutungsweise ausgesprochen findet, in bestimmten Schriften kaum von Belang ist oder sogar durch ein anderes Zentrum ersetzt wird.« – Zur Position *Käsemanns* vgl. auch *Stock,* Einheit 13–24; bes. 24; *Stock* hat *Käsemanns* Anliegen wohl zutreffend erfaßt, wenn er meint: »Das so bestimmte Evangelium bringt die Notwendigkeit und Möglichkeit mit sich, innerhalb der Schrift theologische Sachkritik zu üben, die Geister zu prüfen und kritisch rechte von falscher Botschaft zu trennen.«

Einen und Selben Gott, der sich in beiden Testamenten und allen ihren Texten »viele Male und auf vielerlei Weise« – πολυμερῶς καὶ πολυτρόπως (Hebr 1,1) bezeugt[36]. Ich bin also nach dem Gesagten der Auffassung, daß die Rede vom »Kanon im Kanon« keine protestantische »Ketzerei« darstellt, die mit einem katholischen »Ganzheitsprinzip« der *tota Scriptura* siegreich aus dem Felde zu schlagen sei, sondern daß es sich um eine sachlich-relevante Problemanzeige handelt, der man auch katholischerseits immer wieder hat Rechnung tragen müssen und auch tatsächlich Rechnung getragen hat; denn das Problem der »Glaubensregel« – der *regula fidei,* wie es sich der alten Kirche seit Irenäus stellte, ist genau nichts anderes als der katholische Versuch, das Problem des »Kanons im Kanon« zu beantworten. Ich befinde mich also nicht nur in guter Gesellschaft mit *Ernst Käsemann,* sondern, was diesen eher verwundern wird, auf gutem frühkatholischen Boden, wenn ich der Auffassung bin, daß die Frage nach dem »Kanon im Kanon« für die theologische Problematik des Kanons unumgänglich sei. Ich verstehe die Rolle der sehr offenen »*regula fidei*«[37] nicht als ein starres Gesetz; so haben sie auch die Kirchenväter nicht verstanden; sondern als hermeneutische Richtlinie, die auf die

---

[36] *A. Stock* hat in seiner leider zuwenig beachteten Arbeit »Die Einheit des Neuen Testaments« (1969) die theologischen und systematischen Implikationen der Frage nach dem »Kanon im Kanon« analysiert und dadurch auch klargelegt, daß und warum diese Frage notwendig auf dem Boden moderner Exegese sich stellen muß. Er sagt mit Recht: »Das dialogische Wesen der biblischen Zeugniswelt macht es unmöglich, Gottes Selbstaussage im Durch- oder Überblick positiv zusammenzufassen. Ihre Einheit erschließt sich nur dem, der sich in diesen Dialog einfangen, in dieses Gespräch hineinverwickeln läßt. In ihm, durch sein geschichtliches Detail hindurch zu lernen, wer Gott ist, ist das eine und einzige Interesse biblischer Theologie«, 170.

[37] Zur »regula fidei« vgl. *N. Brox,* Offenbarung, Gnosis und gnostischer Mythos bei Irenäus von Lyon (SPSt I). Salzburg–München 1966: II, 1. Kanon der Wahrheit, 105 ff. Nach *Brox* »stellt sich die Glaubensregel als eine recht schwierig zu greifende Größe heraus. Sie kann immer nur in Formeln und Schriftworten identifiziert werden, die von ihr als ganzer überboten werden, sie selbst bleibt im Hintergrund«, 109.

»Mitte der Schrift« verweist; die eher eine Grundeinstellung nahelegt, als präzise Einzelweisungen erteilt. Bekanntlich waren die Kirchenväter, die sich auf diese »regula fidei« beriefen, in ihrer Einzelexegese sehr offen und großzügig.

6. Geschichtlich-konkretes Gefälle des Kanons; Ungleichgewichtigkeit und schwerpunktmäßige Verteilung der theologischen Akzente bei den einzelnen Schriften; »Hierarchie der Wahrheiten«; historisch bedingte, kairos- und situationsbezogene Aussagen-Intention: das alles läuft folgerichtig auf die Pluralität der Aussagenweisen, der unterschiedlichen Theologien, Christologien, hinaus. Gerade in seinen theologischen Aussagen ist der neutestamentliche Kanon auf keinen systematischen Nenner zu bringen. Den verschiedenen Schriften eignen mehr oder weniger einheitliche theologische Konzeptionen. Aber diese Konzeptionen sind nicht deckungsgleich. Auch hier war es *E. Käsemann,* der das Problem pointiert angesprochen hat mit der Aussage, der Kanon bezeuge in seiner historisch-konkreten Vorfindlichkeit nicht die Einheit der Kirche, sondern die Vielfalt der Konfessionen[38]. Ich möchte demgegenüber lieber sagen, er bezeugt, wie Einheit der Kirche, neutestamentlich verstanden, wohl zu verstehen sei, nämlich als Neben- und Miteinander verschiedener Realisierungen des Evangeliums, die auf ihre gemeinsame Mitte hin offen wären, ohne überflüssige Absolutheitsansprüche, sich gegenseitig infragestellend und fördernd, also Einheit in bewußt anerkannter und gelebter Vielfalt, ohne Uniformierungen und öde Gleichschalterei. Im Hinblick auf die Theologien: Die Pluralität der Theologie ist das an sich Normale[39], die

---

[38] *E. Käsemann,* Begründet der neutestamentliche Kanon die Einheit der Kirche? Versuche I, 214–223, besonders 221.

[39] Vgl. dazu *Concilium 14* (1978) Heft 5: »Neue Orte des Theologietreibens«. Angesichts der dort geschilderten Entwicklung erscheint es dringend geboten, kritische Theologie zu treiben und für ihre Bedeutung einzutreten. *Käsemanns* Anliegen einer Unterscheidung zwischen Glauben und Aberglauben wird eine um so dringlichere Aufgabe, als unter der Flagge der Theologie alle mögliche Ware verkauft wird. Die Frage nach »Unterschei-

Vielfalt der Ansätze mehr als berechtigt und notwendig; jeder darf und soll Gott mit seiner eigenen Stimme loben und preisen. Er sollte nur seinen eigenen Ansatz gegenüber anderen begründen und verantworten können, ihn nicht absolut setzen und sich fortgesetzt für Korrekturen offenhalten. Es gibt heute keine, auch keine amtskirchliche Theologie, die »das Ganze der katholischen Wahrheit« vertreten könnte. Wer behauptet, über dieses »Ganze« unverkürzt zu verfügen, stellt sich unter Ideolgie- und Totalitarismusverdacht. Man kann immer nur Aspekte dieses Ganzen vertreten, Durchblicke auf dieses Wahrheitsganze hin, darauf kommt es freilich an. Genauer das im biblischen Kanon und in der Offenbarung anvisierte »Ganze«, das als solches durchaus bezeugt werden muß, ist als solches konkrete und überreiche Fülle, »Pleroma der Gottheit«, umfassende Wahrheits- und Lebensfülle; und wenn man theologisch weiß, wovon man redet, ist ohnehin klar, daß alles kirchliche und theologische Reden seinen fragmentarischen, verkürzten, einseitigen Charakter einbekennen muß (vgl. 1 Kor 13,8–13).

Aufs Ganze gesehen steht mithin der Kanon in seiner konkret geschichtlichen Uneinheitlichkeit und Ungleichgewichtigkeit gegen jedes »Wahrheits-System«, das den gesamten christlichen Glauben in einen umfassenden logischen Gesamtzusammenhang bringen möchte. Die »ausgewogene Synthese«, das »systematische Ganze« ist seit »*De principiis*« des Origenes eine bleibende Gefahr, die als solche gesehen und angesprochen werden muß. Gewöhnlich war und ist es so, und dies gilt auch für die mittelalterlichen und die modernen System-Theologen, das System ist, gerade weil es alles in einen logischen Zusammenhang bringen will, am meisten der Gefahr ausgesetzt, sehr einseitig zu werden, das Unbequeme wegzulassen oder einzuebnen und damit die im Kanon garantierte Offenheit endgültig zu verbauen. Die Aussage: *Kanon contra System*

dung des Christlichen« stellt sich, wie man sieht, immer neu. Ferner: *D. Tracy*, Blessed Rage for Order. The New Pluralism in Theology. New York 1978.

(gerade im Hinblick auf Jesus und die Christologie) zeigt paradigmatisch ein hochproblematisches theologisches Spannungsfeld auf, über dessen Bedeutung heute erneut nachgedacht werden müßte[40].

7. Die Stichworte »Kanon im Kanon«, »Pluralität der neutestamentlichen Theologien und Christologien«, und zwar von Anfang an, sowie die Unterscheidung zwischen »Evangelium und Neuem Testament« verweisen noch auf einen anderen Problemkreis, nämlich auf das Interpretationsproblem, wie es sich innerhalb des NT selbst stellt. Die Person Jesu Christi selbst, seine Verkündigung, sein Wirken, seine Passion und Auferstehung, die zentralen Inhalte des Evangeliums werden in den verschiedenen Traditionen und Texten des NT höchst unterschiedlich interpretiert. Die christologischen Hoheitstitel, deren Problematik wohl noch immer unterschätzt wird, sind als solche unterschiedliche Interpretationen von Person und Werk Jesu. Natürlich haben alle diese Interpretationen eine gemeinsame Grundvoraussetzung, nämlich die wirkliche geschichtliche Person des Jesus von Nazaret selbst. Aber diese wird eben nicht »an sich« greifbar; Jesus begegnet uns immer nur in den überlieferten »Jesus-Bildern«, in den unterschiedlichen Christologien und den damit verbundenen Soteriologien. Welche weittragenden Transformationen schon im NT selbst vor sich gegangen sind, zeigen die neutestamentlichen Texte durchwegs, besonders auffallend im Johannesevangelium, im Hebräerbrief oder in der Johannesapokalypse. Es gibt keine dogmatische Formel, die der Differenziertheit all dieser Jesus-Bilder wirklich gerecht werden könnte; man muß es klar sagen: auch die Formel von Chalkedon leistet das nicht.

---

[40] Zum Gesamtproblem vgl. *Stock,* Einheit, 156: »Befragt man ein Denken nach seiner Auffassung der Einheit des NT, so steht damit die Methodik dieses Denkens selbst zur Diskussion; umgekehrt impliziert der methodische Grundzug einer Theologie immer, wenn auch nicht immer ausgesprochen, eine Aussage über die Struktur des NT. Beides muß miteinander erhellt werden.«

Dagegen hat die Exegese inzwischen gelernt, besser auf die bei den Interpretationen und Transformationen vorkommenden Elemente zu achten. Interpretation erfolgt immer im Zuge der Weitergabe von Tradition und ist davon untrennbar. Jesusüberlieferung wird immer nur mit Interpretation auf neue Situationen tradiert. Interpretieren heißt, einen überlieferten Text neu formulieren, ihn neu mit anderen Worten sagen, er beinhaltet stets Innovation: *»Nihil traditur nisi quod innovatur«* = »Was du ererbt von deinen Vätern hast, erwirb es, um es zu besitzen« (Goethe). Aber sie ist nur dann geglückte Interpretation, wenn sie zugleich Kontinuität schafft: *»Nihil innovatur nisi quod traditur.«* Bei den neutestamentlichen Interpretationsvorgängen spielte die konkrete, ort- und zeitbedingte Gemeinde-Situation mit ihrer Gesamtproblematik immer eine wichtige Rolle. Keiner der neutestamentlichen Schriftsteller hegt das Bestreben, »überzeitliche Wahrheiten« zu verkünden. Immer sind es bestimmte Adressaten, mit ganz konkreten Anliegen und Nöten, zu denen gesprochen wird. Selbst die Paulusbriefe tragen so sehr den Stempel des jeweiligen Kairos und seines Milieus an sich, daß sie sich als Individualitäten stark voneinander abheben. Darüber hinaus lernen wir die milieu- und zeitbedingten Unterschiede der Texte immer schärfer zu sehen. Das ist sehr merkwürdig, wenn man damit die heute beliebte Enthaltsamkeitspredigt dem Zeitgeist gegenüber vergleicht. Kairos- und milieubezogene Theologie, das ist die Theologie der neutestamentlichen Schriften[41].

Die Einsicht ist auszuweiten und zu verallgemeinern. Die Theologie muß ihre eigene Geschichtlichkeit, die damit gegebene Relativität entschiedener ernst nehmen, und zwar im Hinblick auf die Dogmen.

»Geschichtliches Denken zwingt uns darüber hinaus, gerade in

---

[41] *Kuss* sagt mit Recht: »Wer die Schrift lesen und verstehen will, muß ein *Mensch seiner Zeit* sein, wer den Menschen der Gegenwart die Schrift aufschließen will, muß sich fortgesetzt um eine intime Kenntnis der Zeit und der Gedanken bemühen, die sie bewegen«, in: Grundsätzliches zu Schriftlesung und Bibelkunde, II, 34.

der Theologie im Hinblick auf die Bibel, Interpretation nicht nur als ›meine persönliche Antwort‹ oder existential im Sinne von Selbstverständnis zu sehen, sondern sie in größerem Rahmen zu erfassen, als ›epochaler Vorgang‹. Gemeint ist folgendes: Die christliche Antike brachte in den Schriften der Kirchenväter eine Interpretation des christlichen Glaubens, die weitgehend von (Neu-)Platonismus geprägt war. Die mittelalterliche Frühscholastik bot ebenfalls eine relativ homogene Interpretation, die Hochscholastik nach dem Eindringen des Aristoteles wieder eine andere, ebenso die Spätscholastik, Reformation und Nachreformation usw. Jede Zeit hat ihre eigene, besonders ausgeprägte Antwort auf die christliche Botschaft zu geben, in der Theologie, im Frömmigkeitsstil, im Umgang mit der Welt, im christlichen Leben. In keiner Epoche kam dabei jeweils ungebrochen das Ganze der christlichen Botschaft zum Zuge, auch wenn man es selbstverständlich festhielt, sondern immer nur eine bestimmte, man könnte sagen ›kultursynthetisch‹ geprägte Gestalt des Christlichen. Die Überlieferung wurde immer neu mit bestimmten zeitbedingten Vorstellungen, Begriffen, Anschauungen verbunden und dadurch interpretiert. Dabei wurde auch der Glaube verändert – und blieb, hauptsächlich durch das kanonisierte Zeugnis der Schrift, doch auch der gleiche. Es geht uns heute nicht anders.«[42]

Innovation und Kontinuität, das war von Anfang an ein Grundproblem und eine Aufgabe der Theologie. Risikolose Rezepte gibt es dafür nicht. Allerdings möchte ich dafür plädieren, daß in der gegenwärtigen Situation das Hauptbemühen der Innovation des Überlieferten zu gelten hat.

8. Indem der neutestamentliche Kanon die Jesus-Tradition und -Rezeption der Urkriche in paradigmatischer Weise festgehalten hat, hat er damit zugleich die Vergegenwärtigung und Rezeption Jesu für alle weiteren Zeiten ermöglicht. Zugleich enthält er fortgesetzt auch die Anstöße, die jeweiligen ge-

[42] *Blank,* Verändert Interpretation den Glauben? 65 f.

schichtlich gewordenen Formen der kirchlichen Jesus-Rezeption in Lehre, Praxis und Institutionen kritisch zu überprüfen. Wie verhält sich der neutestamentliche Kanon zur Kirchen- und Dogmengeschichte? Hat er nur eine stabilisierende, affirmative Funktion oder eine verunsichernd-kritische?

Zunächst, wenn man die Geschichte von Lehraussagen oder Institutionen wirklich begreifen will, dann ist es eine unerläßliche Voraussetzung dazu, die Differenz der Phänomene wahrnehmen zu können, einen Blick zu haben für das Besondere, Individuelle. Es kommt darauf an, beides zu sehen, die unwiederholbare Eigenart geschichtlicher Individualität und den Zusammenhang, das Kontinuierliche, die Strukturen geschichtlicher Zusammenhänge. Besonders wichtig ist, daß man die problematischen Stellen, die Mutationsstellen gewissermaßen, wo einschneidende Änderungen stattfinden, bemerkt. Man müßte also mehr und mehr ein theologisches Verfahren entwickeln, das in der Lage ist, die kulturgeschichtlichen Neuinterpretationen des »Christentums« schärfer zu erfassen und die Motive, Prozesse usw., die dabei maßgeblich gewesen sind, genauer zu analysieren.

Auf der anderen Seite ergibt sich für die neutestamentliche Exegese immer wieder die Aufgabe einer *Theologie- und Institutionskritik*. Die Kirche hat sich im Kanon an das paradigmatische Zeugnis der Urkirche von Jesus Christus gebunden, und an dieser Bindung hängt nichts Geringeres als ihre »christliche Identität«. Ihre Ursprungsgeschichte hat also im ganzen eine »*normative Bedeutung*«, ebenfalls im paradigmatischen, nicht in einem biblizistisch-legalistischen Sinn. Es geht nicht um unhistorische Romantik, sondern Theologie und Kirche heute gewinnen ihre eigene Christlichkeit in der fortgesetzten kritischen, aber auch ermutigenden Konfrontation mit dem Grundzeugnis ihrer Herkunft. Das Neue Testament, vor allem die Person Jesu Christi selbst, stellt jeden erreichten kirchlichen Zustand in Frage. Es gibt keine kirchlichen Traditionen, und es darf auch keine geben, die nicht immer wieder im Lichte des Neuen Testaments kritisch überprüft und in Frage gestellt werden müßten. Aber, und das gilt es auch zu sehen, alle Kritik nach dem neutestamentlichen Paradigma geschieht um einer größeren Christlichkeit willen, und größere Christlichkeit bedeutet immer, größere Freiheit, größere Liebe, größere Menschlichkeit. Sie ist, was immer ihre Gegner sagen mögen, Kritik in einem positiven Sinn, Kritik um der von Jesus verheißenen Basileia willen.

9. Damit kommen wir zu einem letzten Punkt der »Offenheit des Kanons«. Der neutestamentliche Kanon ist offen wegen der Naherwartung bzw. wegen der noch ausstehenden Wiederkunft des Menschensohnes. Wegen der eschatologischen Zukunftshoffnung sind und bleiben alle theologischen Aussagen, auch die kirchenamtlichen Aussagen und Dogmen, relativ, vorläufig, überholbar. Die Hoffnung auf die Wiederkunft Christi und damit die Hoffnung einer endzeitlichen Erfüllung verweisen alles menschliche Reden, auch die Theologie, endgültig in die Vorläufigkeit und Hinfälligkeit der Geschichte. Die eschatologische Hoffnung erlaubt keinerlei Verabsolutierung. Sämtliche theologischen Aussagen müssen als Paß stets den Ausweis bei sich tragen, daß sie noch offene Hoffnungsaussagen sind. Nur dann werden sie durch den Zoll der Zeit hindurchkommen können.

Zum Abschluß noch einige programmatische Thesen

a) Grundlegende Aufgabe der Exegese bleibt auch in der Zukunft die Erforschung der neutestamentlichen bzw. allgemein der biblischen Schriften, die Erhebung dessen, was diese Schriften meinen und sagen, mit den verschiedenen inzwischen erarbeiteten Methoden, wobei natürlich Forschung und Methoden entwicklungsfähig bleiben müssen. Die entscheidende Frage ist allerdings, in welchem größeren Sinn-Horizont, in welchem umfassenderen Gesamtverständnis diese Arbeit geschieht.

b) Was dieses Gesamtverständnis betrifft, so genügt natürlich nicht das bloße Interesse, festzustellen, was ist bzw. was einmal war und wie.es gewesen ist. Eigentlich gibt es nur ein Interesse, das auf die Dauer unter den gegenwärtigen Verhältnissen in Kirche und Gesellschaft das Gesamtverständnis exegetischer Arbeit motivieren kann, und das ist das Interesse an der Zukunft des Christentums, an der Zukunft der Sache Jesu. Hier liegt nach meiner Meinung die entscheidende Motivation. Ist diese Motivation klar, dann mag auch die Kirche nachziehen, deren Zukunft wesentlich davon abhängt, wieviel sie vom Evangelium hält. Das heißt auch, die an der Schrift orientierte Christlichkeit der Theologie hat den Vorrang vor dem Prinzip der Kirchlichkeit.

c) Exegese muß, bei der heutigen allgemeinen gesellschaftlichen Bewußtseinslage, sich noch viel stärker bei ihrer Arbeit vom traditionell-dogmatischen Vorurteil frei machen. Sie muß in aller Freiheit und kritischen Unbefangenheit ihre Aussagen, Thesen usf. von den biblischen Zeugnissen her erarbeiten und zur Diskussion stellen. Sie muß die anderen Disziplinen fragen, ob ihre Aussagen dem biblischen Befund entsprechen und, wenn nicht, wo die hinzukommenden Kriterien ihrer Aussagen liegen.

d) Exegese muß in stärkerem Ausmaß als bisher, und zwar zur Erfüllung ihrer hermeneutischen Aufgabe, die biblischen Aussagen in die Gegenwart übersetzen, die nicht-theologischen Humanwissenschaften in ihre Arbeit einbeziehen, und zwar ganz besonders die allgemeine Sprachwissenschaft (Linguistik), Soziologie, Psychologie und Erziehungswissenschaften, und natürlich die moderne Philosophie. Von den historischen Fächern, also der Kirchen- und Dogmengeschichte, einmal abgesehen, ist die Theologie noch weitgehend mittelalterlich konzipiert. Zu fordern ist eine ausgesprochen moderne Konzeption von Theologie, mit der Exegese als Basiswissenschaft, und in weitem Rahmen einer geschichtlich orientierten Theologie einerseits und einer Querverbindung zu den Humanwissenschaften andererseits.

e) Die Verbindung zur kirchlichen Tradition darf nicht mehr, wie bisher, in einem solchen Übergewicht gesehen werden, daß sie im Grunde genommen den Rahmen für theologische Arbeit absteckt. Tradition ist in gewissem Sinne ein sekundäres Kriterium; sie ist, wenn sie gut ist, nichts anderes als der Steinbruch der Zukunft.

f) Wie schon die vier Evangelien zeigen, hat es von Anfang an zeit- und interessenbedingte Jesus-Bilder gegeben und wird sie auch in Zukunft geben. Sie sind für die produktive Aneignung Jesu und seiner Botschaft unerläßlich und unterliegen freilich immer wieder auch der Kritik. Auch die Dogmatik hat ihre Jesus-Bilder und ihre Vorlieben, die bislang noch immer eine doketische Schlagseite haben, und sind ebenfalls der Kritik zu unterziehen. Daß der Kirchenglaube durch diese dogmatischen Richtigkeitsbehauptungen lebendiger geworden oder gar geblieben sei, wage ich ganz einfach zu bezweifeln. Der einfache Bibelleser hat in seinem NT Jesus betreffend immer noch die bessere Nahrung bekommen, auch wenn sein Verständnis mit mancherlei zeitbedingten Subjektivitäten durchsetzt war.

Literatur zum Ganzen

A. Schweitzer, Geschichte der Leben-Jesu-Forschung. Tübingen [6]1951; *ders.,* Geschichte der paulinischen Forschung. Tübingen [2]1933; *H. J. Kraus,* Geschichte der historisch-kritischen Erforschung des Alten Testaments von der Reformation bis zur Gegenwart. Neukirchen 1956; *W. G. Kümmel,* Das Neue Testament, Geschichte der Erforschung seiner Probleme. Freiburg i. Br.–München 1958; *ders.,* Das Neue Testament im 20. Jahrhundert. Ein Forschungsbericht (SBS 50). Stuttgart 1970; *ders.,* Einleitung ins Neue Testament. Heidelberg [18]1973; *G. Ebeling,* Die Bedeutung der historisch-kritischen Methode für die protestantische Theologie, in: Wort und Glaube. Tübingen [2]1962, 1–49; *C. H. Dodd, The Authority of the Bible.* London repr. 1955; *A. Vögtle,* Das Neue Testament und die neuere katholische Exegese, I Grundlegende Fragen zur Entstehung und Eigenart des NT. Freiburg–Basel–Wien 1966; *O. Kuss,* Auslegung und Verkündigung, I. Aufsätze zur Exegese des Neuen Testaments. Regensburg 1963; II. Biblische Vorträge und Meditationen. Regensburg 1967; *J. Blank,* Paulus und Jesus. Eine theologische Grundlegung (StANT 18). München 1968; *ders.,* Schriftauslegung in Theorie und Praxis (Biblische Handbibliothek V). München 1969; *ders.,* Verändert Interpretation den Glauben? Freiburg–Basel–Wien 1972; *W. Kasper,* Die

Methoden der Dogmatik. Einheit und Vielheit. München 1967; *W. Pannenberg*, Wissenschaftstheorie und Theologie. Frankfurt a. M. 1973; *H. Vorgrimler* (Hrsg.), Exegese und Dogmatik. Mainz 1962.

Zum Problemfeld der historischen Methode:
J. G. Droyen, Historik. Vorlesungen über Enzyklopädie und Methodologie der Geschichte, Hrsg. von *R. Hübner*. Darmstadt 1977, *G. W. F. Hegel*, Vorlesungen über Geschichte der Philosophie I, Theorie Werkausgabe Suhrkamp 18. Frankfurt a. M. 1971; *H.-I. Marrou, De la Connaissance Historique.* Paris 1954; *Ch. Samaran (Directeur), L'Histoire et ses Méthodes. Encyclopédie de la Pléiade.* Paris 1961; *K. G. Faber,* Theorie der Geschichtswissenschaft. München 1971; *H. M. Baumgartner,* Kontinuität und Geschichte. Zur Geschichte und Metakritik der historischen Vernunft. Frankfurt a. M. 1972.

Zur Hermeneutik:
W. Dilthey, Der Aufbau der geschichtlichen Welt in den Geisteswissenschaften. Ges. Schr. VII. Göttingen [4]1965; *M. Heidegger,* Sein und Zeit. Tübingen [7]1953; *H. G. Gadamer,* Wahrheit und Methode. Tübingen 1960; *E. Betti,* Allgemeine Auslegungslehre als Methodik der Geisteswissenschaften. Tübingen 1967; *R. W. F. Funk, Language, Hermeneutic and Word of God. The Problem of Language in the New Testament and contemporary Theology.* New York–Evanstone–London 1966.

Zur exegetischen Methodologie:
H. Zimmermann, Neutestamentliche Methodenlehre, Darstellung der historisch-kritischen Methode. Stuttgart 1967; *G. Fohrer* u. a., Exegese des Alten Testaments, Einführung in die Methodik (UTB 267). Heidelberg 1973; *W. Richter,* Exegese als Literaturwissenschaft. Göttingen 1971; *H. Conzelmann – A. Lindemann,* Arbeitsbuch zum Neuen Testament (UTB 52). Tübingen 1975; *K. Berger,* Exegese des Neuen Testaments, Neue Wege vom Text zur Auslegung. Heidelberg 1977.

Kirchenamtliche Texte zur Exegese:
Enchiridion Biblicum (E Bibl), *Documenta Ecclesiastica Sacram Scripturam Spectantia, Editio quarta aucta et recognita.* Neapel–Rom 1961; *Pius XII., Enzyklika »Divino afflante Spiritu«,* Über die zeitgemäße Förderung der biblischen Studien, vom 30. September 1943, 1943, lateinisch-deutsche Ausgabe. Freiburg i. Br. 1947; *Instructio de Historica Evangeliorum Veritate* vom 20. April 1964; ed. *J. A. Fitzmyer* (SBS 1). Stuttgart [3]1966; Dogmatische Konstitution über die göttliche Offenbarung, vgl. Das Zweite Vatikanische Konzil, LThK II. Freiburg–Basel–Wien 1967, 497–583.

1. TEIL
EIN JESUS UND VERSCHIEDENE CHRISTOLOGIEN

I. Zum Problem der neutestamentlichen Christologie

Man könnte die Frage nach dem Verhältnis von »Exegese und Dogmatik« von der Exegese her auf verschiedene Weise angehen, etwa an Hand des Methodenproblems, indem man an der Verschiedenheit der wissenschaftlichen Methoden Unterschied und Zusammenhang beider Disziplinen aufzeigt. Oder man könnte in der Verfolgung des neutestamentlichen Kerygmas, vor allem der ältesten Glaubens- und Bekenntnisformeln, darstellen, wie es von hier aus zum formulierten Credo kam und wie dieses auf den Aufbau der Dogmatik eingewirkt hat. Auch das neutestamentliche Traditionsproblem wäre in diesem Zusammenhang von großem Interesse. Im Folgenden sei der Versuch unternommen, einige Fragen der christologischen Problems im Neuen Testament in der Sicht heutiger katholischer Exegese zu behandeln. Dieser Problemkreis wurde vor allem deshalb aufgenommen, weil die Aussicht besteht, hier am nächsten bei der Sache selbst zu sein. Ich bin mir bewußt, damit den schwierigsten Problemzusammenhang aufgenommen zu haben; es ist von vornherein klar, daß er nicht in auch nur annähernder Vollständigkeit behandelt werden kann. Eine Bezugnahme auf die evangelische Exegese ist dabei nicht zu vermeiden. Es ist ja der Vorteil der Exegese, daß hier eine außerordentlich breite gemeinsame Basis der Problemstellung wie der Methode vorausgesetzt werden kann. Wo Unterschiede liegen, wird sich am ehesten bei der Behandlung der Sache selbst zeigen. Dabei besteht keine Neigung, solche Unterschiede künstlich aufzurichten, wo sie tatsächlich nicht vorhanden sind. Wenn Kritik geübt werden muß, dann soll es nicht ohne Begründung geschehen.

1. Das christologische Problem heute

Das christologische Problem, von dem wir jetzt zu sprechen haben, steht auch heute wieder stark im Mittelpunkt der exegetischen Diskussion, an der sich die allerverschiedensten theologischen Richtungen beteiligen. Es liegt nahe, dabei vor allem an die Arbeiten zu denken, die sich mit dem christologischen Problem ausdrücklich befassen, wie *Josef Rupert Geiselmann*, »Jesus der Christus, die Urform des apostolischen Kerygmas als Norm unserer Verkündigung und Theologie von Jesus Christus«[1], *Oscar Cullmann,* »Die Christologie des Neuen Testaments«[2], *Heinz Eduard Tödt,* »Der Menschensohn in der synoptischen Überlieferung«[3], *Van Iersel,* »Der Sohn in den synoptischen Jesusworten«[4], *Eberhard Jüngel,* »Paulus und Jesus. Eine Untersuchung zur Präzisierung der Frage nach dem Ursprung der Christologie«[5], endlich *Ferdinand Hahn,* »Christologische Hoheitstitel, Ihre Geschichte im frühen Christentum«[6], eine Arbeit, von der *Ernst Käsemann* sagt, daß sie »eine den Augenblick und die Sicht der deutschen kritischen Forschung kennzeichnende Position« markiere[7]. Erwähnenswert sind hier auch die beiden Lexikon-Artikel »Jesus Christus« im RGG von *Hans Conzelmann*[8] und im LThK von *Anton Vögtle* und *Rudolf Schnackenburg*[9], sowie die Artikel über »Christologie« in beiden Werken. Darüber hinaus berühren aber auch alle Arbeiten zum Problem des »histori-

---

[1] Stuttgart 1951[1] – Die Literaturangaben, soweit sie nicht als Beleg dienen, wollen dem Leser lediglich einige Hinweise zur Sache geben und beabsichtigen keine Vollständigkeit.

[2] Tübingen 1957[1].

[3] Gütersloh 1959.

[4] Leiden 1961.

[5] Tübingen 1962.

[6] Göttingen 1963.

[7] Vgl. Schutzumschlag bei Hahn.

[8] Die Religion in Geschichte und Gegenwart (RGG), Tübingen 1957–1962[3], III, 619–653.

[9] Lexikon für Theologie und Kirche, Freiburg i. Br. 1957[2]ff., 5, 922–940, Abschnitt I und II.

schen Jesus« mehr oder weniger stark das christologische Problem. Daß die Untersuchungen zur Form-, Traditions- und Redaktionsgeschichte der Evangelien die Frage gleichfalls nicht umgehen können, liegt auf der Hand.

Wie sehr jedoch in der heutigen Forschung noch ältere Fragestellungen nach- und weiterwirken, erkennt man am besten, wenn man im Anschluß an die neuesten Arbeiten wieder einmal ältere Werke zur Hand nimmt. So hatte schon *Albert Schweitzer* in seiner »Geschichte der Leben Jesu Forschung« eindringlich auf das »Dogmatische« in den synoptischen Evangelien aufmerksam gemacht und den Zusammenhang von Eschatologie und Dogma deutlich herausgestellt[10]. Die Anstöße, die von *Martin Kähler,* »Der sogenannte historische Jesus und der geschichtliche, biblische Christus«[11] bis heute ausgehen, sind bekannt. Auch *Wilhelm Bousset,* »Kyrios Christos«[12] muß hier erwähnt werden, und nicht zuletzt das wieder neu aufgelegte Werk von *William Wrede,* »Das Messiasgeheimnis in den Evangelien«[13]. In diesen vier genannten Werken, deren Einfluß schon bei *Rudolf Bultmann* nicht zu verkennen ist, ist die heutige Fragestellung weitgehend vorgezeichnet. Nicht als wäre seitdem nichts Neues dazugekommen. Aber selbst ein so der heutigen Problematik zugewandtes Werk wie das von *Hahn* ist den Fragestellungen *Boussets* und *Wredes* noch in einem hohen Maße verpflichtet, vor allem, was die systematische Linienführung angeht und ordnet sich, problemgeschichtlich betrachtet, in die von diesen Forschern entworfene Linie ein, wenn auch freilich viel nuancierter und differenzierter.

Darüber hinaus ist zu sagen, daß sich das christologische Problem in der heutigen Exegese auch in seiner *Sachproblematik* hartnäckig behauptet. Gerade weil man hier, mindestens

[10] 6. photomechan. Aufl., Tübingen 1951, bes. 432: »Dogmatisch, darum historisch, sagt die konsequente Eschatologie.«
[11] Vgl. Neuausgabe von E. Wolf (2. erw. Aufl.), Theologische Bücherei 2, München 1956.
[12] Göttingen 1921[2].
[13] (2. Aufl. 1913) Göttingen 1963[3].

methodisch, aber auch oft genug mit entschieden antidogmatischer Frontstellung, von der klassischen dogmatischen Fragestellung, wie sie am besten durch die Formel von Chalkedon umrissen wird, absieht, kommt die eigentümliche Sachproblematik um so schärfer zum Vorschein. »Dogmatik« ist, das haben *Albert Schweitzer, Kähler* und *Wrede* bereits gesagt, ein sich im Neuen Testament und also auch in der Exegese selber aufdrängender Faktor. Schon damit ist bewiesen, daß es hier um mehr als nur um »Formeln« geht; natürlich umreißt auch die Titel-Frage allein noch nicht das ganze christologische Problem. Die Formulierungen zwingen immer wieder zum Blick »auf die Sache selbst«. Die Frage nach dem »historischen Jesus« läßt sich, auch heute, aus diesem dogmatischen Gesamtzusammenhang nicht ohne die größten Schwierigkeiten herauslösen[14]. Woher kommt es, daß der methodisch rekonstruierte »historische Jesus« oft so unbefriedigend erscheint? Der hermeneutische Apparat, der hier manchmal aufgeboten wird, steht zu den mageren Ergebnissen, die am Schluß zuweilen herauskommen, in einem beängstigenden Mißverhältnis. Es dürfte wohl nicht allzu schwierig sein, in der Formulierung »Der historische Jesus und der kerygmatische Christus«, bei allem, was sie davon unterscheidet, den Schatten der alten dogmatischen Formel »wahrer Gott und wahrer Mensch« wiederzuerkennen. Vielleicht könnte es gut sein, auch wenn dies manchem unbequem erscheinen sollte, sich einmal darüber Rechenschaft zu geben, wie unnachgiebig das alte christologische Problem, wenn auch unter vielen neuen Aspekten, sich noch immer stellt. Darin dürfte wohl ein Hinweis

[14] Zum ganzen Problemkreis vgl. den Sammelband »Der historische Jesus und der kerygmatische Christus, Beiträge zum Christusverständnis in Forschung und Verkündigung«, herausgegeben von *H. Ristow* und *K. Matthiae,* Berlin 1961[2] – *J. M. Robinson,* Kerygma und historischer Jesus (dt. Übersetzung), Göttingen 1960 – Der historische Jesus und der Christus unseres Glaubens, Eine katholische Auseinandersetzung mit den Folgen der Entmythologisierungstheorie (Beiträge verschiedener Autoren), herausgegeben von *K. Schubert,* Wien–Freiburg–Basel 1962; – *W. Kramer,* Christos Kyrios Gottessohn, AThANT 44, Zürich 1963; – *X. Léon-Dufour,* Les Évangiles et l'Histoire de Jésus, Paris 1963.

liegen, daß dieses Problem offenbar mit der im Neuen Testament selbst vorliegenden »Sache« gegeben ist und daß man es auf keine, weder auf billige noch auf äußerst angestrengte Weise, auch nicht mit Hilfe der historisch-kritischen Methode, los wird. Man muß deshalb die Diskussion um den »historischen Jesus« grundsätzlich begrüßen; denn durch sie ist das christologische Problem in den Mittelpunkt der theologischen Auseinandersetzung gerückt worden. Darin kommt zum Ausdruck, daß uns das zentrale Problem des Neuen Testaments einfach nicht zur Ruhe kommen läßt. Das ist, bei allem Gegensatz der Meinungen, das ausgesprochen Positive an dieser Auseinandersetzung.

2. Die Vielfältigkeit der neutestamentlichen Christologie

Die Christologie des Neuen Testaments ist eine außerordentlich vielschichtige Gegebenheit. Eigentlich muß man von einer Vielzahl verschiedener Christologien sprechen, womit denn auch bereits implizit die Frage nach dem Einheitsgrund dieser Christologien gestellt ist.

Da ist einmal die Vielzahl der christologischen Titel. Es war, noch vor *Oscar Cullmann,* der katholische Tübinger Dogmatiker *Josef Rupert Geiselmann,* der in seinem Buch »Jesus der Christus« die Frage nach dem neutestamentlichen Ansatzpunkt der christologischen Titel aufwarf. Er ging dabei, im Anschluß an Cullmanns Buch »Christus und die Zeit«[15] und an *Josef Gewiess* »Die urapostolische Heilsverkündigung nach der Apostelgeschichte«[16] vom apostolischen Kerygma von Jesus Christus aus. Als Grundlage für die Erarbeitung dieses Kerygmas nahm *Geiselmann* vor allem die Petrusreden der Apostelgeschichte; eine große Rolle spielt für ihn dabei der Begriff der »Heilsgeschichte«. Er sagt: »Apostolisches Keryg-

[15] Zollikon-Zürich 1948².
[16] Breslauer Studien zur histor. Theologie NF V, Breslau 1939.

ma, das Künden von Jesus als dem Gesalbten des Herrn, wird also in seinem Wesen dadurch bestimmt, daß in ihm Geschichtliches und Übergeschichtliches, Zeitliches und Ewiges, Ereignis und Voraussage, Prophetie und Erfüllung zu einem Ganzen verschmelzen. Es ist nicht möglich, von Jesus als dem Christus ohne die Prophetie des Alten Testament zu reden... Jesus verkündet, losgelöst vom Alten Testament, herausgelöst aus der Heilsgeschichte, deren krönenden Abschluß er darstellt, führt entweder zum bloß »historischen Jesus«, zu einem *Leben* Jesu oder zu dem aus der Heilsgeschichte herausgelösten metaphysischen Gott oder Jesus als einem Höhepunkt des religiösen Erlebens der Menschheit. Das Künden der Messias des Alten Testaments aber losgelöst vom historischen Faktum Jesus kommt über die bloße Idee nicht hinaus«[17]. – Im Anschluß an die inhaltliche Darstellung des Kerygmas behandelt nun Geiselmann die christologischen Titel, die »Jesusprädikate des urapostolischen Kerygmas« in der Reihenfolge: Der Prophet, der Heilige und Gerechte, das Lamm Gottes (mit Fragezeichen versehen), der Messias (Christus), der Menschensohn, der Führer zum Leben, der Erlöser (Soter), der Sprosse aus Davids Geschlecht, der Gottesknecht, der Kyrios[18]. Dieser Entwurf aus der Feder eines katholischen Dogmatikers, der sich mit der – bis 1951 erschienenen – wichtigsten exegetischen Literatur von protestantischer und katholischer Seite auseinandersetzt, steht auf katholischer Seite bisher auf ziemlich einsamer Höhe. Ohne alle Formulierungen und Ergebnisse Geiselmanns unterschreiben zu wollen – die Behandlung der christologischen Titel ist sehr kurz und kursorisch – möchte ich doch das Positive des Geiselmannschen Ansatzes herausstellen. Es liegt vor allem darin, daß Geiselmann das Kerygma und die christologischen Titel eng miteinander verbindet. Die Frage, ob etwa die Reden der Apostelgeschichte von 1 Kor 15,3 ff. abhängen, oder, wie Geiselmann damals noch meinte, umgekehrt 1 Kor 15,3 ff. von

[17] *Geiselmann,* 26.
[18] A.a.O. 112–128.

den Reden, scheint mir weniger belangvoll zu sein wie die Erkenntnis einer grundsätzlichen Strukturgleichheit in den großen Linien, wie sie auch durch die Arbeit von *Ulrich Wilckens* über die »Missionsreden der Apostelgeschichte«[19] im Grunde bestätigt wurde. Ebenso spricht Geiselmann mit Recht von den »Jesus-Prädikaten«, weniger von »christologischen Titeln«. Damit ist der fundamentale Sachverhalt zum Ausdruck gebracht, daß diese Titel Jesus von Nazareth den Gekreuzigten und Auferstandenen zum Gegenstand haben. Wer die Arbeiten von *Cullmann* und *Hahn* kennt, der sieht wohl auf den ersten Blick, welche Einseitigkeiten bei dem Geiselmannschen Ansatz vermieden sind. Was den Zusammenhang mit dem Alten Testament angeht, das »Heilsgeschichtliche Problem«, so ist hier *Geiselmann* grundsätzlich recht zu geben. Es ist die nämliche Auffassung, wie sie heute von führenden Alttestamentlern wie *Walter Zimmerli, Claus Westermann, Gerhard von Rad, Hans Joachim Kraus* und anderen[20] in Verbindung mit einer Kritik an einer zu einseitig existentialtheologisch ausgerichteten neutestamentlichen Exegese vorgetragen wird. Das Problem von Verheißung und Erfüllung darf dabei ebensowenig ausgeklammert werden wie das von Gesetz und Evangelium; beide aber fordern die Rückbeziehung auf das Alte Testament. Es dürfte, nebenbei bemerkt, wohl doch selbstverständlich sein, daß sich diese Probleme etwa allein von Paulus her weder in vollem Umfang stellen noch lösen lassen. Dagegen sollte man meines Erachtens nicht von »Geschichte und Übergeschichte« sprechen, weil in dieser Terminologie das sachlich-theologische Problem

---

[19] Neukirchen Kreis Moers 1961; Zwar meint *Wilckens* a. a. O. 80., daß sich zwischen 1 Kor 15 und den Actareden »nicht viel traditionsgeschichtlich Gemeinsames feststellen« lasse. Mag das auch für die einzelnen Traditions-Elemente bis zu einem gewissen Grad stimmen, so besteht gleichwohl eine analoge »Struktur« und eine Sach-Parallelität; das sollte man nicht übersehen.

[20] Vgl. den Sammelband »Probleme alttestamentlicher Hermeneutik, Aufsätze zum Verstehen des Alten Testaments«, herausgegeben von *C. Westermann*, Theologische Bücherei 11, München 1960.

der Heilsgeschichte nicht zutreffend bezeichnet sein dürfte. Auch hier ist zu bedenken, daß das Problem, das in dem Begriff der »Heilsgeschichte« enthalten ist, mit Sympathien oder Aversionen gegen diesen Begriff nicht zu lösen, aber auch nicht zu erledigen ist. Unzureichende Lösungsversuche sind kein Einwand dagegen, sondern eine Aufforderung, die Sache gründlicher zu durchdenken. Hier sei auf eine Arbeit des französischen Theologen *Jean Mouroux* hingewiesen mit dem Titel »Le Mystère du Temps. Approche théologique«[21], die als Beitrag zum theologischen Verständnis von Zeit, Geschichte und Heilsgeschichte Beachtung verdient. Für ein theologisches Zeit- und Geschichtsverständnis genügt, das muß heute gesehen werden, der Ansatz *Heideggers* in »Sein und Zeit«, so anregend er gewirkt hat, nicht. Dagegen kommt der Versuch von *Wolfhart Pannenberg*[22], der auf seine Weise das heilsge-

---

[21] Théologie 50, Paris 1962 (deutsche Übersetzung: *J. Mouroux*, Eine Theologie der Zeit, von *W. Scheier*, Freiburg–Basel–Wien 1965). Die Abhandlung entfaltet sich in dem Dreischritt: Gott und die Zeit – Christus und die Zeit – Die Kirche und die Zeit. Sie bietet in gründlicher systematischer Durchdringung, bei der die Aussagen der Heiligen Schrift in großem Umfang berücksichtigt werden, eine Theologie der Zeit, die in der Christologie ihre tragende Mitte findet. Das Buch gehört zum Besten, was in den letzten Jahren zu diesem Thema geschrieben wurde.

[22] Offenbarung als Geschichte (Kerygma und Dogma, Beiheft 1), Göttingen 1961, bes. 91–114; – ders., Hermeneutik und Universalgeschichte, ZThK 60/1963, 90–121. *Pannenbergs* Anliegen ist es, wenn ich ihn richtig verstehe, gegenüber Bultmanns »existentialer Einschränkung« (so ZThK 60/1963, 103) einen universalen Geschichtshorizont für das theologische Gesamtverständnis zurückzugewinnen. Da er jedoch im Grunde Geschichte als solche verabsolutiert (»Der Begriff der Wahrheit selbst ist wesentlich als Geschichte zu fassen. Das bedeutet keineswegs ihre relativistische Auflösung, wohl aber die Unmöglichkeit, die Einheit der Wahrheit als zeitlose Identität der jeweiligen Sache zu denken; sie ist nur als das Ganze eines Geschichtsverlaufs zu erfassen«, a. a. O. 117), d. h. biblische Geschichte nicht vom Bund her (AT) bzw. christologisch (NT) erfaßt, ist nicht zu erkennen, wie er der biblischen Geschichte theologisch gerecht werden, bzw. einem Geschichts-Monismus entrinnen will. Es ergibt sich von selbst, daß auf diese Weise die Offenbarungs-Ereignisse zu »Heilstatsachen«, d. h. zu reinen »Fakten« werden müssen. Vgl. dagegen *Mouroux* a. a. O. Das Werk von *Pannenberg,* »Grundzüge der Christologie«, Gütersloh 1964 stellt einen Versuch dar, eine systematisch-theologische Christologie zu entwerfen, die den exegetischen Fragestellungen, besonders um das

schichtliche Problem auszuklammern sucht, einem Geschichts-idealismus im Sinne *Hegels* bedenklich nahe. Es erweist sich auch hier, daß das christologische Problem eine besondere Schlüsselstellung einnimmt, soferne Heilsgeschichte und Christologie sich gegenseitig beeinflussen.

Man kann nun die christologischen Titel, wie dies *Hahn* in vorbildlicher Weise getan hat, traditionsgeschichtlich untersuchen. Daneben ist nun aber auch darauf zu achten, daß diese Titel bei den jeweiligen neutestamentlichen Autoren in je verschiedener Akzentsetzung begegnen und auch jedesmal in eine neue christologische Gesamtkonzeption eingeordnet sind[23]; es sei hier nur kurz an den beträchtlichen Unterschied zwischen dem synoptischen und johanneischen »Menschensohn« erinnert. Es gibt also, um bei den Evangelien zu bleiben, eine *ganz spezifische markinische, matthäische, lukanische und johanneische Christologie.* Für die theologische Entwicklung, besonders in der Dogmatik, war es von folgenreicher Bedeutung, daß die johanneische Christologie dominierend wurde und den Maßstab für die Interpretation auch der Synoptiker abgab. Das beweist allein schon die Tatsache, daß, angefangen bei *Origenes,* die bedeutendsten Theologen Johanneskommentare verfaßt haben, wie *Johannes Chrysostomus, Kyrill von Alexandrien, Theodor von Mopsvestia, Augustinus* und *Thomas von Aquin.* Daneben wird vor allem Matthäus kommentiert, auch Lukas, aber so gut wie nie Markus. Es sind also in der Hauptsache Johannes und Paulus, die die christologische Lehrentwicklung maßgeblich bestimmen, das gilt noch bis in

Problem des »historischen Jesus« Rechnung trägt und sie in den christologischen Grundansatz ausdrücklich einbezieht. Vgl. dazu meine Besprechung in: Una Sancta 21 (1966), 97–104.

[23] Auf dieses Problem beginnt man in der Exegese erst jetzt richtig aufmerksam zu werden. Für die johanneische Christologie vgl. das Buch von *E. M. Sidebottom,* The Christ of the Fourth Gospel, London 1961. Arbeiten zur Christologie der Synoptiker sind in Vorbereitung. Zu Paulus bes. *L. Cerfaux,* Le Christ dans la Théologie de Saint Paul, Lectio Divina 6, Paris 1961 (deutsche Übersetzung: *L. Cerfaux,* Christus in der paulinischen Theologie, von *F. J. Schierse,* Düsseldorf 1964).

die Zeit des deutschen Idealismus. Die Hochschätzung des Markusevangeliums und überhaupt die Bevorzugung der synoptischen Tradition beginnt erst in der Aufklärung, dann besonders im 19. Jahrhundert. Man wird hier also im Hinblick auf die Dogmatik davon sprechen dürfen, daß die klassische dogmatische Christologie, am Neuen Testament gemessen, einer Einseitigkeit und vielleicht auch einer Verengung erlegen ist, so daß sie in ihrer traditionsgeschichtlichen Orientierung am Johannesevangelium andere Probleme gar nicht genügend gesehen hat[23a]. Das Verhältnis von Exegese und Dogmatik, wie es sich heute darstellt, muß auch unter diesem Gesichtspunkt betrachtet werden; es erweist sich, so gesehen, als eine innerexegetische Frage. Für die Dogmatik ist die Frage zu stellen, wieweit sie, bei ihrem systematischen Charakter, für eine Pluralität verschiedener Christologien Raum läßt. – Daß wir bei Paulus nach seiner Christologie zu fragen haben, wobei wiederum das Verhältnis von vorpaulinischer Tradition – man denke hier vor allem an Phil 2,6–11 – und eigenständiger paulinischer Theologie zu berücksichtigen ist, bedarf keines Beweises. Wenn man den Kolosser- und Epheserbrief für paulinisch hält, muß man bei Paulus selber mit einer weiteren Ausgestaltung der Christologie rechnen. Die Pastoralbriefe bilden auch in dieser Hinsicht eine Frage für sich. Dasselbe gilt auch für die anderen neutestamentlichen Schriften; unter ihnen ragen vor allem der Hebräerbrief und die Johannesapokalypse mit eigenständigen christologischen Aussagen hervor. Es geht zunächst einmal darum, diese Mannigfaltigkeit neutestamentlicher Christologie zur Kenntnis zu nehmen und sich davor zu hüten, sie allzu rasch auf eine einheitliche Linie zu bringen; das gilt sowohl für eine dogmatisch-systematische wie für die allzu unbeschwerte entwicklungsgeschichtliche Linienführung; letztere wird vor allem in manchen traditionsgeschichtlichen Arbeiten zu unkritisch vorgenommen. In historischer Sicht wird man gewiß viel stärker mit parallel laufenden

[23a] Vgl. dazu H. J. Vogt, Exegese und Kirchengeschichte. ThQ 159 (1979) 44–54.

und sich überschneidenen Entwicklungen rechnen müssen, mit einem »christologischen Feld«.

Angesichts dieser auf den ersten Blick etwas verwirrenden Sachlage stellt sich nun um so dringlicher die Frage nach dem *einheitlichen Grund der neutestamentlichen Christologie.* Bei allen Divergenzen wäre es doch verfehlt, in dem geschilderten Gesamtbild nur begriffsgeschichtlich interessante Vorgänge zu erblicken, gar solche scharf antagonistischer Art, etwa gar im Sinne »konfessioneller Auseinandersetzungen«, wie es *Käsemann* pointiert gesagt hat[24]. Das ergäbe ein falsches Bild. Denn die gesamttheologische Entwicklung im Urchristentum hat ja nun doch einen grundsätzlich allen Verschiedenheiten der jeweiligen Ausprägung vorausliegenden Ansatzpunkt, einen sachlich vorgegebenen Realgrund, auf dem sie steht und den sie sich nicht selber erst geschaffen hat. Dieser Grund ist Jesus Christus selbst. *Einheitlicher Grund und damit sachliche Voraussetzung der gesamten neutestamentlichen Christologie ist Jesus von Nazareth, der Gekreuzigte und Auferstandene.* Wer das bestreiten wollte, der müßte bei einem Nichts beginnen und alles andere für eine phantastische Produktion erklären. Alle christologischen Aussagen, so verschieden sie untereinander sein mögen, kommen letztlich darin überein, daß sie Aussagen über Jesus von Nazareth sind. Ihm werden die verschiedenen Prädikate beigelegt, und zwar unabhängig von der Frage, ob sich die Spur der jeweiligen Prädikate zum »historischen Jesus« zurückverfolgen läßt oder nicht. Natürlich meinen sie auch diesen immer mit, so daß der »historische Jesus« mindestens die Voraussetzung der neutestamentlichen Christologie ist. Aber so, wie diese Christologien im abgeschlossenen Neuen Testament vorliegen, meinen sie keineswegs mehr nur den »historischen Jesus«, sondern Jesus, den Gekreuzigten und Auferstandenen. Nach dem Neuen Testament ist Christologie nicht einfach Titel- oder Ämterlehre; das könnte sie, rein religionsgeschichtlich, auch ohne das Neue Testament sein.

---

[24] Vgl. *E. Käsemann,* Die Anfänge christlicher Theologie, ZThK 57/1960, 162–185.

Sondern sie ist, und das ist wesentlich, Explikation dessen, was, oder richtiger *Wer* Jesus von Nazareth ist. Indem dies gesagt wird, wird dann auch jeweils deutlich, was er für das Heil der Menschen, also *»pro nobis«,* bedeutet. Aber diese Bedeutung ist von Ihm Selbst in gar keiner Weise abzulösen. Jesus Selbst ist die grundlegende Voraussetzung, Mitte und der Angelpunkt der gesamten neutestamentlichen Christologie. Daraus folgt nun, daß die verschiedenen Titel und Prädikate erst und allein durch Ihn ihre spezifisch christliche Bedeutung erhalten, selbst wenn sich – was allerdings nirgends zutrifft – »religionsgeschichtlich« betrachtet, am Inhalt dieser Titel gar nichts ändern würde. Man begegnet häufig der naiven Auffassung, daß im Neuen Testament die verschiedenen Titel genau in derselben Form vorkommen und den nämlichen Inhalt haben müßten wie in den religionsgeschichtlichen Parallelen, wobei die einen in ein Triumphgeschrei ausbrechen, wenn sie solche Übereinstimmung festgestellt haben, die andern dagegen boshaft mit dem kritischen Zeigefinger die Nichtübereinstimmung konstatieren. Dagegen ist nun zu betonen, daß, wenn diese Prädikate auf Jesus von Nazareth angewendet werden, gar nicht zu erwarten steht, daß diese Prädikate ihre ursprüngliche religionsgeschichtliche Bedeutung nun auch noch weiterhin behalten; sie müssen geradezu ein neues spezifisches Gewicht bekommen, einen Inhalt, den sie vorher an gar keiner Stelle hatten. Was z. B. aus dem »Menschensohn« wird, wenn er auf Jesus bezogen wird, ist weder aus Daniel 7 noch aus dem äthiopischen Henoch *a priori* abzulesen. Man kann diese Titel also »nach Jesus Christus« gar nicht mehr begriffsgeschichtlich zureichend bestimmen, wenn man diesen neuen sachlichen Bezugspunkt außer acht läßt. Selbstverständlich sind sie dann auch umgekehrt mit einer Reduktion auf ihren religionsgeschichtlichen Bedeutungsgehalt und Ursprung in keiner Weise »erklärt«.

Diesen Sachverhalt hat *Geiselmann* richtig erkannt, wenn er das Kerygma und die Jesus-Prädikate so eng miteinander verband; auch bei *Hahn* kommt dieser Gesichtspunkt wenigstens insoweit zu seinem Recht, als er die entscheidenden Modifikationen der Begriffe durch Kreuz und Auferstehung Jesu bewirkt sieht. Wenn das aber richtig ist – und es dürfte in der Sache wohl schwer zu widerlegen sein – dann geht allein schon daraus hervor, wie problematisch der heute vielgebrauchte Begriff einer rein oder vorwiegend »funktionalen Christologie«[25] ist. Noch einmal: Wenn es nach dem Neuen Testament keine Christologie gibt, die es nicht mittelbar oder direkt mit Jesus Selbst zu tun hat, dann ist der Begriff einer rein funktionalen Christologie ein Unding und in keiner Weise aufrechtzuhalten. Dazu genügt es, einzusehen, daß eine Funktion eine Person als ihren Träger voraussetzt und nur als Funktion dieser bestimmten Person sinnvoll verstanden werden kann. Will man nicht dahin kommen, eine Person, und das gilt doch wohl in eminenter Weise von Jesus, einfach in ihren Funktionen aufgehen und darin verschwinden zu lassen – ein zweifelhafter Vorzug, der unsere Gegenwart vor früheren Zeiten auszeichnet – dann muß man Titel, Amt und Funktion durch diese Person bestimmt sein lassen und nicht umgekehrt. Auf die Christologie übertragen bedeutet dies: Die personale Christologie ist von der sogenannten »funktionalen«, oder um diesen problematischen Begriff zu vermeiden, von der heilsgeschichtlich-soteriologischen Christologie nicht zu trennen, und sie ist darüber hinaus die notwendige sachliche Voraussetzung der zweiten; sie ist ihr vorgeordnet. Andernfalls käme man im Extrem zu einer Christologie ohne Jesus, bzw. zu einem rein historischen Jesus ohne wahre Heilsbedeutung. Die Gefahr einer konsequent historischen Betrachtung dürfte denn auch genau darin liegen, daß sie nicht mehr in der Lage ist, die theologische Bedeutung für den Glauben aufzeigen zu können. Dem, was man mitunter als »Ausklammerung einer metaphysischen Dogmatik« bezeichnet, korrespondiert auf der anderen

---

[25] Auch *F. Hahn*, Hoheitstitel, zeigt sich stark vom Gedanken der »funktionalen Christologie« beherrscht, z.B. 106 »Aussagen über Jesu göttliches Wesen sind in palästinensischer Überlieferung jedoch überhaupt nicht gemacht worden, es geht dort um ein Denken in Funktionen.«

Seite das Verständnis der christologischen Titel als einer Art Etikette, die auf eine rein äußerliche Weise herangetragen werden.

So betrachtet, kann man der klassischen dogmatischen Unterscheidung von Christologie als Lehre von der Person Jesu Christi und Soteriologie als Lehre vom Werk Jesu eine Berechtigung nicht absprechen. Gegenüber der Dogmatik, wie sie in der katholischen Theologie gewöhnlich betrieben wird, wäre vom Neuen Testament her allerdings zu bemerken, daß man Person und Werk Jesu zwar unterscheiden kann und aus methodischen Überlegungen vielleicht auch muß, daß sie aber auf gar keinen Fall voneinander getrennt werden dürfen, vielmehr in einer sachlichen Ursprünglichkeit zusammengehören. Die übliche Trennung, das sei in diesem Zusammenhang einmal gesagt, dürfte vielleicht nicht ganz unschuldig an dem heute herrschenden Mißverständnis sein, als hätte es die Christologie vorwiegend mit abstrakter Metaphysik zu tun und sei deshalb entbehrlich, während die biblische Theologie allein der Soteriologie zugehöre und mit der ersten nichts zu tun hätte. Vor allem darf man das »Werk Jesu«, also hauptsächlich Kreuz und Auferstehung, nicht als »Werk« in einem rein äußerlichen, von der Person ablösbaren Sinn verstehen, wie sonst ein materielles Werk. Man muß es vielmehr begreifen als das durch, an und mit Jesus Selbst geschehene Werk, als die Geschichte und die Tat Seiner Selbst, seiner eigenen Person. Dann dürfte sich auch ohne allzu große Schwierigkeiten klarmachen lassen, wie das personale Moment und das »pro nobis«, die Person Jesu und Jesu allgemeine Heilsbedeutung im innersten Grund zusammengehören und stets zusammen gegeben sind. Dasselbe würde vor allem für den neutestamentlichen Begriff der Offenbarung gelten; auch hier sind Person und Sache nicht voneinander zu trennen, so als wäre »Offenbarung« der allgemeine Oberbegriff, der hier speziell auf Jesus angewendet würde, sondern es ist auch hier Jesus, der den Begriff der Offenbarung bestimmt. Die biblische Offenbarung ist nicht ein Sonderfall von Offenbarung neben anderen, man kann sie nicht subsumieren; sondern Offenbarung ist Jesus Christus selbst. Man kann das hier angezeigte Mißverständnis ebenso, um ein Beispiel anzuführen, in *Bultmanns* Johanneskommentar wie auch in katholischen neuscholastischen Lehrbüchern finden. Es bleibt nur noch zu fragen, ob man Jesus ohne sein Gottesverhältnis überhaupt verstehen kann und welche Art dieses Gottesverhältnis nach dem neutestamentlichen Zeugnis ist. Mit dieser letzten Frage wäre wenigstens *grosso modo* der Rahmen der neutestamentlichen Christologie abgesteckt.

3. Zum Problem der »impliziten Christologie«

Man stößt in der Diskussion um den »historischen Jesus« häufig auf den Begriff der »impliziten Christologie«. Auf seine Problematik soll nun eingegangen werden.

Der Begriff der »impliziten Christologie« ist eine Prägung Bultmanns. *Bultmann* entwickelt den Begriff in seiner »Theologie des Neuen Testaments«, »§ 7, Die Bedeutung Jesu für den Glauben der Urgemeinde«[26]. »Jesus«, so sagt er, »hatte einst die Entscheidung für seine Person als der Träger des Wortes Gottes gefordert; die Gemeinde hat jetzt« – nämlich im Lichte des Osterglaubens – »diese Entscheidung gefällt. Jesu Entscheidungsruf impliziert eine Christologie, freilich nicht als Spekulation über ein Himmelswesen noch als Konstruktion eines Messiasbewußtseins, sondern als Explikation der Antwort auf die Entscheidungsfrage, des Gehorsams, der in ihm Gottes Offenbarung anerkennt«[27]. Bultmanns Formulierung enthält allerdings eine wichtige Unklarheit, die ihre Folgen zeitigte, und zwar innerhalb seines eigenen Schülerkreises; man kann sie nämlich in einer zweifachen Richtung verstehen.

[26] Tübingen 1953[1], 43 ff.
[27] A.a.O. 44.

Für die eine Möglichkeit sind *H. Conzelmann,* dann wohl auch
E. Käsemann und *G. Bornkamm* anzuführen, für die zweite
Möglichkeit *E. Fuchs, H. Braun* und in etwa auch *G. Ebeling;*
Die erste Möglichkeit besteht darin, daß man den Begriff der
»impliziten Christologie« auf Jesus selbst bezieht und ihn dann
so versteht: Jesus selbst ist die tragende Mitte seiner Verkündigung; diese verweist mit innerer Notwendigkeit auf ihn zurück
und kann ohne ihn letztlich nicht verstanden werden. In diesem
Sinne sagt *Conzelmann* von der Reich-Gottes-Verkündigung
Jesu: »Gegenwart und Zukunft verhalten sich so, daß das
Reich Gottes sagbar und im Verhalten Jesu verstehbar geworden ist. Die Ankündigung ist auf diese Weise fest mit dem
Da-Sein Jesu verbunden«[28]. Oder an anderer Stelle: »Wir
sehen Jesus als Wundertäter und Lehrer, der beides als Einheit
versteht. Denn in seiner eschatologischen Lehre verweist er auf
seine Taten als die Zeichen des Kommenden (Mk 13,28 f.), und
in seine Auslegung der Gebote Gottes bezieht er sich als den
autoritativen Interpreten ein: ›Ich aber sage euch ...‹. In Tat
und Lehre konfrontiert er den betroffenen Menschen durch
sich selbst unmittelbar mit Gott«[29]. Conzelmann kommt zu der
Konsequenz, »daß kein Raum ist für eine weitere eschatologische Vollendergestalt außer Jesus selbst; er hat nicht einen
anderen, den Menschensohn, als Vollstrecker des Weltgerichts
erwartet«[30]. Entsprechend versteht er das Bultmann-Zitat so,
daß Jesu »Entscheidungsruf – auch ohne *direkte* christologische Aussagen – sachlich eine Christologie impliziert«[31].
Es gibt aber noch eine andere Möglichkeit, dann nämlich, wenn
man die Weiterführung Bultmanns im Auge behält: »... als
Explikation der Antwort auf die Entscheidungsfrage«. Danach
wäre implizite Christologie nicht eigentlich, wie bei Conzelmann, bei dem sich dieser weiterführende Passus bezeichnen-
derweise nicht findet, auf seiten Jesu selbst zu suchen, sondern

[28] RGG³ V, Art. Reich Gottes I 915.
[29] RGG³ III, Art. Jesus Christus, 633.
[30] A.a.O. 645.
[31] A.a.O. 650.

auf seiten der menschlichen Antwort auf die Verkündigung. Genau betrachtet hätten wir es dann nicht so sehr mit einer impliziten Christologie zu tun, als vielmehr mit einer impliziten Antwort, und Christologie wäre dann folgerichtig nicht die explikative Aussage, wer Jesus ist, sondern, wie Bultmann formuliert: »Explikation der Antwort auf die Entscheidungsfrage«, mit anderen Worten Selbstauslegung des Glaubens bzw. des gläubigen Selbst-und Existenzverständnisses. So scheint *Fuchs* die Sache zu verstehen. Auch er bezieht sich auf das Bultmann-Zitat und meint: »impliziert«, »schließt ja immerhin eine Forderung ein, nicht als ob Jesus eine Christologie gefordert habe, sondern weil Jesu Verkündigung als Entscheidungsruf eine Christologie sachlich *voraussetzt.* Daraus folgt: dieser Anfang bei Jesus legte eine Christologie nahe«[32]. Aber was heißt das? *Fuchs* ersetzt Bultmanns Formulierung »Jesu Entscheidungsruf« durch die seines Erachtens richtigere »Jesu Verhalten«[33], also: Jesu Verhalten impliziert eine Christologie. Der Begriff des »Verhaltens Jesu« spielt bei Fuchs eine bedeutende Rolle; er hat damit ohne Zweifel den Blick auf wichtige Zusammenhänge gelenkt. Doch was versteht Fuchs darunter? In dem Aufsatz »Die Frage nach dem Historischen Jesus«[34] (Frage 143 ff.) wird der Begriff des »Verhaltens« am Beispiel der Parabel von den »Zwei verlorenen Söhnen« Lk 15,11–32 näher erläutert. Mit ihr, so sagt Fuchs, »verteidigt Jesus sein eigenes Verhalten«, so daß »Jesu Verhalten den Willen Gottes erklärt, mit einer an Jesu Verhalten ablesbaren Parabel«[35]. Daraus schließt er: »Jesus wagt es, Gottes Willen so geltend zu machen, als stünde er selber an Gottes Stelle! Denn Jesus macht Gottes Willen so geltend, wie das ein Mensch tun müßte, wenn er an Gottes

---

[32] *E. Fuchs,* Zur Frage nach dem historischen Jesus (Gesammelte Aufsätze II) Tübingen 1960; Glaube und Geschichte im Blick auf die Frage nach dem historischen Jesu (Zu G. Bornkamms Buch über Jesus von Nazareth) a. a. O. 168 ff., vgl. 185 Anm. 36.
[33] A.a.O.
[34] II, 143 ff.
[35] II, 154.

Stelle wäre«[36]. Das aber bedeutet, »daß Jesu Verhalten selber der eigentliche Rahmen seiner Verkündigung war«[37]. Nun aber fordert Jesus von seinen Hörern eine Entscheidung. Diese Entscheidung, die Jesus verlangt, ist nach Fuchs »einfach das Echo derjenigen Entscheidung, die Jesus selber getroffen hat. Wir haben also Jesu Verhalten als ebenfalls durch eine Entscheidung bestimmt zu verstehen und können deshalb aus dem, was er verlangt, auf das schließen, was er selber tat«[38]. Von hier aus zieht Fuchs nun die Linien zum »Leiden Jesu«, das sich aus Jesu Gottesverhältnis (»Denn Jesu Gottesverhältnis setzt ... das Leiden von Anfang an voraus«[39]) sowie aus Jesu Verhalten, worin er »den Sünder durch den Tod hindurch an den gnädigen Gott verweist« (Fortsetzung des Zitats: »... so weiß er, daß er leiden muß«[40]), folgerichtig ergibt. Auch Jesu Auferstehung wird in diesen Zusammenhang eingeordnet. Fuchs sagt dazu: »Wir müssen also sagen, daß, wie Jesus der Stellvertreter des Glaubens war, so auch der Glaube der Stellvertreter Jesu wurde. An Jesus glauben heißt jetzt der Sache nach, Jesu Entscheidung wiederholen«[41]. Oder: »Man kann nur dann wagen, an Jesu Auferstehung zu glauben, wenn man es wagt, Gottes Gnade als Gottes *wahren* Willen in Anspruch zu nehmen und bis in den Tod darauf zu bestehen«[42]. Oder noch einmal anders: »An Jesus glauben heißt wohl *wie* Jesus glauben, daß Gott erhört ... Aber unser Glaube unterscheidet sich vom Glauben Jesu, weil uns in Jesu Namen seit Ostern *gesagt* ist, *daß* Gott erhört *hat*«[43].

Fuchs macht es selbst dem geneigten Leser zuweilen schwer, ihm zu folgen. Dennoch sei der Versuch einer geduldigen Interpretation und einer sachlichen Kritik unternommen. Der

[36] II, 154.
[37] II, 155.
[38] II, 157.
[39] II. 160.
[40] II, 161.
[41] II, 164.
[42] II, 165.
[43] Jesus und der Glaube, II, 256f.

Begriff des »Verhaltens Jesu« erweist sich in der Tat als ein fruchtbarer hermeneutischer Begriff, das ist zuzugeben. Die Tatsache, daß Jesu Wort und Jesu Verhalten in einem nicht nur äußerlichen, sondern inneren Zusammenhang miteinander stehen, anders ausgedrückt, daß Jesu Worte Taten und seine Taten Worte sind, ist nicht erst von Fuchs gesehen worden; es ist ein hermeneutischer Bezug, der der Theologie spätestens seit *Origenes* durchaus geläufig war. Fuchs aber hat darauf aufs neue den Blick gelenkt und damit im Kern die Frage nach der impliziten Christologie der Logia Jesu aufgeworfen. Nur wäre hier der Begriff des »Verhaltens« entschieden schärfer zu fassen, als es bei Fuchs geschieht. Bleiben wir bei dem Gleichnis Lk 15,11–32. Es ist sicher richtig, daß Jesus damit sein Verhalten gegen die Zöllner und Sünder erläutern bzw. rechtfertigen wollte. Nun aber doch gerade nicht so, »wie das ein Mensch tun müßte, wenn er an Gottes Stelle wäre«, oder »als stünde er an Gottes Stelle«, sondern tatsächlich so, daß Jesus sein eigenes Verhalten als das Verhalten Gottes zum Sünder interpretiert und die Angesprochenen dazu auffordert, in seinem eigenen Tun das Handeln Gottes anzuerkennen! Im Grunde verteidigt sich Jesus mit dem Gleichnis nicht, sondern er sagt: So, wie ich mich verhalte, verhält sich Gott – und ihr seid gefragt, ob ihr das gelten lassen wollt, ob ihr bereit seid zur Mitfreude oder nicht, d. h. ob ihr diese Stunde als den Gnadenkairos Gottes anerkennen wollt. Jesus weiß sich offenbar ermächtigt, so zu handeln, er ist gekommen, die Sünder zu rufen (Mk 2,17b par.). Man möchte sagen, daß Johannes das auf eine bündige Formel gebracht hat, wenn Jesus bei ihm sagt: »Wer mich gesehen hat, der hat den Vater gesehen« (Joh 14,9). Auch die Entscheidung Jesu am Schluß der Parabel vom Pharisäer und Zöllner: »Ich sage euch: dieser ging gerechtfertigt nach Hause, anders als jener« (Lk 18,14) muß als eine Entscheidung verstanden werden, die Jesus im Namen Gottes trifft. Die Formel »*zaddiq hu*« bzw. »*lo zaddiq hu*« ist ja als Formel der kultischen Gerechterklärung bekannt; der Maßstab, nach dem sie angewendet wurde, war das Gesetz.

Man darf wohl annehmen, daß sich Jesus auf diese Formel bezieht, daß er sie vollmächtig anwendet, dabei aber an die Stelle des Gesetzes einen neuen Maßstab setzt. Wenn es bei Jesus einen Ansatz in der Richtung der paulinischen Rechtfertigungslehre gibt, dann dürfte er wohl hier zu suchen sein. Jesu Verhalten sagt also ganz sicher etwas über ihn selber aus; wie es auch umgekehrt naheliegt, Jesu Wort von seinem Verhalten her – letztlich von Kreuz und Auferstehung her – zu verstehen. Es gibt, so betrachtet, gewiß ein legitimes »christologisches Schriftverständnis«, nicht nur des Alten, sondern auch des Neuen Testaments. Nur dürfte es das nicht – und das ist gegen *Fuchs* zu sagen – geben von einer allgemeinen existentialen Anthropologie her, sondern streng genommen nur von Jesus Christus selbst her. Das ist es ja gerade, daß man Jesus nicht ohne weiteres mit allgemein menschlichen Kategorien verständlich machen kann. Fuchs führt hier den Begriff der »Entscheidung« ein, die Jesus gefällt habe. Man kann unter Umständen den konstanten Willen Jesu, in allem den Willen des Vaters zu tun, als eine solche grundlegende, sich immer durchhaltende Entscheidung verstehen, man muß es sogar, wenn man Jesu menschliches Dasein ernstnimmt. Aber sie ist gerade als ungebrochen sich durchhaltende Grundentscheidung »einmalig« oder einzigartig – so jedenfalls nach dem Zeugnis des Neuen Testaments, wenn es Jesus als den Gerechten zeichnet. Sie kann in dieser Form nun nicht ohne weiteres für jeden Glaubenden parallelisiert werden, dessen Entscheidung ja durch die Entscheidung Jesu vorbestimmt und somit von ihr abhängig bleibt, ja durch sie überhaupt erst möglich gemacht wird. Es gilt nicht nur, die gleiche Freiheit wie Jesus zu bewähren, sondern sich zuerst einmal durch seine Freiheit frei machen zu lassen: »Durch dein Gefängnis, Gottessohn, ist uns die Freiheit kommen«, so hat es *J. S. Bach* richtig verstanden. Kurz gesagt: Diesem grundsätzlichen, nicht nur zeitlich-historischen »*Prae*« Jesu, seiner vom Neuen Testament bezeugten Einzigkeit und Einmaligkeit, die nicht nur historisch zu verstehen sind, dürfte *Fuchs* kaum gerecht werden. Er muß, um seine Konzeption durchführen zu können, nicht nur die Auferstehung Jesu als Ereignis faktisch eliminieren, sondern auch die Aussagen Jesu in ihrer Tragweite stark verkürzen. Nach Fuchs ist der »historische Jesus« eigentlich nur in hervorragender Weise der erste Glaubende, aber er selbst hat, wenn der Glaube, wie Fuchs sagt, zum Stellvertreter Jesu werden kann, für den Glauben keine prinzipiell-konstitutive, sondern nur eine veranlassende Bedeutung[44]. Er ist Bedingung, nicht aber eigentlich tragender Grund des Glaubens, der stets gegeben sein muß, wenn der Glaube überhaupt ein Fundament haben soll. Der »historische Jesus«, wie Fuchs ihn sieht, als der erste entschlossen Glaubende, ist wohl doch sehr stark unter dem Gesichtspunkt der religiös-moralischen Vorbildlichkeit gesehen, eines existential-ethischen Humanismus. Was aber dadurch zurückgedrängt wird, wenn nicht völlig unterzugehen droht, ist nicht nur die Einzigkeit Jesu, sondern eng damit verbunden der Gnadencharakter des Evangeliums. Es ist schwer zu sehen, wo hier noch ein Raum für Gnade ist – gar erst für eine *sola gratia!* – wenn alles so konsequent auf die existentielle Entscheidung abgestellt wird. Ist hier, so muß man allen Ernstes fragen, der Glaube nicht tatsächlich in der Gefahr, zu einer »Leistung«, einem »Werk« zu werden? Und hängen Christologie und Gnade nicht auf das engste zusammen? Offenbar hat sich Fuchs von seinem starken antidogmatischen Affekt dazu fortreißen lassen, ein anderes Dogma, nämlich das der konsequenten existentialen Interpretation, aufzurichten. Die Frage ist nur, ob dieses dem Neuen Testament mehr entspricht als das von ihm verworfene der alten Kirche.

Wenn man die beiden Ansätze, den von *Conzelmann* und den von *Fuchs* miteinander vergleicht, dann möchte man doch den ersten für den sachgemäßeren halten.

Auf ein anderes Problem ist hier noch einzugehen, das durch

---

[44] *Fuchs* kann daher von seinem Ausgangspunkt aus durchaus folgerichtig formulieren: »Der sogenannte Christus des Glaubens ist in der Tat kein anderer als der historische Jesus«, II, 166.

Fuchs und *G. Ebeling* aufgeworfen wurde. Es ist die Frage: Kann man vom »Glauben Jesu« sprechen? Fuchs ist offenbar davon überzeugt, wenn er sagt, »an Jesus glauben« heiße »wie Jesus glauben, daß Gott erhört...«[45]. Ebeling hat in seinem Aufsatz »Jesus und Glaube«[46] die Frage gestellt: »Was hat dieser Glaube, von dem Jesus spricht, mit Jesus selber zu tun? Geht es primär um Jesu eigenen Glauben?«[47]. Ebeling stellt zunächst sachlich zutreffend fest: »Die Evangelisten selbst machen keine Aussage über den Glauben Jesu«[48], sucht dann aber doch zu erweisen, daß es unmöglich sei, Jesus vom Glauben auszunehmen. Man dürfe sich nicht durch spätere christologische Erwägungen, wie sie etwa in der mittelalterlichen Scholastik in der Frage »*Utrum in Christo fuerit fides*« verhandelt wurden, davon abhalten lassen, vom Glauben Jesu zu sprechen[49]. Nur scheint Ebeling dabei zu übersehen, daß diese Frage nicht erst in der mittelalterlichen Scholastik auftaucht, sondern daß sie bereits von den Evangelisten selber dahingehend beantwortet wurde, »glauben«, πιστεύειν, sei für Jesus konsequent zu vermeiden. Für das 4. Evangelium steht die Sache ohnehin fest. Aber auch für die Synoptiker ist kein einziges eindeutiges Zeugnis beizubringen. *Bultmann* hat denn auch in seinem großen Artikel über πιστεύω im Theologischen Wörterbuch[50] den neutestamentlichen Befund gut herausgestellt. Dieser Befund sagt zum wenigsten, daß man es nicht für angemessen hielt, Jesu Gottesverhältnis mit πιστεύειν zu umschreiben. Die beiden Zeugnisse, die Ebeling anführt, Mk 9,13: »Alles ist dem Glaubenden möglich«, ebenso das Wort vom »bergeversetzenden Glauben« Mk 11,23 par. sagen, vom Text her gesehen, über den »Glauben Jesu« nichts. Ebelings Folgerung, man könne Jesus selbst nicht vom Glauben ausnehmen, ist, das gilt es deutlich zu sehen, nicht durch den Text

[45] Vgl. II, 256.
[46] In: Wort und Glaube (Gesammelte Aufsätze), Tübingen 1962[2], 203–254.
[47] A.a.O. 240.
[48] A.a.O. 240.
[49] A.a.O. 240, dazu Anm. 92.
[50] TWNT VI, vgl. bes. 205 ff.

nahegelegt, sondern sie ist eine Interpretation dieses Textes, die zu Lasten Ebelings geht. Freilich sagt Ebeling dann: Jesus ist selbst von dem Glauben, den er bezeugt, nicht zu distanzieren, er hat sich vielmehr mit ihm so identifiziert, »daß er ganz sachgemäß gar nicht vom eigenen Glauben gesprochen hat, sondern darin aufging, Glauben zu erwecken«[51]. Aber trifft diese Erklärung die Sache? das ist die Frage. Oder ist nicht vielmehr so zu sagen: Jesus steht nach dem Zeugnis der Evangelien so völlig »auf seiten Gottes«, er kündet und handelt so sehr »von Gott her«, aus einer solch fraglosen, unangefochtenen Sicherheit, daß gerade deshalb sein eigenes Gottesverhältnis nicht mit »Glauben« bezeichnet wurde, nicht werden konnte. Ist zwischen dem »Ich aber sage euch...« und Gott noch Raum für »Glauben«? Damit soll die Bedeutung Jesu für den Glauben in keiner Weise geschmälert werden. Jesus spricht, vor allem in den Heilungsberichten, vom Glauben. Er macht, und zwar durch seine eigene Gegenwart, die Glaubensforderung dringlich, er macht sie unausweichlich, so daß man sie nicht mehr umgehen kann, sondern in allem Ernst gefragt ist, ob man glauben will.

Ebeling weist nun darauf hin, daß »der Glaubensbegriff in Jesus-Worten nie auf Jesus als den Gegenstand des Glaubens bezogen« werde; die Formel πιστεύειν εἰς begegne, abgesehen von Mt 18,6, wo sie sekundär ist, im Munde Jesu nie[52]. Diese Beobachtung trifft zu. Es dürfte feststehen, daß der irdische Jesus den Glauben an seine Person nicht direkt gefordert hat, wenn auch sehr wohl das Bekenntnis zu ihm (vgl. Mk 8,38 par. Mt 10,33/Lk 12,8 f.). Aber auch daran ist festzuhalten, daß das Neue Testament an keiner Stelle von Jesu eigenem Glauben spricht, das zweite gilt genau so wie das erste. Wie hat man diesen Sachverhalt zu erklären? *Schnackenburg* will ihn in Parallele zum Messiasgeheimnis verstehen[53]. Hier ist richtig gesehen, daß Glaubensbegriff und Christologie miteinander

---

[51] *Ebeling,* a. a. O. 240 f.
[52] A.a.O. 241; vgl. zum Folgenden *Schnackenburg,* Art. Glaube LThK[2] 4, 915.
[53] A.a.O.

parallel laufen: Wie es beim irdischen Jesus keine direkte christologische Selbstaussage gibt, sondern nur das indirekte Selbstzeugnis, so verhält es sich analog auch mit dem Glauben. Aber das entspricht durchaus der vorösterlichen Situation, für die eine Offenheit, ein Freiheitsraum für die menschliche Entscheidung angenommen werden muß. Man kann hier auf *M. Buber* verweisen, der eine ähnliche Sachlage für die prophetische Verkündigung festgestellt hat. Er sagt: »Der israelitische Prophet redet in die volle Aktualität einer bestimmten Situation hinein. Er sagt fast nie ... ein eindeutig feststehendes Stück Zukunft voraus ... Der echte Prophet tut kein unabänderliches Verhängnis kund; er redet in die Entscheidungsmächtigkeit des Augenblicks hinein, und zwar so, daß gerade seine Unheilsbotschaft an diese Entscheidungsmächtigkeit rührt ... Der Mensch kann sich in einem gegebenen Augenblick, in jedem gegebenen Augenblick wirklich entscheiden und nimmt damit an der Entscheidung über das Geschick des nächsten Augenblicks teil«[54]. Es ist also ein Unterschied zu machen zwischen der *geschehenden* und der *geschehenen* Geschichte, der »historia in fieri« und der »historia in facto«; zur ersten gehört die Offenheit der Situation, zur zweiten, daß sie als ein abgeschlossenes Ganzes, als ein ἐφ᾽ απαξ – »ein für allemal« vorliegt[55]. Das Neue bei Jesus dürfte darin liegen, daß der Glaube nun gerade Ihm gegenüber, angesichts Seiner Verkündigung, Seines Handelns und endlich gegenüber Seiner Person dringlich und unausweichlich wird. In dem Glauben, wie Jesus ihn fordert und zugleich gewährt, geht es vor allem darum, anzuerkennen, daß in Seinem Wort und in Seinem Handeln Gott heilschaffend zur Stelle ist, so daß man Jesus gegenüber an den heilschaffenden Gott glauben soll, weil

[54] *M. Buber,* Der Glaube der Propheten, Zürich 1950, 149f.

[55] Das wäre, um Mißverständnissen vorzubeugen, für das Neue Testament noch dahin zu ergänzen, daß das neutestamentliche ἐφ᾽ απαξ als eschatologisches Ereignis keine in sich abgeschlossene Größe der Vergangenheit darstellt, sondern eine neue »Zeit« eröffnet, in der es die Entscheidung in neuer Weise dringlich macht.

Er in Jesus von Nazareth dem Menschen begegnen und an ihm handeln will.

Wenn darum im nachösterlichen Kerygma und im Johannesevangelium Jesus Selbst nun ausdrücklich zum »Gegenstand des Glaubens« wird, so daß nunmehr εἰς αὐτόν, an Ihn geglaubt werden muß in genau derselben Weise, wie man »an Gott« glaubt, dann ist das gegenüber dem irdischen Jesus keine Wandlung in ein anderes Wesen μετάβασις εἰς ἄλλο γένος, sondern es ist damit definitiv und für alle Zukunft festgehalten, was schon von Anfang an da war: nämlich, daß es seit Jesus keinen Glauben an Gott mehr geben kann, »an Jesus vorbei«, oder anders gesagt, daß Jesus Selbst die eschatologische Tat und Offenbarung Gottes ist, der neue eschatologische Grund, auf dem der Glaube nunmehr steht. *Ebeling* sagt: »Dann aber ist Jesus nur darum und nur insofern Gegenstand des Glaubens, als er selber Grund und Quelle des Glaubens ist«[56]. Diese ausgezeichnete Formulierung ist nun aber auch umzukehren: Weil Jesus Christus in der apostolischen Verkündigung uneingeschränkt und in eminenter Weise der Gegenstand von Verkündigung und Glaube ist, ist er auch, als der Sohn Gottes, der Grund des Glaubens. In der Ordnung der »Erkenntnis« begegnet Jesus zuerst als der »Gegenstand des Glaubens«: Jesus Christus wird gepredigt, damit man an ihn glaube; aber an ihn glauben, das heißt ja nun gerade, sich ihm so zu übereignen, daß er als der Grund meiner selbst angenommen wird. Man kann also, genau gesehen, »Gegenstand« und »Grund« nicht gegeneinander ausspielen; in der Sache fallen sie zusammen und meinen ein und dasselbe. Man muß aber auch damit ernstmachen, und das scheint mir die Rede vom »Glauben Jesu«, deren neutestamentliche Grundlage mindestens unsicher ist, zu übersehen, daß nämlich Jesus dort steht, wo etwa für Isaias (Is 7) das Wort Jahwes steht, dem geglaubt werden soll, oder auch dort, wo im Alten Testament der »Bund« steht mit all seinen Einrichtungen und Organen. Jesus handelt nicht, »als ob er an Gottes Stelle wäre«, solch

[56] A.a.O. 245.

konjunktivische Redeweise im Irrealis ist Jesus selber völlig fremd, wie denn die entsprechende Aussageweise nicht nur Jesu sondern des Neuen Testaments der Indikativ ist. Sondern er handelt als der, der an Gottes Stelle steht und das Handeln Gottes in der Welt repräsentiert. Bei einer so verstandenen »impliziten« Christologie dürfte vielleicht der legitime Ansatzpunkt sichtbar sein, der über das Ereignis der Auferstehung Jesu zur christologischen Erkenntnis der Urkirche und weiter zum chalkedonischen Dogma führt.

4. Schluß

Es sei zum Schluß noch die Frage gestellt: Läßt sich innerhalb des Neuen Testaments eine »christologische Linie« aufzeigen, und wie würde sie verlaufen? Besteht zwischen dem Auftreten und der Verkündigung des irdischen Jesus und, um den wohl extremsten Gegenpol zu nennen, dem Bekenntnis des Apostels Thomas am Schluß des Johannesevangeliums: ὁ κύριός μου καὶ ὁ θεός μου – »mein Herr und mein Gott« (Joh 20,28) ein legitimer Zusammenhang, nicht nur historischer, sondern sachlicher Art? Auf diese Frage sei, wenn auch nur skizzenhaft, eine Antwort versucht.

Einzusetzen wäre wohl bei der eschatologischen Verkündigung Jesu, d.h. bei der Frage, wie sich Jesus und die von ihm verkündigte Gottesherrschaft zueinander verhalten. Man stellt die Frage oft so, ob Jesus die Gottesherrschaft, oder ob die Gottesherrschaft Jesus gebracht habe. *E. Jüngel* hat die Frage so beantworten wollen, daß er sagte, die nahende Gottesherrschaft habe Jesus autorisiert, ihm gleichsam Auftrag und Vollmacht verliehen, er aber habe sich auf sie eingelassen und sie zur Sprache gebracht[57]. Wenn man die Frage in dieser Weise

---

[57] Paulus und Jesus, 174ff. bes. 188: »Die gegenwärtige Macht der zukünftigen Gottesherrschaft offenbart sich im Verhalten Jesu, der sich auf diese Macht eingelassen hat. Damit erscheint die Gottesherrschaft selbst als die das Verhalten Jesu autorisierende Macht.«

stellt und zu beantworten sucht, bleiben manche Unklarheiten bestehen; man muß also eindringlicher fragen. Jesu Botschaft ist, das wird man wohl kaum bestreiten können, in betonter Weise die Botschaft Jesu, die immer auf ihn selber zurückverweist. Der Kairos der nahegekommenen Herrschaft Gottes ist bezeichnet, darin haben die Evangelisten recht, durch den Anfang der Verkündigung Jesu. Sodann darf nicht übersehen werden, daß die Gottesherrschaft keine gleichsam in sich selber stehende, von Jesus und seiner Verkündigung ablösbare, für sich objektivierbare »Größe« darstellt; das wäre ein »mythologisches Verständnis«, das abgelehnt werden muß. Der Begriff der Königsherrschaft Gottes, der βασιλεία τοῦ θεοῦ, fällt weder unter die Kategorie der »Substanz«, noch der »Funktion«; eine rein begriffsgeschichtliche Etikette wie »eschatologischer Begriff« genügt, soviel Richtiges damit auch gesagt ist, ebenfalls nicht. Die allein zutreffende Kategorie wäre die der »Relation«; es geht um ein neues Verhältnis Gottes zur Welt und zum Menschen, und zwar so, daß sich dieses neue Verhältnis durch Jesus, durch seine Predigt, und dazu gehören auch die Machtzeichen, zu verwirklichen beginnt, so daß es ohne ihn überhaupt nicht existent wäre. Damit ist vor allem die eschatologische Sonderstellung Jesu zum Ausdruck gebracht. Dieser eschatologischen Sonderstellung Jesu entspricht nun auch bei Jesus ein neues Verhältnis zu Gott. Die Tatsache, daß der irdische Jesus vollbrachte, was Johannes so formuliert: »Ich habe deinen Namen« – gemeint ist der Vatername Gottes – »den Menschen, die du mir aus der Welt gabst, geoffenbart« (Joh 17,6) trifft wohl zu. Dann darf aber auch mit Fug und Recht aus Jesu Worten über den Vater auf das besondere Verhältnis Jesu zum Vater zurückgeschlossen werden. Man muß in der Frage nach Jesu »Selbstbewußtsein« insofern zurückhaltend sein, als dieses »Bewußtsein« für uns niemals unmittelbar gegeben ist[58]. Kennt schon niemand, »was im

---

[58] Bei der Frage nach »Jesu Selbstbewußtsein« wäre zu wünschen, daß deutlicher, als es oft geschieht, klargemacht würde, auf welche sachlichen Grundlagen sich die Aussagen, die man darüber zu machen gedenkt,

Menschen ist, als allein der Geist des Menschen, der in ihm ist«
(1 Kor 2,11), dann gilt das vor allem im Hinblick auf Jesus. Was
wir wissen, sind nur die vorhandenen Aussagen, und die Frage
ist, welchen Rückschluß sie zulassen bzw. zu welchem Schluß
sie eventuell nötigen. Hier sind die Wendungen von Jesu
Gekommensein bzw. von seiner Sendung in ihrer objektiven
Form sachlich angemessener als psychologische Vermutungen.
Aber Jesu Worte und Taten ebenso wie sein Verhalten wecken
die Frage: Wer ist dieser? Mit welchem Recht bzw. mit welcher
Vollmacht handelt er so? Wie kann er es wagen, Menschen auf
sein Wort, auf seine Weisung, auf seinen eigenen Weg
(Nachfolge!) in einer absoluten Weise festzulegen, wie das kein
Mensch von einem anderen Menschen verlangen darf, ohne die
einem Menschen gesetzte Grenze zu überschreiten? Jesus
verlangt eine absolute Gefolgschaftstreue – und zwar weil er
selber eine Treue zu den Menschen übt, die biblisch nur noch
mit der Treue Gottes zu Israel verglichen werden kann. Das ist
der sachliche Befund. Dann aber geht es bei jedem Wort Jesu
schon in irgendeiner Form um den Glauben: ob ich das Wort
annehme und so Jesu (Dativ!) glaube und weiter, ob ich glaube,
weil Er und kein anderer es gesagt hat bzw. weil er als die
tragende Autorität dahintersteht. Es ist doch wohl so, daß man
dem Wort Jesu gegenüber nicht zu einer rein sachlichen
Einsicht gelangen kann, unabhängig von der Frage, ob ich
diesem Wort als dem Wort Jesu glauben will. Die Nähe der
Gottesherrschaft ist nicht an äußeren Gegebenheiten – μετὰ
παρατηρήσεως (Lk 17,20) zu kontrollieren, sondern sie wird

stützen. Mit psychologischen Vermutungen dürfte angesichts der neutestamentlichen Quellenlage nichts auszurichten sein, man sollte sie deshalb
unterlassen. Anders steht es wohl mit den Aussagen auf Grund theologisch-
ontologisch-anthropologischer Überlegungen, vgl. *K. Rahner.* Dogmatische
Erwägungen über das Wissen und Selbstbewußtsein Christi, in: Schriften
zur Theologie V, Einsiedeln–Zürich–Köln 1962, 222ff. – *J. Mouroux,* Le
Mystère du Temps 100ff., das Kapitel: »Das Bewußtsein Christi und die
Zeit.« Es scheint, daß es hier nur zwei legitime Ausgangspunkte gibt: das
Selbstzeugnis Jesu im Neuen Testament (exegetisch) und die theologische
Anthropologie (dogmatisch). Für beide Seiten dürfte jedoch Zurückhaltung
geboten sein.

durch Jesus verkündigt, und die Frage ist, ob man dem Wort Jesu ohne παρατήρησις, ohne über äußere Kriterien zu verfügen, glauben will[59]. Solche Kriterien brauchen nicht notwendigerweise auffallende Himmelserscheinungen zu sein; es kann sich dabei auch um »sachliche Kriterien« handeln, auf die man sich beruft, um noch »dahinter zurückfragen« zu können. Läßt man sich aber durch Jesus und sein Wort bestimmen, dann hat er schon begonnen, mein Herr zu sein. Kreuz und Auferstehung Jesu aber fügen sich als das Werk Jesu selbst in Jesu Verkündigung dergestalt ein, daß dieses Geschehen, als *dabar* im hebräischen und ῥῆμα im lukanischen Sinn, als das kulminierende Jesus-Geschehen, zugleich Wort Gottes im denkbar höchsten Verstande ist. Hier werden Wort und Tat ein und dasselbe und zwar, besiegelt durch die Auferweckung Jesu von den Toten, als Gottes Tat und Gottes Wort in untrennbarer Einheit, endgültig und definitiv. Dann liegt gerade darin der richtig begriffene und sachlich begründete Übergang vom verkündigenden Jesus zum gepredigten Christus, und nun allerdings so, daß der gepredigte Christus in aller Entschiedenheit als der Auferstandene Grund, Ursprung und damit in alle Ewigkeit der Herr von Verkündigung und Glauben ist und bleibt. Es ist also nur die halbe Wahrheit, wenn man fragt, wie der Verkündiger zum Gepredigten wird, weil dabei die Tatsache übersehen ist, daß er als der Gepredigte Christus in keinem Moment aufgehört hat, Herr der Predigt und der Prediger zu bleiben. Darum sagt Paulus mit Recht: »Denn wir predigen nicht uns selbst, sondern Jesus Christus, daß er sei der Herr, wir aber eure Knechte um Jesu willen« (2 Kor 4,5). Es ist dann aber kein Herantragen hellenistischer oder »mythologischer« Vorstellungen, wenn in den Präexistenz-Aussagen das ganze Jesus-Geschehen als in Gottes

---

[59] Damit ist, entsprechend dem Sinn des Logions Lk 17,20–21 die Bedeutung der Zeichen und Wunder Jesu vorausgesetzt. Der Sinn ist: Wenn die Nähe des Reiches nicht in Verkündigung und Wirksamkeit Jesu wahrgenommen wird, dann ist sie sonst nirgends wahrzunehmen. Es gibt keine davon unabhängigen Kriterien, d. h. es geht gerade hier um den Glauben.

Tiefen entspringend und wieder dahin mündend ausgesagt wird. Diese Aussagen haben nichts mit »Vorstellungen« in einem banalen Sinn zu tun; es ist überhaupt zu fragen, ob man sich etwas dabei *vorstellen,* oder sich etwas dabei *denken* soll. Jedenfalls ist die hermeneutische Bedeutung dieser Aussagen gut einzusehen: nämlich als notwendige Sicherung an der Grenze alles Aussagbaren, die den göttlichen Geschehenscharakter der Offenbarung sichern sollen, um sie grundsätzlich jeder menschlichen Verfügbarkeit vorzuenthalten. Die Ausklammerung der Präexistenz-Aussagen läuft notwendig darauf hinaus, Jesus Christus historisch einzuebnen. Er ist dann aber nicht mehr der, als den ihn die Schrift bezeugt, nämlich der Kyrios. Im Johannesevangelium ist das alles theologisch sozusagen auf die letzte Formulierung gebracht.

Seit Jesus Christus ist Gott für uns offenbar, er ist es in Ihm und in Ihm allein, in seinem Sohn und Logos, der kein anderer ist als der historische Jesus; so wird es uns bezeugt. Die Einheit von Gott und Mensch, von Ewigkeit und Geschichte, von ewigem Gotteswort und historischem Menschenwort aber ist – so schwierig sie als theologisches Problem zu fassen sein mag, nicht mehr rückgängig zu machen. Sie ist. Und das ist unser Heil.

II. Das Jesus-Bild in der christlichen Exegese von heute

1. Die »tausend Bilder« des Jesus von Nazareth

Vom Dichter *Novalis* kennen wir das Marienlied:

> »Ich sehe dich in tausend Bildern,
> Maria, lieblich ausgedrückt,
> Doch keins von allen kann dich schildern,
> Wie meine Seele dich erblickt.«[1]

Was der Dichter in diesem Text von Maria, der Mutter Jesu sagt, läßt sich heute wahrscheinlich mit noch viel größerem Recht von Jesus, ihrem Sohn, behaupten. Auch Jesus von Nazareth begegnet uns, mehr oder weniger lieblich ausgedrückt, in der modernen Exegese in »tausend Bildern«. Und auch hier darf man wohl vermuten, daß alle diese Bilder hinter dem, was die gläubige Seele in Jesus erblickt, zurückbleiben.

Es dürfte also von vornherein schwierig, wenn nicht unmöglich sein, »das Jesus-Bild« der christlichen Exegese von heute beschreiben zu wollen. Es kann sich nur darum handeln, einige Probleme der heutigen Jesus-Forschung in gebotener Kürze darzulegen. Dabei muß man zwei Gegebenheiten zusammen sehen, die kaum voneinander getrennt werden können: Die Gestalt des historischen Jesus erscheint nach den neutestamentlichen Zeugnissen im engsten Zusammenhang mit der Entstehung und Ausformung des urchristlichen Glaubens an Jesus, alo im Kontext eines wie immer gearteten Bekenntnisses zu Jesus als dem Messias Gottes. Es gibt wohl wenig Beispiele in unserer Geschichte, bei denen von Anfang an historische

---

[1] Vgl. *Novalis,* Die Dichtungen, hrsg. von *E. Wasmuth.* Heidelberg 1953, 436.

Überlieferung und Interpretation dieser Überlieferung vom Glaubensverständnis her so eng miteinander verquickt und ineinander verzahnt sind, wie dies bei Jesus von Nazareth der Fall ist. Vielleicht bilden die alttestamentlichen Vätersagen der Genesis oder die Exodusüberlieferung die am meisten passende Analogie hierzu, wie überhaupt die alttestamentliche Tradition dieser Denkweise am meisten vorgearbeitet hat; in einer ganz anderen Weise käme wohl die Sokrates-Gestalt noch in Frage. Bekanntlich hat Jesus von Nazareth selbst nichts schriftlich fixiert – dies ist nicht erst ein Ergebnis der modernen Exegese, sondern das hat die christliche Tradition von Anfang an gewußt. Nicht nur von den kanonischen Evangelien wird kein einziges auf Jesus selbst als Verfasser zurückgeführt, es gibt auch in der apokryphen Evangelienliteratur des 2./3. nachchristlichen Jahrhunderts keine einzige Schrift, die *qua* Schrift Jesu selbst als ihren Autor bezeichnen würde. Dieser Befund hat seine Bedeutung: Von den neutestamentlichen Jesus-Zeugnissen zeichnet kein einziges dadurch sich aus, daß es im Unterschied zu allen anderen gewissermaßen durch Jesus selbst autorisiert worden wäre. Kein Christ ist verpflichtet, an Jesus als Buchautor zu glauben, und zwar nicht erst in der modernen kritischen Theologie, sondern von Anfang an, und so die Evangelien mit Jesus als Verfasser in einen direkten Zusammenhang zu bringen. Alle Evangelien sind bereits geschichtliche Jesus-Vermittlungen, und in diesem Sinne Zeugnisse und Niederschlag der Jesus-Tradition der Urkirche. Von diesen Voraussetzungen her erscheint es als ein Problem, wenn der Islam die Christen neben den Juden unter die »Schriftbesitzer« einreiht; man muß fragen, ob hier nicht ein Mißverständnis vorliegt, indem ein sekundäres Merkmal zum entscheidenden Merkmal gemacht wird; dies nur als Frage.

Die »tausend Bilder« des Jesus von Nazareth beruhen mithin offenbar nicht auf purem Zufall. Schon das Neue Testament selbst liefert uns in den vier kanonischen Evangelien des Matthäus, Markus, Lukas und Johannes vier sehr unterschiedliche Jesus-Bilder. Die alte Kirche hat diese Differenzen

gespürt, wenn zum Beispiel das Johannesevangelium als das »pneumatische Evangelium« im Unterschied zu den das historisch-menschliche Kolorit stärker betonenden Synoptikern bezeichnet wurde. Doch wie groß tatsächlich die Verschiedenheit im Jesus-Verständnis nicht nur zwischen Johannes und den Synoptikern, sondern auch unter den Synoptikern selber ist, nämlich daß wir es da mit vier verschiedenen Jesus-Bildern zu tun haben, mit vier sehr verschiedenen Interpretationen der Jesus-Botschaft, des Evangeliums, das hat uns doch erst die Exegese in ihrer allerjüngsten Phase mit Hilfe der »redaktionsgeschichtlichen Methode« zu sehen gelehrt. Während Matthäus vor allem den einzigartigen Lehrer Jesus herausstellt, Markus den verborgenen Messias und Gottessohn, den Bezwinger der dämonischen Unheilsmacht, finden wir bei Lukas den Heiland und Wohltäter der Menschen, den Freund der Außenseiter, der zuerst von den armen Hirten erkannt wird und in brüderlicher Solidarität mit einem Verbrecher stirbt, und bei Johannes das fleischgewordene Wort Gottes und den Bringer der eschatologischen Offenbarung. Es ist schon recht beachtlich, wenn man feststellen muß, daß die Begegnung mit Jesus oder mit der Jesus-Tradition zu so grundverschiedenen Jesus-Bildern geführt hat. Der Tatbestand wirkt sich bekanntlich schon dahingehend aus, daß es einfach unmöglich ist, auf Grund der vier Evangelien eine in sich kohärente »Vita« oder besser »Historia Jesu« und sei es nur als Geschichte seiner öffentlichen Wirksamkeit zu verfassen. Jeder Versuch in dieser Richtung stößt auf unüberwindliche Schwierigkeiten; der für die Synoptiker grundlegende Markus-Rahmen kann die johanneische Konzeption nicht integrieren und umgekehrt. Aber auch der große Reisebericht des Evangelisten Lukas Lk 9,51–18,14) sprengt schon den im Vergleich dazu harmlosen Markus-Rahmen (Mk 9,50/10,1). Das gleiche tun die großen Matthäus-Reden. Aber auch in den Einzelheiten gibt es keine Übereinstimmung: Hat Jesus drei oder nur anderthalb Jahre gewirkt, oder noch weniger lang? War er vor seinem Tod des öfteren als Prediger in Jerusalem, oder nur ein einziges Mal, nämlich im Zusammenhang mit dem Todespassah? War Galiläa der Hauptplatz seiner Tätigkeit, oder Jerusalem? Ist der 15. Nisan, das Passahfest, der Todestag Jesu, oder der 14. Nisan, der Rüsttag zum Passah? Wie ging es bei der Verhaftung, Verurteilung und Hinrichtung Jesu zu? Hat vor dem jüdischen Synedrium eine Verhandlung stattgefunden, ja oder nein, und wenn ja, welchen Charakter hatte diese Verhandlung, zu welchem Endergebnis ist sie gekommen? Wo liegt die Hauptverantwortung für den Tod Jesu usw. usw.... Wenn es in all diesen Fragen bis heute teilweise heftige Kontroversen gibt, dann liegt das auch zu einem Teil an den sehr unterschiedlichen Darstellungen der Evangelisten.

Das Bedürfnis, diesen Schwierigkeiten abzuhelfen, war schon im frühen Christentum vorhanden. Der Syrer *Tatian*[2] unternahm wohl als erster den Versuch, aus den vier Evangelien eine »Evangelienharmonie« zusammenzustellen, möglicherweise unter Voraussetzung eines apokryphen Evangeliums, das heißt eine in sich geschlossene, möglichst lückenlose und logische Abfolge der »Historia Jesu«. Die Tatsache, daß man diese Evangelienharmonie, das *Diatessaron,* bis ins Mittelalter hinein übersetzte und abschrieb, zeigt die große Beliebtheit dieses Unternehmens. Doch war man nicht nur historisch und literarisch an einem möglichst einheitlichen Jesus-Bild interessiert, auch die dogmatische Christologie ist ein fortgesetzter Versuch, die unterschiedlichen Jesus-Bilder der Evangelisten auf ein einheitliches Gesamtkonzept zu bringen, diesmal in der Weise der dogmatischen Formel. Sowohl die Evangelienharmonie wie die dogmatische Einheitsformel stellen beide in verschiedener Weise eine Verarmung der neutestamentlichen Jesus-Zeugnisse dar. Erst heute beginnen wir die positive Bedeutung der verschiedenen Jesus-Bilder zu verstehen. Nehmen wir den Tatbestand ernst, so heißt dies: Es gibt kein exklusives und normatives Jesus-Bild, sondern zumindest diese sehr verschiedenen Jesus-Bilder. In Wahrheit sind es im Neuen

---

[2] Um 170 n. Chr.; vgl. *BHHW*, III 1933. – Zur »Evangelienharmonie« vgl. *BHHW* I, 455 f.

Testament noch wesentlich mehr, wenn man an die verschiedenen Traditionen, Paulus eingeschlossen, denkt. Man muß also klar unterscheiden zwischen dem Einen Jesus von Nazareth, der als geschichtliche Person selbst allen diesen verschiedenen Bildern vorausliegt, auf der einen Seite, und der tetramorphen oder richtiger plurimorphen Jesus-Interpretation auf der anderen Seite. Auch in diesem Sinne kann man die von *Eduard Schweizer* geprägte Formulierung übernehmen: »Jesus, der Mann, der alle Schemen sprengt.«[3]

2. Zur Frage nach dem »historischen Jesus«

Wie ist aber dann unter dieser Voraussetzung die Frage nach dem historischen Jesus zu beurteilen? Bedeutet die Frage nach dem »historischen Jesus« nicht doch, wie *Heinrich Schlier* meint, »eine praktische Aufhebung des Kanonscharakters der Heiligen Schrift, so daß dessen Darstellung geradezu zum fünften Evangelium und zum Kriterium der vier Evangelien wird«[4]? Oder ist die Rückfrage nach dem historischen Jesus hinter das urchristliche Kerygma zurück nicht doch wieder der Versuch des *homo peccator*, zu einer falschen Sicherheit zu kommen, anstatt es beim einfachen Glauben bewenden zu lassen? Darauf ist zu antworten: Obgleich wir in den Evangelien diese vier verschiedenen Jesus-Bilder haben, so ist doch auf der anderen Seite deutlich, daß diese verschiedenen Bilder oder Interpretationen einen gemeinsamen Bezugspunkt haben, eine gemeinsame ihnen vorausliegende Mitte, daß sie also doch auf eine einzige Gestalt sich zurückbeziehen, und das ist eben die Person Jesu. Sie meinen ja alle denselben Jesus, nicht einen je verschiedenen! Insofern gehört die unaufhebbare Spannung zwischen dem einen Jesus und den verschiedenen Jesus-Interpretationen zum neutestamentlichen Befund hinzu.

[3] *E. Schweizer*, Jesus Christus. München–Hamburg 1968, 18.
[4] Vgl. *H. Schlier*, Das Ende der Zeit. Freiburg i. Br. 1971, 11.

Außerdem gibt es in den vier Evangelien eine Reihe von Aussagen über Jesus, die miteinander konvergieren und insofern gewisse Grundzüge einer »Historia Jesu« erkennen lassen. An erster Stelle zu nennen ist hier das übereinstimmende Zeugnis von der Hinrichtung Jesu am Kreuz unter dem Regiment des römischen Prokurators Pontius Pilatus. Auch die Verbindung der Jesus-Bewegung mit der Taufbewegung Johannes des Täufers ist in sehr verschiedenen, voneinander unabhängigen Überlieferungen bezeugt, was um so mehr ins Gewicht fällt, als es hier offenbar mancherlei Konkurrenzschwierigkeiten gab. Solcher Konvergenzen gibt es eine ganze Reihe, ich muß hier darauf verzichten, sie alle einzeln aufzuführen. Endlich hat uns die Formgeschichte zusammen mit der traditionsgeschichtlichen Methode ein ausgezeichnetes Instrument an die Hand gegeben, um »hinter die Texte zurückzufragen«, d. h., vom vorliegenden Endstadium der schriftlichen Evangelientexte aus analytisch nach den vermutlich ältesten Traditionsanfängen zurückzufragen. Diese »Rückfrage« ist nach dem heutigen methodischen Bewußtseinsstand weit entfernt von »subjektivistischer Willkür«. In Wahrheit lassen die verschiedenen methodischen Schritte der »historischen Rückfrage«, angefangen beim synoptischen Vergleich, sich sehr genau verfolgen und wissenschaftstheoretisch auch begründen. Heute hat man oft eher den Eindruck, daß jene, die den historischen Wert der Evangelien mehr oder weniger global behaupten, ohne eine gründliche Quellenkritik zu betreiben, und zwar auf der Grundlage der Zwei-Quellen-Theorie sowie der Form-, Traditions- und Redaktionsgeschichte, zu sehr viel ungesicherteren Aussagen über die Historia Jesu kommen als eine kritische Exegese auf relativ hohem Reflexionsniveau, was das Methodenbewußtsein betrifft.

Die klassische Form der Zwei-Quellen-Theorie wurde schon vor 140 Jahren von *C. Lachmann, Ch. H. Weisse* und *Ch. G. Wilke* erarbeitet. Danach gilt das schriftlich fixierte Markusevangelium als die älteste Evangelienschrift und zugleich als die eine Quelle der beiden Großevangelien des Matthäus und

Lukas (Grundsatz der »Markus-Priorität«). Außerdem hätten Matthäus und Lukas als zweite Quelle eine Sammlung von Herrenworten benützt, die sogenannte Logienquelle Q. »Als Argument für diese Quelle wird die weitgehende wörtliche Übereinstimmung zwischen Mt und Lk in ihrem gemeinsamen, nicht aus Mk stammenden Stoff angeführt.«[5] Umstritten ist, ob es sich bei Q um eine literarische Quelle handelt oder nur um eine »Traditionsschicht … die der in Unterweisung und Gottesdienst beheimateten mündlichen Tradition noch erheblich näher stand und ihrem Wandlungsprozeß stärker ausgesetzt war und blieb als Mk«[6]. Die jüngsten Untersuchungen zur Logienquelle Q[7] arbeiten durchweg mit der Hypothese einer schriftlichen Quelle Q, die freilich im Unterschied zu Markus verlorengegangen ist. Faktisch hat sich die Zwei-Quellen-Theorie als überzeugendste und fruchtbarste Erklärung des »synoptischen Problems« durchgesetzt. Freilich darf der Grundsatz der Markus-Priorität, der literarisch gemeint ist und zunächst nichts anderes als die literarische Priorität des Markusevangeliums vor den beiden Großevangelien behauptet, nicht unkritisch für die historische Fragestellung beansprucht werden. Denn auf der traditionsgeschichtlichen Ebene hat man häufig den Eindruck, daß Markus gegenüber der Überlieferung Q doch sekundär sein dürfte. Im übrigen ist die Tatsache, daß zwischen Markus-Tradition und Q-Tradition mancherlei Querverbindungen bestehen, nicht zu bestreiten. Freilich erlaubt auch die Tradition Q noch keinen direkten Rückschluß auf den »historischen Jesus«. Auch hier muß mit Weiterentwicklung und Interpretation der ältesten Jesus-Überlieferung gerechnet werden. Nach *Siegfried Schulz* soll die älteste Traditionsschicht von Q von folgenden Momenten bestimmt sein: 1) durch einen nachösterlichen prophetischen

---

[5] *Wikenhauser-Schmid,* Einleitung 280.
[6] So *G. Bornkamm,* RGG II 756.
[7] *D. Lührmann,* Die Redaktion der Logienquelle. Neukirchen 1969, *P. Hoffmann,* Studien zur Theologie der Logienquelle. Münster i. W. 1972 und *S. Schulz,* Q – Die Spruchquelle der Evangelisten. Zürich 1972.

Enthusiasmus; 2) durch die apokalyptische Naherwartung; 3) durch eine charismatische Toraverschärfung und 4) durch die Menschensohn-Christologie. Gegen diese Auffassung bestehen größte kritische Bedenken. S. Schulz setzt die älteste Überlieferungsschicht apriorisch als prophetisch-enthusiastische Gemeindebildung an, ohne zum historischen Jesus zurückzufragen; für ihn ist die Rückkoppelung an den historischen Jesus nachträglich und sekundär: »Die Frage nach dem historischen Jesus bzw. der kerygmatische Rückgriff auf Worte und Taten des irdischen Jesus stand also keineswegs am Anfang des Urchristentums und seiner Verkündigung« heißt es einmal[8]. Dabei macht er sich einseitig die Auffassung von *Ernst Käsemann* zu eigen, daß erst die nachösterliche Urgemeinde »apokalyptisch« gedacht habe. Darin steckt das nach meiner Meinung problematische Apriori von einem »nicht-apokalyptischen Jesus«. Nach dieser weitverbreiteten Ansicht war Jesus zwar »eschatologisch«, nicht aber »apokalyptisch« geprägt. Erst in der nachösterlichen Gemeinde soll es dann den apokalyptischen Enthusiasmus gegeben haben. *Paul Hoffmann* nimmt in seinen »Studien zur Logienquelle« einen anderen Standpunkt ein, der mir historisch plausibler und kohärenter zu sein scheint, wenn er die sachliche Kontinuität zwischen der Predigt Jesu und der Logienquelle stärker herausstellt, die nach ihm gerade auch im apokalyptischen Charakter der Verkündigung Jesu angelegt erscheint. So sagt P. Hoffmann zum Problem der Naherwartung: »Q übernimmt Jesu Aussagen, in denen er vom Anbruch der Basileia in seinem Wirken spricht, ohne Abschwächung, ordnet sie aber der eigenen Situation ein.«[9] Das heißt, die Verkündigung Jesu wird nach Hoffmann in Q zugleich auf die eigene nachösterliche Situation hin ausgelegt. Einig sind sich S. Schulz und P. Hoffmann freilich darin, daß beide eine Gemeinde oder Gruppe als Träger der Überlieferung Q voraussetzen. Dabei vertritt Hoffmann die interessante These, daß es sich bei der

[8] *S. Schulz,* a. a. O. 482.
[9] *P. Hoffmann,* a. a. O. 37.

Q-Gruppe um eine judenchristliche Gruppe von Jesus-Jüngern handeln soll, die in der Zeit der inneren Garung vor dem Beginn des Jüdischen Krieges die Botschaft Jesu in Israel als Buß- und Friedensbotschaft verkündigt hätte.

Die Formgeschichte hat uns darüber hinaus gelehrt, jedes einzelne Überlieferungsstück, jede Perikope und jedes einzelne Logion für sich zu nehmen und nach allen Seiten genau zu analysieren. Doch will es scheinen, daß dieser Weg gegenwärtig in eine Sackgasse zu führen droht. Mit Recht hat deshalb *Alex Stock* neuerdings auf die Gefahr hingewiesen, daß sich die »traditionsgeschichtlichen (vor allem begriffs- und motivgeschichtlichen) Untersuchungen oft gegenüber dem einzelnen Text und seiner Interpretation verselbständigen«[10]. Wenn, wie heute beinahe schon die Regel, exegetische Dissertationen über eine einzige Perikope einen Umfang von 300 Seiten annehmen, dann ist hier in der Tat etwas nicht mehr ganz in Ordnung.

3. Frühjudentum und Jesus

Dies führt uns zu einer weiteren Überlegung. Es ist wieder einmal dringend nötig, aus der rein immanenten Betrachtungsweise neutestamentlicher Texte herauszukommen und wieder stärker die jüdische Zeitgeschichte sowie die jüdische Religionsgeschichte zur Erhellung der neutestamentlichen Aussagen heranzuziehen. Wenn nicht alles täuscht, wird in den kommenden Jahren auf diesem Gebiet wieder intensiver gearbeitet werden. Die dialektische Theologie mit ihrer bibeltheologischen Ausrichtung hatte sowohl im Alten wie im Neuen Testament weitgehend zur Vernachlässigung der religions- und zeitgeschichtlichen Fragestellungen geführt, und damit war zweifellos eine gewisse Blickverengung verbunden.

[10] Vgl. *A. Stock*, Umgang mit theologischen Texten. 1974, 25.

Wenn die Gestalt Jesu, seine Predigt und seine Wirksamkeit, aber auch die Entstehung des Urchristentums mit ihren Konsequenzen historisch verstanden werden muß, dann muß sie eben doch in erster Linie vom Judentum her verstanden werden, und zwar näherhin vom Judentum unter der römischen Herrschaft, vor dem Ende des zweiten Tempels her. Es ist klar, daß hier die Wiederentdeckung der Qumranbibliothek einen unerwartet großen Fortschritt gebracht hat, was die Kenntnis des Frühjudentums angeht, und daß von hier aus auch wieder enorme Anstöße ausgegangen sind und noch weiter ausgehen, die gesamte frühjüdische Literatur, insbesondere auch die Apokalyptik mit neuen Fragestellungen zu bearbeiten[11]. Die »apokalyptische Epoche« des Judentums von 167 v. Chr. bis 135 n. Chr. ist sowohl für das Verständnis des Judentums als auch des Urchristentums von größter Bedeutung. Dabei erweist es sich offenbar für alle Seiten als ein Vorteil, daß man heute die frühjüdische Literatur nicht mehr bloß unter neutestamentlichen Vorzeichen untersucht, wie schon die Tatsache beweist, daß man den alten Terminus »Spätjudentum« für diese Epoche aufgegeben hat und dafür den Terminus »Frühjudentum« einführte, der dem historischen Befund zweifellos besser entspricht.

In groben Linien scheint mir folgendes wichtig zu sein. Erstens, wir wissen jetzt, daß das Frühjudentum vor dem Ende des zweiten Tempels keine homogene, in sich geschlossene Größe gewesen ist, sondern ein Komplex, in dem verschiedene Gruppierungen, Religionsparteien und mit ihnen verschiedene theologische Auffassungen und Glaubensweisen miteinander konkurrierten. Gerade darüber, wo das wahre Israel zu finden sei, wurde heftig gestritten. Auf diesem Hintergrund gesehen, bilden die Taufbewegung Johannes' des Täufers und die Jesus-Bewegung zunächst gar nichts anderes als eine weitere Spielart im großen Rahmen der verschiedenen jüdischen

---

[11] Hier sei nur auf das von *J. Maier* und *J. Schreiner* herausgegebene Sammelwerk hingewiesen: Literatur und Religion des Frühjudentums. Würzburg 1973.

Gruppierungen. Für eine genauere historische Differenzierung erscheint in der Tat die vom Neuen Testament selbst immer wieder betonte Verbindung zwischen der Taufbewegung des Johannes Baptist und der Jesus-Bewegung entscheidend zu sein, während eine direkte positive Verbindung oder Beeinflussung im Hinblick auf die anderen Richtungen des Judentums, Essener, Pharisäer, Sadduzäer und Zeloten nicht so deutlich zu beweisen ist. Wenn es eine Verbindung zwischen Jesus und Qumran gab, dann war sie durch den Täufer vermittelt. Doch hat sich, was diesen Punkt angeht, eine eher skeptische Auffassung unter den Neutestamentlern herausgebildet. Geht man von der Tatsache aus, daß es auch im Hinblick auf die Definition von Frömmigkeit, der wahren Gottesverehrung und sogar in der Frage der Torapraxis – die mündliche Tora wurde von den Pharisäern akzeptiert, von den Sadduzäern dagegen verworfen – im Frühjudentum rivalisierende Vorstellungen gab, dann kann eine sachgemäße historische Fragestellung, die nicht von vornherein dogmatisch oder apologetisch sich festlegt, zunächst nur darin bestehen, diese verschiedenen Vorstellungen möglichst genau und zutreffend zu erfassen und zu beschreiben. Auch die Verkündigung Jesu gehört dann in dieses Meinungsspektrum des Frühjudentums hinein. Bei diesem Vergleichsverfahren dürfte sich dann das Spezifikum der Jesus-Botschaft deutlicher herauskristallisieren. Dieses Spezifikum besteht nach meiner Meinung in erster Linie in der konkreten Naherwartung der eschatologischen Gottesherrschaft: »Die Zeit ist erfüllt, genaht ist die Königsherrschaft Gottes« (Mk 1,15). Oder wie *R. Bultmann* es formuliert: »Das Neue und Eigene aber ist die Sicherheit, mit der er sagt: ›*Jetzt ist die Zeit gekommen! Die Gottesherrschaft bricht herein! Das Ende ist da!*‹«[12]

Im übrigen halte ich es für relativ unfruchtbar, immer nur danach zu fragen: Was ist in der Verkündigung Jesu jüdisch und was ist original jesuanisch? Die ganze Botschaft Jesu hat

[12] *R. Bultmann*, Theologie des Neuen Testaments. Tübingen ¹1953, 4 f.

biblisch-jüdische Wurzeln und Einflüsse, daran ist gar nicht zu zweifeln; aber es dürfte auch deutlich sein, daß Jesus die jüdische Glaubens- und Lebenstradition in einer originalen, selbständigen Weise rezipiert und sie produktiv verarbeitet hat, und zwar im Sinne einer originalen eschatologischen Gesamtkonzeption. Vor allem scheint mir die Anknüpfung an das Buch Jesaja, besonders an Deutero- und Trito-Jesaja, erkennbar zu sein, wobei natürlich klar ist, daß zur Zeit Jesu diese wissenschaftlichen Einteilungen noch nicht bekannt waren. Der historische Jesus ist durchaus eine palästinensisch-jüdische Gestalt des Frühjudentums, aber das heißt nun wieder keineswegs, daß man ihn als jüdisch-orthodoxen Frommen darstellen kann. Er hat z. B. die mündliche Halacha nicht als verbindlich betrachtet, war aber kein Sadduzäer! Es scheint mir ferner deutlich zu sein, daß Jesus sich keiner der vier bekannten Religionsparteien zuordnen läßt. Am wenigsten Berührungspunkte gibt es zweifellos zu den Sadduzäern, der Partei des priesterlichen Hochadels, der Tempelaristokratie und der Vornehmen. In einer kürzlich erschienenen Arbeit »Jesus und die Sadduzäer« hat mein Würzburger Kollege *Karlheinz Müller* überzeugend dargelegt, daß die eigentlichen Gegner Jesu nicht die pharisäischen Frommen gewesen sind, sondern die Partei des sadduzäischen Priesteradels[13]. K.-H. Müller kommt zu dem Urteil: »Die Sadduzäer verneinten mit der pharisäischen Halacha kategorisch jede aktualisierende Form einer sich dem konkreten menschlichen Vermögen anpassenden ethischen Toraauslegung[14] und dispensierten sich dadurch von jeder verantwortlichen Neuintegration des Gesetzes in sich ändernde Umweltverhältnisse. Ihr Interesse galt der Erhaltung des *status quo* ... Mit dieser Ideologie der totalen Immanenz mußten Verkündigung und Handeln Jesu von Nazaret notwendig in eine anhaltende Konfrontation geraten ... Denn hier traf

---

[13] Vgl. *K.-H. Müller*, Jesus und die Sadduzäer, in: Biblische Randbemerkungen. Schülerfestschrift für Rudolf Schnackenburg, zum 60. Geburtstag, hrsg. von *H. Merklein* und *J. Lange*. Würzburg 1974, 3–24.
[14] *Flavius Josephus*, Antiquitates 13, 297–298.

eine im strengen Sinne eschatologische Botschaft, welche die Prärogative Gottes angesichts der in Bälde erwarteten Durchsetzung seiner endgültigen Herrschaft kompromißlos respektierte ... unvermittelt auf den Konservatismus der altjüdischen Orthodoxie.«[15] – Mit der theokratischen Führungsschicht der Sadduzäer sind in der Zeit unmittelbar vor dem Jüdischen Krieg auch noch andere Leute zusammengestoßen, wie aus der Darstellung des *Flavius Josephus* hervorgeht; auch die Hinrichtung des Täufers durch Herodes Antipas ist hier zu erwähnen, der ja nun ganz gewiß keine politische Gestalt war. Wenn in den neutestamentlichen Texten, vor allem im Matthäusevangelium, die Pharisäer als die eigentlichen Gegner Jesu erscheinen, so hängt dies wohl damit zusammen, daß allein die Pharisäer das Ende des zweiten Tempels als jüdische Gruppe überlebten und mithin auch diejenige Gruppe waren, mit denen sich das frühe Christentum nach 70 auseinandersetzen mußte. Die Großevangelien sind aber erst nach 70 verfaßt worden. Das heißt, man hat die spätere Konfrontation zwischen der christlichen Gemeinde und dem jetzt wirklich pharisäisch geführten Judentum in die Jesus-Zeit zurückprojiziert. Damit ist nicht gesagt, daß es zwischen Jesus und den Pharisäern überhaupt keine Konflikte gegeben hätte, es hat sie sicher gegeben, aber kaum in so grundsätzlicher Tragweite. Im übrigen stimmen die neutestamentlichen Zeugnisse darin überein, daß in der Überlieferung der Passionsberichte Pharisäer nicht als Beteiligte auftreten. Das dürfte historisch stimmen. Man darf sich von der Weiterarbeit in dieser Richtung sicher manches versprechen, insbesondere ein entschieden besseres Verständnis der Botschaft Jesu und aller Faktoren, die schließlich zur Entstehung des Christentums geführt haben, und einen Abbau der vielen Vorurteile, die zwischen Christen und Juden noch unaufgearbeitet anstehen. In diesem Zusammenhang muß noch erwähnt werden, daß wir erst in der allerjüngsten Zeit in die neue Phase einer intensiven jüdischen

[15] *K.-H. Müller,* a. a. O. 21–23.

Beteiligung an der Frage nach Jesus eingetreten sind. Nach einer Bemerkung von *Pinchas E. Lapide* »sind in den letzten fünfundzwanzig Jahren mehr Bücher jüdischer Autoren über die Gestalt Jesu erschienen als in den vorangegangenen neunzehn Jahrhunderten«, Lapide selbst hat Arbeiten publiziert[16], die einen wichtigen Gesprächsbeitrag bieten. Ich selbst verspreche mir von dieser jüngsten Entwicklung sehr viel, denn es gibt manche Seiten am historischen Jesus, die von Juden wahrscheinlich besser verstanden werden als von Christen. Dabei wird sich immer wieder die Frage erörtert werden müssen: Warum hat gerade die Gestalt Jesu solche Wirkungen gehabt, und warum ist die jüdische Jesus-Sekte schließlich zur christlichen Weltreligion geworden?

4. Zur »Historia Jesu«

Wie sieht nun die Historia Jesu nach dem annäherungsweisen Konsens der kritischen Forschung heute aus?
Jesus von Nazareth wurde höchstwahrscheinlich »in den Tagen des Königs Herodes« (Mt 2,1; Lk 1,5) geboren. Als seine Heimat und wohl auch als sein Geburtsort gilt Nazareth in Galiläa, ein zur Zeit Jesu offenkundig ganz bedeutungsloser Ort. Da Herodes der Große im Jahre 4 v. Chr. starb, wird das Geburtsjahr Jesu im allgemeinen etwas früher angesetzt, 6 oder 7 vor Chr. Nach Mt 2,1 und Lk 2,4 gilt die Heimat des David, Bethlehem als der Geburtsort Jesu, aber das wird heute von der kritischen Forschung aufgrund der besonderen literarischen und theologischen Eigenart der matthäischen und lukanischen Kindheitsgeschichten angezweifelt. Überhaupt wird man die traditionsgeschichtlich relativ späten Kindheitsgeschichten wegen ihres legendenhaften Charakters nur mit

---

[16] *P. E. Lapide,* Der Rabbi von Nazareth. Wandlungen des jüdischen Jesusbildes. Trier 1974; *ders.,* Ist das nicht Josephs Sohn? Jesus im heutigen Judentum. München 1976.

88

Vorsicht als historische Quellen betrachten können. Über Kindheit und Jugend Jesu wissen wir nichts.

Historisch greifbar wird Jesus für uns erst in Verbindung mit dem Auftreten Johannes' des Täufers, das von Lukas (Lk 3,1 f.) chronologisch einigermaßen zutreffend eingeordnet wird. Das 15. Jahr der Regierung des Kaisers Tiberius wird gewöhnlich vom Beginn seiner Alleinherrschaft an gerechnet, also von 14 n. Chr. an. Absolut sicher ist das nicht, es kann auch der Beginn der Mitregentschaft des Tiberius neben Augustus im Jahre 11 gemeint sein. Damit kommen wir auf die Jahre 26–28 für den Beginn der Tätigkeit Johannes' des Täufers. Wie lange Johannes tatsächlich gewirkt hat, ist nicht mit Sicherheit auszumachen; auch das genauere Todesjahr des Täufers ist unbekannt. Fest steht nur, daß Johannes der Täufer, wie sowohl das Neue Testament (Mk 6,17–29 par. Mt 14,3–12) als auch *Flavius Josephus* (JosAnt 18,118 f.) übereinstimmend berichten, auf Veranlassung des Herodes Antipas hingerichtet wurde, und zwar vor der Kreuzigung Jesu. Nebenbei sei bemerkt, daß dieser Umstand in der Jesus-Literatur kaum genügend zur Kenntnis genommen wird, obgleich er für die Situation Jesu doch überaus erhellend sein dürfte.

Jesus hat sich zunächst der Bewegung Johannes' des Täufers angeschlossen, und dessen Wirken in jeder Hinsicht positiv beurteilt[17]. Die Taufe Jesu durch Johannes (Mk 1,9–11 par.) wird als historisch gut fundiert angesehen, da sie schon von der Urkirche als ausgesprochen unangenehme Tatsache empfunden wurde. Möglicherweise hat Jesus nach seiner Taufe sich von Johannes getrennt. Nach Mk 1,14 (par. Mt 4,12; Lk 3,19) begann Jesus seine eigene Wirksamkeit unmittelbar nach Verhaftung des Täufers. Nach Johannes (Joh 1,35 ff.; 3,22–30; 4,1 f.) hätte Jesus noch eine Zeitlang neben dem Täufer gewirkt, was mir allerdings weniger plausibel erscheint. »Vermutlich begann Jesus mit seiner eigenen Wirksamkeit im Jahre 28 n. Chr., jedenfalls nicht später als 29 n. Chr. Wie lange

[17] Vgl. Mt 11,2–19 par. Lk 7,24–35; 16,16; – Mk 11,27–33 par. Mit 21,23–27; Lk 20,1–8.

dauerte sein öffentliches Wirken? ... Am wahrscheinlichsten ist ... ein Zeitraum von etwas über zwei Jahren, und wenn wir die Kreuzigung in das Jahr 30 n. Chr. datieren, fällt das Auftreten Jesu in die Jahre 28–30 n. Chr.«[18]

Jesus trat auf als eschatologischer Prophet, als Künder der nahen Gottesherrschaft. Ich bin der Meinung, daß man das gesamte Wirken Jesu von diesem fundamentalen Ansatz her sehen und verstehen muß. Die eschatologische Reichsbotschaft Jesu wendet sich an das jüdische Volk der damaligen Zeit, und zwar an das Judentum in seiner Gesamtheit. Vorbild für Gestalt und Tätigkeit Jesu ist das Wirken der großen alten Propheten und nicht die verschiedenen »messianischen Kronprätendenten« der jüdischen Freiheitsbewegung, der Zeloten. Jesus hat offenbar die apokalyptische Naherwartung geteilt; er ist vom baldigen Kommen der Gottesherrschaft überzeugt, und man wird seine Wirksamkeit, vor allem sein Leben als Wanderprediger, der von Ort zu Ort durch die Lande zieht, nur von der Naherwartung her verstehen können. Auch der Zug nach Jerusalem gehört ganz in dieses Bild hinein: dort mußte Jesus die Entscheidung suchen. Als Wanderprediger sammelt er Jünger, Anhänger und Schüler, die er sowohl mit seiner Botschaft vertraut macht, wie er sie auch, und das ist ein ganz besonderer Zug, an seine eigene Person bindet; die Jünger sollen Jesus als ihrem Meister »nachfolgen«. Die Wahl des Zwölferkreises, die ich für historisch halte, paßt ganz in das Konzept der eschatologischen Reichsbotschaft hinein: es geht Jesus um die für die Endzeit verheißene Sammlung und Wiederherstellung des »idealen Israel«, des Gottesvolkes in seiner eschatologischen Integrität. Weil die Zeit drängt, beteiligt Jesus auch die Jünger an seiner Verkündigung.

Ähnlich wie die Prophetie des Deuterojesaja ist auch die Verkündigung Jesu in erster Linie Heilsbotschaft, εὐαγγέλιον, auch wenn Jesus selbst diesen Begriff nicht gebraucht hat. Gottes Heil soll allen zuteil werden, insbesondere den Sündern.

---

[18] *F. V. Filson,* Geschichte des Christentums in neutestamentlicher Zeit, deutsche Bearbeitung von *F. J. Schierse.* Düsseldorf 1967, 101.

Jesus verwendet ungewöhnliche Mittel, um die »Zöllner und Sünder« in die Gottesgemeinschaft zurückzuholen, und zwar Mittel, die anscheinend die frommen jüdischen Kreise provoziert und skandalisiert haben. Dazu gehört in erster Linie die eschatologische Zeichenhandlung des Mahles. Die Bedeutung des Mahles bei Jesus muß im engsten Zusammenhang mit seiner radikal-eschatologischen Reichsbotschaft gesehen werden, es ist gleichsam die irdische Vorwegnahme des kommenden Endheils. Auch die radikale Torainterpretation Jesu mit dem Gipfelgebot der Feindesliebe gehört mit der Reichsbotschaft zusammen; sie ist eschatologisch motiviert. Waren die Pharisäer schon daran interessiert, den Toragehorsam zu humanisieren und ihn für den Alltag praktikabel zu machen, so geht Jesus noch einen Schritt weiter und macht den Gotteswillen praktikabel für das einfache »Volk des Landes«, für den *am-haarez,* das heißt so, daß das Torastudium im Grunde überflüssig wird, und dies ist apokalyptischer Radikalismus, hier steht Jesus ohne Zweifel ganz in der Nähe aller radikalen Schwärmer. Schließlich bildet auch die Eschatologie den Schlüssel für die Zeichenhandlung der Tempelreinigung. Jesus war offenkundig vom Ende des Tempels und des Tempelkultes überzeugt. Das merkwürdige Tempellogion: »Dieser hat gesagt, ich will diesen von Händen gemachten Tempel zerstören und in drei Tagen einen andern, nicht von Händen gemachten aufbauen« (Mk 14,57 par.; Mt 26,61; Joh 2,19), ist nach meiner Meinung ein echtes Jesus-Wort, und paßt ganz zum apokalyptischen Denken Jesu; der Tempel, der an die Stelle des irdischen Tempels treten soll, ist der eschatologische Tempel. Eben deshalb zieht er sich auch die Gegnerschaft der Tempelaristokratie zu. Man wird also auf jeden Fall die Eschatologie bzw. die Apokalyptik zum Schlüssel eines Gesamtverständnisses Jesu machen müssen.

Unzweifelhaft hat Jesus seinem eigenen Wirken eine zentrale Bedeutung für das Kommen der Gottesherrschaft beigemessen. Seine Worte und Taten sind die Flammenzeichen der nahen Gottesherrschaft. Er selbst in Person ist das wichtigste

Zeichen. Die nähere Bestimmung des Selbstbewußtseins Jesu wird als ausgesprochen schwierig empfunden. Sicher hat Jesus selbst den Titel Messias sich nicht beigelegt; es sind durchweg andere, die ihn so bezeichnen. Vom apokalyptischen Menschensohn hat er vermutlich gesprochen. Ein mögliches Selbstverständnis Jesu als »Sohn Gottes« hängt mit seiner Überzeugung von Gottes gütiger Vaterschaft zusammen, es ist im Munde Jesu sicherlich nicht hellenistisch-numinos gemeint. Die nachösterliche Christologie hat diese Vokabel noch mit anderen Momenten gefüllt. Bemerkenswert ist, daß Jesus sich selbst nicht anders legimiert als durch den Hinweis auf seine Botschaft und sein Wirken: »Wenn ich aber mit dem Finger Gottes Dämonen austreibe, dann ist ja wahrhaftig die Gottesherrschaft über euch hereingebrochen« (Lk 11,20).

Jesu Hinrichtung erfolgte am Kreuz, in letzter Instanz also durch die römische Besatzungsmacht und ihren Vertreter, den Prokurator Pontius Pilatus. Wahrscheinlich war sie das Resultat eines Zusammenspiels zwischen der sadduzäischen Tempelaristokratie, die damals auch im Synedrium der Mehrheit hatte, mit dem römischen Prokurator. Auf eine hochinteressante Paralle zum Prozeß Jesu bei *Flavius Josephus*[19] hat *Karlheinz Müller* in dem schon erwähnten Aufsatz hingewiesen. Es handelt sich um einen Mann namens Jesus, Sohn des Ananias, »ein ungebildeter Mann vom Lande«, der am Laubhüttenfest des Jahres 62 in Jerusalem als Unheilsprophet auftrat und den Untergang der Stadt prophezeite. Der Text sagt unter anderem:

»Einige angesehene Bürger, die sich über das Unglücksgeschrei ärgerten, nahmen ihn fest und mißhandelten ihn mit vielen Schlägen. Er aber gab keinen Laut von sich, weder zu seiner Verteidigung noch eigens gegen die, die ihn schlugen, sondern stieß beharrlich weiter dieselben Rufe aus wie zuvor. Da glaubten die Obersten, was ja auch zutraf, daß den Mann eine übermenschliche Macht treibe und führten ihn zu dem Landpfleger, den die Römer damals eingesetzt hatten. Dort

[19] *Flavius Josephus,* Bellum judaicum 6, 300–305.

wurde er bis auf die Knochen durch Peitschenhiebe zerfleischt, aber er flehte nicht und weinte auch nicht, sondern mit dem jammervollsten Ton, den er seiner Stimme geben konnte, antwortete er auf jeden Schlag: ›Wehe dir Jerusalem‹. – Der Landpfleger Albinus hielt den Mann für wahnsinnig und ließ ihn schließlich laufen.«

Die Parallele ist in der Tat so überzeugend, daß man daran nicht gut vorbei kann. Nach *K.-H. Müller* handelt es sich hier um »einen offensichtlich fest etablierten Instanzenzug: der sadduzäische Adel bemächtigt sich gewaltsam des Unheilspropheten, verhört ihn unter Schlägen und liefert ihn schließlich an den Prokurator aus, der den Delinquenten geißeln läßt und ihn gleichermaßen einer offiziellen Befragung unterzieht«[20]. Dafür, daß eine ausgesprochen religiöse Volksbewegung als politisch gefährlich angesehen werden konnte, haben wir das Beispiel Johannes' des Täufers. Man muß also nicht unbedingt auf politische Ambitionen Jesu nach Art der Zeloten zurückschließen! Die Anklage als »Judenkönig« dürfte das römische Verständnis Jesu als Zelotenführer zum Ausdruck bringen; man brauchte für die Hinrichtung einen plausiblen Grund. Diesen fand man faktisch in der öffentlichen Wirkung Jesu, die wohl Unruhe bewirkt hatte. Es ist ein naheliegender Schritt, solche Unruhe für politisch brisant zu erklären und dafür den juristisch brauchbaren Begriff des βασιλεὺς τῶν Ἰουδαίων aufzugreifen. So starb Jesus als Rebell gegen den römischen Staat, der ihn als solcher wahrscheinlich niemals wirklich interessiert hatte.

5. Von Jesus zur Urkirche

Was die Entstehung der nachösterlichen Gemeinde bzw. der Urkirche betrifft, also zunächst die Bildung der jüdischen Sekte der Nazoräer, der Messias-Jesus-Bekenner, so bin ich noch

---

[20] *K.-H. Müller*, a. a. O. 17.

immer der traditionellen Auffassung, daß dieser neue Zusammenschluß der Jünger Jesu nach dessen grauenvoller Hinrichtung am Kreuz nicht denkbar ist ohne den Gesamtkomplex »Ostern«, der »Auferweckung Jesu von den Toten«, ohne diesen Komplex hier im einzelnen entschlüsseln zu wollen. In historischer Hinsicht bedeutet er folgendes: Die eigentliche geschichtliche Wirkung Jesu begann erst nach seinem Tod. Dies ist das Faktum, mit dem man sich zu befassen und das man zu erklären hat. Ich meine, daß man ohne die ernsthafte Beschäftigung mit diesem religionsgeschichtlichen Faktum das Wesen des Christentums nicht begreift. Die Urgemeinde rechnet mit Jesus als einer lebendigen, sie erfüllenden und autoritativ bestimmenden Größe. Sie erblickt in ihm selbst den Messias, freilich nicht ohne diesem Begriff damit einen ganz neuen Sinn zu unterlegen. Sie bezeichnet ihn als den Menschensohn und erwartet sein Kommen in Herrlichkeit. Zugleich stellt sie sich entschlossen in die Nachfolge des Gekreuzigten. Für die Jesus-Jünger ist fortan der Gottesglaube unabdingbar mit der Gottesoffenbarung Jesu verknüpft, das heißt mit seiner Art, Gott zu sehen, mit seiner Deutung des Gotteswillens. Zugleich behauptet das Urchristentum die bleibende Rückbindung an den Gott Israels. Jesus wird schon bei Paulus »das Bild Gottes« (2 Kor 4,5) genannt. Dabei ist entscheidend, daß die nachösterlichen Messias-Jesus-Anhänger, die χριστιανοί – Christen, wie sie alsbald von Außenstehenden genannt wurden (Apg 11,26; 26,28; 1 Ptr 4,16), sich von Anfang an um eine aktualisierende Interpretation der Jesus-Botschaft bemühen – ich erinnere an die verschiedenen Jesus-Bilder! In gewisser Hinsicht ist das Christentum eine »Weltreligion *malgré soi*«. Eine triumphale Berufung auf Jesus als Legitimationsfigur für die kirchlichen Sieger wird je neu vereitelt durch den Gekreuzigten, der die Nachfolge fordert.

III. Lernprozesse im Jüngerkreis Jesu

Die Frage nach »Lernprozessen im Jüngerkreis Jesu« stellt den Exegeten zunächst einmal vor das Problem, ob überhaupt und in welcher Weise man Problemstellungen und Begrifflichkeit moderner Didaktik auf neutestamentliche Gegebenheiten übertragen kann? Grob gesehen darf man zwar erwarten, daß diese Frage nicht ganz abwegig oder gar unzulässig sei, da es im Umgang der Jünger mit Jesus ebenso wie in der Urkirche Lernprozesse der verschiedensten Art gegeben haben wird. Sie werden, wie vor allem die Evangelien zeigen, aber auch in den Paulusbriefen gibt es bereits Ansätze in dieser Richtung, sehr früh schon institutionalisiert, z. B. im Taufunterricht und in der Gemeindebelehrung. Am deutlichsten versteht das Matthäusevangelium Jesu Tätigkeit hauptsächlich als Lehr-Tätigkeit, die zugleich eine grundsätzliche, bleibende Bedeutung hat. Jesus ist der einzige Lehrer der christlichen Gemeinde, und diese kann sich nach Matthäus nur verstehen als brüderliche Lern-Gemeinschaft der Jesusjünger (vgl. Mt 23,8–10). Hinzukommt, daß hinter dem gesamten Aufbau des Matthäusevangeliums mit seiner wohldurchdachten Abwechslung von Jesus-Geschichten (meist Wunderberichte oder Streitgespräche nach Markus) und den großen Redenkompositionen[1] eine bewußte didaktische Absicht steht. Die berühmte Systematik des ersten Evangelisten hat ihren Grund in dieser ausdrücklichen didaktischen Intention. *Bei Matthäus wird das kerygmatisch ausgerichtete Evangelium Jesu zur »doctrina« um- und ausgestaltet.*

---

[1] Es handelt sich um die Komplexe: 1. Die Bergpredigt Mt 5–7; 2. Die große Aussendungsrede Mt 9,36–11,1; 3. Die Gleichnisrede Mt 13; 4. Die Gemeinderegel Mt 18; 5. Die Rede gegen die Schriftgelehrten und Pharisäer Mt 23; 6. die große eschatologische Rede Kap. 24–25. vgl. dazu *Wikenhauser-Schmid*, Einleitung in das Neue Testament, sechste völlig neu bearbeitete Auflage. Freiburg–Basel–Wien 1972, 236 ff.

Insofern läge es natürlich näher, von diesem Evangelientext auszugehen und die Lernprozesse des Matthäusevangeliums zu behandeln. Dagegen führt die Frage nach den Lernprozessen im Jüngerkreis hinter die schriftlichen Evangelien zurück zum historischen Jesus und seiner Verkündigung. Wir begegnen dem Lehrer Jesus in den Evangelien nicht unmittelbar, sondern in einer durch die Gemeindeüberlieferung vermittelten Form. Dazu kommt noch eine andere Schwierigkeit, nämlich daß man Lernprozesse und Lernziele damals nicht analytisch und empirisch untersuchte, um sie auf diese Weise besser in den Griff zu bekommen und steuern zu können, obgleich man durchaus fundierte Vorstellungen vom Lernen hatte[2], sondern man verfuhr eher »synthetisch«, das heißt, daß der Lernprozeß alle Elemente des religiösen und sozialen Lebens in einer lebendigen Ganzheit einschloß[3].

1. Der »Lehrer Jesus«

Vielleicht ist es am besten, wenn wir das Bild, das die Evangelien vom »Lehrer Jesus« zeichnen, in seinen Grundzügen herauszuarbeiten versuchen und von daher nach den Lernprozessen weiterfragen.

---

[2] Zum Lehrbetrieb im jüdischen Milieu vgl. *E. Schürer,* Geschichte des Jüdischen Volkes im Zeitalter Jesu Christi, Band II (Neudruck). Hildesheim 1964, 363 ff. § 25. Die Schriftgelehrsamkeit; – The Jewish People in the First Century (Compendia Rerum Judaicarum ad Novum Testamentum I), ed. by *S. Safrai* and *M. Stern* in cooperation with *D. Flusser* and *W. C. Van Unnik,* 2 vol. Assen/Amsterdam I, 1, 1974; I, 2, 1976; hier vor allem I, 2, Chapter Nineteen, Education and the Study of the Thora, 94 ff. – *J. Maier,* Geschichte der jüdischen Religion. Berlin 1972.

[3] Vgl. etwa die Charakteristik von *M. Buber,* Über das Erzieherische, in: Werke I, Schriften zur Philosophie, Heidelberg–München 1962, 787–808, 794. »Es war eine Zeit, es waren Zeiten, wo es keine spezifische Berufung des Erziehers, des Lehrers gab und keine zu geben brauchte. Da lebte ein Meister, ein Philosoph etwa oder ein Erzschmied, seine Gesellen und Lehrlinge lebten mit ihm, sie lernten, was von seinem Hand- oder Kopfwerk

Wir gehen also von der einfachen Beobachtung aus, daß in allen vier Evangelien Jesus als Lehrer auftritt, und daß er auch als »Lehrer«, hebräisch *Rabbi,* oder aramäisch »*Rabbuni«,* griechisch διδάσκαλος bezeichnet wird, was in den älteren Bibelübersetzungen seit Luther gewöhnlich mit »Meister« wiedergegeben wurde. Wir werden im folgenden »Lehrer« und »Meister« gleichbedeutend verwenden[4]. Die Bilder sind bekannt: Jesus geht am Sabbat in die Synagoge, um dort zu lehren (Mk 1,21); das Volk strömt Jesus zu, um ihn als Lehrer zu hören (Mk 2,13); oder Jesus weilt am See Genesaret, die Volksmenge ist außerordentlich zahlreich und drängt sich derart an Jesus heran, daß er sich in ein Boot setzt und die Leute von dort aus belehrt (Mk 4,1 f.). Sowohl die Jünger als auch Außenstehende sprechen Jesus als Lehrer an: »Guter Meister, was muß ich tun, damit ich das ewige Leben erlange« (Mk 10,17)?

Ebenso gehören zum Lehrer Jesu auch seine Schüler, die »Jünger«. Schüler, griechisch μαθητής, ist eine der am meisten gebräuchlichen Bezeichnungen für die Freunde und Anhänger

---

er sie lehrte, indem er sie daran teilnehmen ließ, aber sie lernten auch, ohne daß sie oder er sich damit befaßt hätten, lernten ohne es zu merken, das Mysterium des personhaften Lebens, sie empfingen den Geist. Wohl gibt es solches noch, in irgendeinem Maß, wo es Geist und Person gibt, aber es ist in den Bezirk der Geistigkeit, der Persönlichkeit verbannt, es ist Ausnahme, ›Höhe‹ geworden.«

[4] διδάσκαλος *als Bezeichnung Jesu:* Mk 4,38; 5,35 (Lk 8,49); 9,17 (Lk 9,38); 9,38; 10,17 (Mt 19,16; Lk 18,18); 10,20.35; 12,14 (Mt 22,16; Lk 20,21); 12,19 (Mt 22,24; Lk 20,28); 12,32; 13,1; 14,14 (Mt 26,18; Lk 22,11). – Mt 8,19; 9,11; 12,38; 17,24; 22,36 (Lk 10,25); 23,8. – Lk 7,40; 8,49; 9,38; 11,45; 12,13; 19,39; 21,7. – Joh 1,38; 3,2; 8,4; 11,28; 13,13.14; 20,16.
Rabbi: Mk 9,5; 10,51; 11,21; 14,45. – Mt 23,7.8; 26,25.49. – Joh 1,39.50; 3,2; 4,31; 6,25; 9,2; 11,8.
Rabbuni: Mk 10,51; Joh 20,16.
ἐπιστάτης: Lk 5,5; 8,24.45; 9,33.49; 17,13: »als Anrede an Jesus überwiegend von seiten der Jünger (d. synopt. Parallelen haben διδάσκαλε . . .) d. Meister«; vgl. *W. Bauer,* Griechisch-Deutsches Wörterbuch zu den Schriften des Neuen Testaments und der übrigen urchristlichen Literatur (BW). Berlin ⁵1963, Sp. 593 f.
Ferner: Art. διδάσκω, διδάσκαλος κτλ, ThWNT II, 138–168, von *Rengstorf;* Art. ῥαββί, ῥαββουνί, ThWNT VI, 962–966, von *Lohse.*

Jesu in den Evangelien. Sie hat sich so fest eingeprägt, daß sie in der frühen nachösterlichen Gemeinde als Bezeichnung der Jesus-Anhänger sich weiterhin durchhielt, als die Lebensgemeinschaft mit dem historischen Jesus nicht mehr gegeben war. »Jünger« ist in den urchristlichen Anfängen gleichbedeutend mit »Christ«[5]. Umgekehrt gilt dann auch, daß in den Evangelien mit der Bezeichnung »Jünger« nicht nur die ersten Jünger des historischen Jesus gemeint sind, sondern auch die späteren Mitglieder der christlichen Gemeinden, für die die Evangelien geschrieben wurden[6]. Um so mehr fällt auf, daß Paulus in seinen Briefen die Vokabel »Jünger« überhaupt nicht benützt; bei ihm heißen die Christen gewöhnlich »Brüder und Schwestern«, was einen anderen Vorstellungshintergrund voraussetzt, nämlich den Gedanken der »Gottesfamilie«, der *familia Dei*, einer Gemeinschaft also, die mit dem Gedanken der Vaterschaft Gottes ernstmacht (vgl. Gal 4,1–7). Dagegen gehört das Verhältnis von »Meister und Jünger, Lehrer und Schüler« vor allem in die Jesus-Tradition. Es hat seinen Ursprung ohne Zweifel beim irdischen Jesus und hat sich auch nur so lange gehalten, wie die Jesus-Tradition noch lebendig war. Im Raum des hellenistisch geprägten Urchristentums haben sich andere Kategorien durchgesetzt.

Die Anrede Jesu als »Lehrer« zeigt, daß sich die Erscheinung Jesu in das geläufige Bild des jüdischen Lehrers, des »Rabbi« einfügt[7]. Irgendwo gehört Jesus mit den jüdischen Schriftgelehrten zusammen. Das Verständnis Jesu als Lehrer war jedenfalls das nächstliegende, neben dem Verständnis als Prophet, das sich den Zeitgenossen gleichsam von selber aufdrängte. Dies um so mehr, als es sehr rasch eine Reihe von

---

[5] Vgl. vor allem Apg 6,1.2.7; 9,1.10.19.25.26.38; 11,26.29; 13,52; 14,20.22.28; 15,10; 16,1; 18,23–27; 19,1.9.30; 20,1.30; 21,4.16. Erst sehr viel später hat die Bezeichnung »Christ« die Bezeichnung »Jünger« bzw. »Brüder und Schwestern« abgelöst und verdrängt. – Vgl. auch Art μανθάνω μαθητής, ThWNT IV, 932–965, von *Rengstorf*.

[6] Vgl. zum ganzen Problemkreis *K.-G. Reploh,* Markus – Lehrer der Gemeinde (SBM 9). Stuttgart 1969.

[7] Vgl. *Rengstorf*, ThWNT I, 155 ff.

Männern, im Falle Jesu auch Frauen gab, die sich Jesus anschlossen und in ein Schuler-Verhältnis zu ihm traten. Die Jünger standen zu Jesus in einem ähnlichen Verhältnis wie die jüdischen Rabbinenschüler zu ihrem Meister, so wenigstens nach dem unmittelbar sich aufdrängenden Erscheinungsbild. Auf einen bedeutsamen Unterschied weisen die Evangelisten hin, wenn sie von einer besonderen »Vollmacht« (ἐχουσία) Jesu sprechen (vgl. Mk 1,21f.).

Wenn also Jesus weithin als Lehrer verstanden wurde, dann deshalb, weil sein Auftreten und die Sammlung von Schülern einem bekannten Bild der damaligen jüdischen Gesellschaft entsprachen. Die jüdischen Rabbinen mit ihrem Schülerkreis waren in der Tat eine vertraute Erscheinung. Lehren und Lernen waren im Judentum nichts Außergewöhnliches, im Gegenteil. Im Bereich der Antike gibt es wohl kein Volk, das in solcher Breite den Charakter einer »Lerngesellschaft« hatte wie die Juden[8], und zwar aus religiösen Motiven. Um die Besonderheit des Lehrens Jesu schärfer zu profilieren, ist es angebracht, daß wir uns zuerst mit dem jüdischen Lehrbetrieb befassen.

2. Der jüdische Lehrbetrieb

Die jüdischen Lehrer sind uns bekannt unter dem Namen der »Schriftgelehrten«, einer Gruppe, die im Neuen Testament gewöhnlich neben Pharisäern oder den Hohenpriestern auf-

---

[8] »Die Träger dieses Ideals einer umfassenden Volksbildung durch die Tora waren vornehmlich die Pharisäer. Während die Essener das Ziel des »heiligen Volkes« durch rigorose Torafrömmigkeit nur für sich selbst zu erreichen strebten, wollten »die Pharisäer hingegen ... das ganze Volk erfassen, und zwar durch Erziehung. Ihr Wunsch und Wille war es, daß ein jeder aus Israel durch das Studium der Tora Heiligkeit erwerbe, und ihr Leitwort war: Stellet viele Schüler auf«, sagt *E. Bickermann,* Die Makkabäer. Eine Darstellung ihrer Geschichte. Berlin 1935, 59. »Das ist aber eine hellenische, wenn man will eine platonische Idee: den einzelnen Menschen und so auch das Volk durch Erziehung neu zu formen, damit es die ihm gestellte göttliche Aufgabe zu erfüllen imstande sei«, a. a. O. 60.

tritt[9], um mit Jesus zu diskutieren. Diese Schriftgelehrten gibt es als eigene Gruppe neben der traditionellen Priesterschaft in Israel erst nach dem Exil, also vom 5. oder 4. Jh. v. Chr. an. Dies war eine unmittelbare Folge der neuen nachexilischen Verhältnisse, wo das Gewicht der Tora-Frömmigkeit enorm verstärkt wurde. In dieser Zeit gewinnt die Tora eine absolute Bedeutung. Sie wird »zum Herzstück des jüdischen Glaubens und zu einem vielschichtigen Begriff«[10]. Das besagt einmal, daß die Mose-Tora in ihrer schriftlichen Gestalt des Pentateuch als abgeschlossene und definitiv gebotene Willensoffenbarung Gottes angesehen wird. Sie wird zur absoluten, nicht mehr hinterfragbaren Autorität, und zwar in ihrem schriftlich fixierten Wortlaut. Der Vorgang der Verabsolutierung nimmt die schriftliche Tora gleichsam aus der Geschichte heraus, sie wird zur urweltlichen, überweltlichen und kosmischen Größe[11]. Doch ließ sich nicht verhindern, daß die Geschichte trotzdem weiterging und damit eine fortgesetzte Auseinandersetzung mit der Tradition notwendig machte. »Mit dem Dasein eines Gesetzes ergibt sich von selbst auch die Notwendigkeit gelehrten Studiums und fachmännischer Kenntnis desselben. Wenigstens tritt dieses Bedürfnis in dem Maße ein, als das Gesetz ein umfangreiches und kompliziertes ist.«[12] Die schriftliche Tora bedarf also der Spezialisten, die sie in- und auswendig kennen und die zugleich in der Lage sind, den Inhalt der Tora auf die ständig sich wandelnden Bedürfnisse der Gesellschaft hin auszulegen oder neue Gewohnheiten an die Tora zurückzukoppeln. In diesem lebendigen Prozeß tritt nun

---

[9] Gegenüber den Pharisäern, Sadduzäern und Essenern, die man am besten als »jüdische Religionsparteien« bezeichnet, bilden die Schriftgelehrten, die man in allen Gruppen findet, einen *besonderen Stand;* vgl. die exakte Bezeichnung Mk 2,16: »die Schriftgelehrten der Pharisäer«; vgl. Art. γραμματεύς, ThWNT I, 740–742; von *J. Jeremias.*

[10] *Maier,* Geschichte der jüdischen Religion, 22.

[11] Zu diesem Umgang vgl. *M. Hengel,* Judentum und Hellenismus. Tübingen 1969, 307ff. Abschnitt 5f. Weisheit und Tora pharisäisch-rabbinischen Judentum. Hengel spricht wohl mit Recht von einem »*in den kosmischen Bereich transponierten ontologischen Toraverständnis*«, 311.

[12] *Schürer,* Geschichte II, 373.

neben die schriftliche Tora die *mündliche Tora,* und zwar als gleichberechtigte Größe. Die Rabbinen sind davon überzeugt – und dies wurde später auch die allgemein jüdische Auffassung – daß die mündliche Tora dem Mose zugleich mit der schriftlichen Tora am Sinai von Gott übergeben wurde. »Ohne die mündliche Lehre würden wir kein Verständnis für die schriftliche Lehre haben.«[13] Neben der Schrift steht also, ähnlich wie im nachtridentinischen Katholizismus, *die Tradition*[14]. Es ist die Aufgabe der mündlichen Tora zu interpretieren und auf die Bedürfnisse der Gegenwart hin zu konkretisieren. Gesetzes-Interpretation und Gesetzes-Applikation, zur Bewältigung dieser Aufgabe bedarf es der Kasuistik. Um diese Kasuistik zu entwickeln, haben die Schriftgelehrten in endlosen Debatten miteinander diskutiert. Da das Judentum kein höchstes Lehramt kennt, mußten die Rechtsentscheide in einer Art Dauerdiskussion immer neu erarbeitet werden, wobei auch gegensätzliche Meinungen festgehalten wurden. Da die Tora nach jüdischem Verständnis alles enthielt, was zu einem gerechten und frommen Leben im ganzen Umfange nötig war, so ergab sich daraus schließlich die Unentbehrlichkeit der Toraspezialisten für die weniger gesetzeskundigen Frommen. Gemäß der Forderung »Stellt viele Schüler auf« (Abot I, 1), entwickelten die Schriftgelehrten einen ausgedehnten Schulbetrieb. Relativ früh gab es im Judentum einen Elementarunterricht für die Buben, um möglichst bald Tora lesen zu können[15]. Dagegen mußte die mündliche Lehre auswendig gelernt

---

13 Vgl. *A. Sammter,* Mischnajot, Teil I Ordnung Sera' im dritte Aufl. Neudruck. Basel 1968, Einleitung S. XI.

14 Vgl. dazu die ausgezeichnete Abhandlung von *G. Scholem,* Offenbarung und Tradition als religiöse Kategorien im Judentum, in: *Scholem,* Über einige Grundbegriffe des Judentums. Frankfurt a. M. 1970, 90–120.

15 Mischna Abot 5,21 setzt fest: »Fünf Jahre alt zu Mikra, zehn Jahre alt zu Mischna«; d. h. der Unterricht sollte im fünften Lebensjahr mit dem Lesenlernen beginnen, und im zehnten Lebensjahr folgte der Unterricht in der mündlichen Lehre. Die Kunst des Lesens war weiter verbreitet als die des Schreibens; vgl. auch *S. Safrai* in: The Jewish People I, 2 950 ff. – *Maier,* Geschichte der jüdischen Religion, 111 ff.

werden[16]. Sie wurde im Laufe der Zeit oft wichtiger als die schriftliche Tora. Im Grunde war es »nicht der Buchstabe der Tora, der in der Praxis als anerkanntes Recht galt, sondern die vorherrschende Auslegung und Anwendung, die geschichtlich aktuelle Gestalt der Tora«[17]. Also, die mündliche Tora, die »Überlieferung der Alten« hat das Übergewicht gegenüber der schriftlichen Tora.

Noch eine Bemerkung zum rabbinischen Schülerkreis. Wie schon die hebräische Bezeichnung für Schüler *talmid* andeutet – das Wort ist abgeleitet von *lamad*/Lernen –, geht es hier konstitutiv um das Verhältnis von Lehren und Lernen. Die beiden Vorgänge, das Lehren und das Lernen, sind Grundelemente für die Ausbildung und Weitergabe von Tradition. Tradition als Begriff und zugleich als lebendiger Prozeß wurde im jüdischen Lehrhaus ausgebildet, vor allem was die theologische Seite des Traditionsbegriffes angeht[18]. Hören, Lernen, Bewahren und Tun: das sind die typischen Aufgaben des Talmid. Die Schüler bilden zusammen mit ihrem Rabbi, der eine unbedingte Autorität darstellt, eine Lern- und Lebensgemeinschaft. Ein Spruch der Weisen lautet: »Das Ansehen deines Schülers sei dir so lieb wie dein eigenes Ansehen, und das Ansehen deines Genossen wie die Ehrfurcht vor deinem Lehrer, und die Ehrfurcht vor deinem Lehrer wie die Ehrfurcht vor Gott« (Abot IV, 12). Der Talmid hat dem Rabbi wie ein Sklave zu dienen: »Alle Arbeiten, die ein Sklave seinem Herrn verrichtet, verrichte ein Schüler seinem Lehrer, ausgenommen das Ausziehen des Schuhes.«[19] Auch das Nachfolgen, wörtlich das »Hinter dem Rabbi Hergehen«, ist typisches Verhalten des

---

[16] Zur Gesamtproblematik vgl. Art Mishnah, *Encyclopaedia Judaica* 12 (Jerusalem 1971), Sp. 93–109. Die erste Redaktion der mündlich überlieferten Mischna wird dem bedeutenden Rabbi Jehuda-ha-nasi zugeschrieben, der in der zweiten Hälfte des zweiten, Anfang des dritten Jh. n. Chr. lebte; vgl. ebd. vol. 10, Sp. 366–372, Art. Jehuda-ha-nasi.

[17] *Maier*, Geschichte der jüdischen Religion, 20.

[18] Vgl. Anm. 14.

[19] *Billerbeck*, Kommentar zum Neuen Testament aus Talmud und Midrasch, 4 Bde. München ²1956, I, 527.

Talmid[20]. Er soll – und dies ist der tiefere Sinn dieser Lern- und Lebensgemeinschaft – durch den ständigen Umgang mit dem Rabbi und mit den Schüler-Genossen in den Geist und in die Praxis der Tora hineinwachsen. Das heißt, in diesem Lehrer-Schüler-Verhältnis blieb zuletzt doch die Tora die eigentliche Autorität.

Auf die Tora-Frömmigkeit der Qumran-Gemeinde brauchen wir nicht näher einzugehen, da sie zwar eine wichtige Variante innerhalb des Judentums darstellt, aber den prinzipiellen Rahmen des Tora-Gehorsams in keiner Weise sprengt[21]. Im Gegenteil, man muß hier von einem verschärften Tora-Gehorsam sprechen. Der Novize, der in diese Gemeinschaft eintrat, »soll sich eidlich verpflichten, umzukehren zum Gesetz des Mose, gemäß allem was er hat befohlen, mit ganzem Herzen und mit ganzer Seele, entsprechend allem, was von ihm offenbart wird den Zadokiden, den Priestern, den Wahrern des Bundes und Erforschern seines Willens«, heißt es in der Sektenregel (1 QS V,7–10). Auch hier bleibt die Tora die oberste Richtschnur; sie ist genau zu befolgen nach Maßgabe der Auslegung durch die priesterlichen Autoritäten der Qumran-Gemeinschaft.

3. Das Neue bei Jesus

Wie aber sieht nun die Sache bei Jesus aus? Hier sind bei allen Analogien nun doch eine ganze Reihe gewichtiger Unterschiede zu verzeichnen.

---

[20] »Angesichts der allgemeinen Vorbereitung derartiger Gepflogenheiten überrascht es nicht, der Sitte des Nachgehens auch im Umgang von Lehrer und Schülern bei den Rabbinen zu begegnen. Sie wird dort geradezu zu dem Merkmal, das den Außenstehenden die Existenz einer Schulgemeinschaft anzeigt«, sagt *A. Schulz,* Nachfolgen und Nachahmen, Studien über das Verhältnis der neutestamentlichen Jüngerschaft zur urchristlichen Vorbildethik (StANT 6). München 1962, 19.

[21] Vgl. *H. Braun,* Spätjüdisch-häretischer und frühchristlicher Radikalismus (BHT 24) I/II. Tübingen 1957.

Von der »Vollmacht« Jesu war schon die Rede. Er lehrte wie einer der Macht hat und nicht wie die Schriftgelehrten, heißt es bei Markus (Mk 1,22). Damit ist nicht eine autonome Mächtigkeit gemeint oder eine Art besonderer Genialität, sondern eine Jesus unmittelbar von Gott verliehene Vollmacht, die man sich ähnlich zu denken hat wie die Vollmacht der großen Propheten. Solche »gottunmittelbare Vollmacht« bedeutet im jüdischen Milieu, daß Jesus sein Recht, zu reden und zu handeln, von keiner der etablierten Autoritäten (Priesterschaft; Rabbinat) ableitet. Nachprüfbar ist eine derartige Vollmacht von außen natürlich nicht. Es handelt sich um »charismatische Autorität«. Die Frage nach Jesu Vollmacht wird in den Evangelien wiederholt berührt; ausdrücklich wird sie diskutiert in der Perikope von der »Vollmachts-Frage« (Mk 11,27–33; par. Mt 21,23–27; Lk 20,1–8; aber auch Joh 2,18 ff.). Nach diesem Text ist die Frage nach der »Vollmacht Jesu« die Frage nach seiner göttlichen Legitimation. Das Problem, ob einer im Namen Gottes rede oder nicht, war im Judentum stets aktuell; es gab dafür eine Reihe von Kriterien. Jesu freie und souveräne Art provozierte offenbar eine solche Fragestellung. Nun fällt bei diesem Text freilich auf, daß Jesus die Frage nach seiner Legitimation mit der Frage nach der Legitimation Johannes des Täufers verquickt: war die Johannestaufe gottgewollt oder nicht? War Johannes ein Prophet oder war es nicht? Es geht dabei wohl nicht nur um die Verbindung zwischen der Taufbewegung des Johannes und der Jesusbewegung, sondern um ein grundsätzliches Problem. Es geht um die Frage: Gilt das prophetische Charisma nur für die Vergangenheit, für die alten Propheten, die inzwischen längst tot und anerkannt sind, oder gibt es dergleichen auch noch in der Gegenwart? Ist echte Prophetie in all ihrer Ungeschütztheit auch noch in der Gegenwart möglich? Kann Gott auch in der Gegenwart durch einen Propheten reden, oder gilt nur der geheiligte Kanon der Tradition mit seinen anerkannten Legitimationskriterien, der gleichsam alle vorkommenden Fälle auch für die Zukunft schon vor-registriert hat? Kann es demgegenüber noch etwas Neues von Gott her gesehen geben? Darin liegt die Brisanz der Frage. Die richtige Antwort im Sinne Jesu würde dann lauten: Wenn es bei Johannes dem Täufer prophetisches Charisma gibt, dann wird man diese Möglichkeit auch bei Jesus einräumen müssen. Damit wäre die Vollmachtsfrage beantwortet. Aber das hätte ja enorme Konsequenzen! Das erste Problem liegt also darin, daß Jesus sich gegenüber einem vorgegebenen religiös-theologischen Legitimationssystem mit seinen verschiedenen Kriterien auf eine »Unmittelbarkeit zu Gott« beruft, auf eine »charismatische Legitimation«, die das bestehende System notwendigerweise in Verlegenheit versetzt. Das Kuriose ist dabei, daß auch die schriftgelehrte Diskussion die Frage nach wahrer und falscher Prophetie im Anschluß an Dtn 18,14–22 immer wieder erörtert hat[22], und daß man in der Theorie durchaus bereit war, dem prophetischen Charisma einen Platz einzuräumen. Aber in der Praxis war das immer prekär, weil es zum eigentümlichen Charakter des Prophetisch-Neuen unabdingbar gehört, daß seine Manifestationen sich gerade nicht aus vorgegebenen Legitimationskriterien ableiten lassen. Das Prophetisch-Neue ist eben nicht das, was man »je schon gewußt hat« oder hätte wissen können, so selbstverständlich richtig es auch hintennach aussehen mag. Es ist vielmehr das Kreativ-Neue, »Innovation«, die neue Zukunftsmöglichkeiten eröffnet und daher auch gewöhnlich zuerst als Kritik des Bestehenden auftritt. Und die Gefahr der schriftgelehrten Orthodoxie besteht meistens darin, daß sie mit solchen Neuigkeiten gar nicht ernsthaft rechnet, weil sie alles schon in ihrem Zettelkasten untergebracht hat. Eben dieses System wird durch die charismatische Lehrvollmacht Jesu empfindlich gestört. Bezieht man dies etwa auf die Gottesfrage, dann geht es um das Problem der Aktualität und Lebendigkeit Gottes, jenes Gottes, den man sich als oberste Spitze und Garant eines Systems nur sehr unzulänglich denken kann, weil er sich durch seine prophetischen Stellvertreter und Wortfüh-

---

[22] Vgl. *Billerbeck* I, 464f. zu Mt 7,15 »Sehet euch vor vor den falschen Propheten«.

rer höchst aktuell in die Geschäfte der Welt und des Menschen einmischt. Als Stichwort mag man festhalten: Jesu »Vollmacht« kann modern gesprochen als Fähigkeit innovatorischen Redens und Handelns verstanden werden. Dabei geht es gerade um das Eschatologisch-Neue, um den »Neuen Menschen« und die »Neue Welt«, wie sie im Begriff der Gottesherrschaft sichtbar werden.

Ähnlich heißt es Joh 7,15–17: »Die Juden staunten und sagten: Wie kann er die Schrift kennen, da er sie doch niemals [schulmäßig] gelernt hat«? Darauf sagt Jesus: »Meine Lehre ist nicht meine eigene, sondern die Lehre dessen, der mich gesandt hat. Wenn einer seinen Willen tut, dann wird er zur Einsicht kommen hinsichtlich der Lehre, ob sie aus Gott ist oder ob ich nur von mir aus rede.« Auch in dieser späten Formulierung hat sich die Erinnerung niedergeschlagen, daß Jesus seine Schriftkenntnis wie seine eigene »Lehre« nicht im rabbinischen Lehrhaus erworben hat. Jesus war kein ordinierter Rabbi, sondern ein Außenseiter, ein Laie und Autodidakt, wenn man so will. Dazukommt auch hier wieder die Berufung auf eine »Gottunmittelbarkeit« der Lehre, und weiter das Kriterium der Praxis. Erst das Tun des Gotteswillens würde die Einsicht in die Wahrheit der Lehre vermitteln. Es gibt dazu kein distanziertes »objektives« Verhältnis, sondern nur die Probe durch eigene Erfahrung, durch das Engagement.

Damit ist klar, kraft seiner »charismatischen Lehrvollmacht« steht Jesus außerhalb der Tradition der Schriftgelehrten.

4. Kritik der »Überlieferung der Alten«

Tatsächlich geht Jesus mit den beiden Größen »Schrift« und »Tradition« anders um als die Schriftgelehrten. Wenn der große Abschnitt Mk 7,1–23 (vgl. Mt 15,1–20)[23], bei dem es um die Bedeutung der »Tradition der Alten« sowie um den

---

[23] Vgl. dazu die Exegese bei R. Pesch, Das Markusevangelium (HTK II, 1). Freiburg–Basel–Wien 1976, 367–384.

Komplex von »Rein und Unrein« geht und wo sich viel Material sowohl aus der Gemeindeüberlieferung wie aus der Redaktion des Evangelisten angesetzt hat, doch einen harten Kern authentischer Jesus-Überlieferung enthält, und das ist nach meiner Meinung durchaus der Fall, dann hat Jesus radikale Traditionskritik geübt und die »Überlieferung der Alten«, also die mündliche Lehre nicht anerkannt, sondern sie als »Menschensatzungen« verworfen. Die entscheidende Sachfrage im ersten Diskussionsteil (V. 1–13) lautet: »Warum verhalten sich die Jünger nicht gemäß der Überlieferung der Alten?« (Mk 7,5). Dies ist der Vorwurf der Pharisäer und Schriftgelehrten. Jesus lehnt die Tradition ab, indem er »Gottesgebot« und »Menschensatzung« gegeneinanderstellt: »Ihr laßt das Gottesgebot beiseite und haltet dafür die Traditionen der Menschen fest« (Mk 7,8). Gottesgebot und Tradition sind also für Jesus nicht identisch; sie werden vielmehr kritisch miteinander konfrontiert, ein Vorgang, der mit der schriftgelehrten und pharisäischen Auffassung unvereinbar ist. Dort hatte die mündliche Lehre als »Zaun um die Tora« gerade das Gottesgebot zu schützen; zwischen beiden Größen herrscht eine innere Harmonie. In dem Wort Jesu dagegen wird dieser »Zaun« in seiner Problematik gesehen und geradezu als Möglichkeit der Destruktion des Gottesgebotes aufgefaßt. »Tradition« ist also für Jesus keineswegs an sich etwas Positives, sie kann als Menschensatzung auch genau das zerstören, was sie schützen möchte, nämlich die Offenbarung, den wahren Gotteswillen[24]. Auf diese Weise hat Jesus die Zweideutigkeit der Tradition als Menschensatzung herausgestellt. Berufung auf Tradition ist daher niemals für sich alleine letztes Kriterium; vielmehr bedarf die Tradition ihrerseits einer kritischen Analyse und Interpretation. Sie ist in ihrer Selbstverständlichkeit zu problematisieren und zu hinterfragen.

---

[24] Es handelt sich um den krassen Fall, daß man das Gebot »Du sollst Vater und Mutter ehren«, das die Unterhaltspflicht gegenüber den alten Eltern einschloß, durch das »Korban = Gelübde«, eine Tabu-Formel, außer Kraft setzen konnte, vgl. *Billerbeck* I, 711 ff.

5. Interpretation der Mose-Tora

Jesus geht auf diesem Weg allerdings noch einen entscheidenden Schritt weiter. Hätte er nur die »mündliche Tora« als solche abgelehnt, dann hätte er nichts anderes vertreten als den Standpunkt der Sadduzäer[25]. Entscheidend ist aber, und dies mußte schließlich zum grundsätzlichen Konflikt führen, daß Jesus auch die schriftliche Mose-Tora nicht unangefochten stehen ließ, sondern offenkundig an dieser Kritik geübt hat, »Sachkritik«. Hier geht es um das nicht ganz einfach zu interpretierende Verhältnis Jesu zur Autorität der schriftlichen Mose-Tora[26]. In diesem Zusammenhang wird vor allem Mt 5,17.18.19 in die Diskussion eingebracht: »Glaubt nicht, ich sei gekommen, das Gesetz oder die Propheten aufzuheben; ich bin nicht gekommen um aufzuheben, sondern um zu erfüllen... Denn wahrlich ich sage euch, bis Himmel und Erde vergehen, wird kein Jota und kein Häkchen vom Gesetz vergehen, ehe nicht alles geschehen ist. Wer darum eins von diesen kleinsten Geboten auflöst und die Menschen so lehrt, der wird der Kleinste heißen im Himmelreich. Wer sie aber tut und so lehrt, der wird groß heißen im Himmelreich.« Man hat aus diesen Worten zuweilen eine uneingeschränkte Bejahung von Tora und Tora-Frömmigkeit durch Jesus ableiten wollen. Aber so kann man die Worte nur verstehen, wenn man viele andere Züge, die die Evangelien von Jesus berichten, ignoriert. Jesus hat die strenge Sabbatruhe verletzt; er hat grundsätzliche Kritik an der in der Tora verankerten Möglichkeiten der Ehescheidung geübt; er hat den gesamten Bereich der kultischen Reinheitsvorschriften für belanglos erklärt[27].

[25] Zu den Sadduzäern vgl. *Maier,* Geschichte der jüdischen Religion, 46 f.

[26] Zum Gesamtproblem von *K. Berger,* Die Gesetzesauslegung Jesu. Ihr historischer Hintergrund im Judentum und im Alten Testament, Teil I: Markus und Parallelen (WMANT 40). Neukirchen 1972 – *J. Jeremias,* Neutestamentliche Theologie, Erster Teil, Die Verkündigung Jesu. Gütersloh 1971, 198 ff.

[27] *J. Schmid,* Das Evangelium nach Matthäus (RNT 1) [3]1956, 92: »Und nicht bloß dies; er verwirft die Reinheitsgesetze überhaupt. Durch das eine Wort,

Es geht aber nicht bloß darum, daß das Ritualgesetz für ungültig erklärt wird. Auch der ethische Teil der Tora, die Zehn Gebote, bedürfen nach Jesus der kritischen Neuinterpretation. In den Antithesen der Bergpredigt werden die alttestamentlichen Gebote dergestalt radikalisiert und vertieft, daß das Gesamtbild einer neuen umfassenden Grundhaltung des Menschen in Umrissen sichtbar wird. Hier nimmt Jesus für sich das Recht in Anspruch, die Mose-Tora zu korrigieren und zu verbessern. Während die Schriftgelehrten darauf bedacht sind, das Einhalten des Gottesgebots durch den »Zaun um die Tora« abzusichern, geht Jesus entschieden den anderen Weg, die Grundeinstellung des Menschen positiv durch Umkehr, μετάνοια zu verändern. Darüber hinaus betont Jesus nach Mattäus, daß das »ganze Gesetz und die Propheten« in der »Goldenen Regel« enthalten sei bzw. im Doppelgebot der Gottes- und Nächstenliebe (vgl. Mt 7,12; 22,40). Das heißt: man kann alle Forderungen der Tora an diesen zwei Geboten aufhängen und daraus ableiten.

Blickt man von daher auf die zitierten Worte zurück, dann kann man sich eines zwiespältigen Eindrucks nicht erwehren. Am ehesten dürfte dem ersten Spruch ein Jesus-Wort zugrunde liegen. Dann mag der Sinn sein: Jesus wollte Gesetz und Propheten nicht abschaffen, sondern »erfüllen«; er hat die Tora als Zeugnis des Gotteswillens nicht verworfen. Es geht nicht darum, daß die Tora abgeschafft werden soll. Sie soll vielmehr »erfüllt« werden. Gemeint ist damit wohl ihre endzeitliche Erfüllung durch Jesus selbst. »Erfüllung der Tora« bedeutet dann ihre radikale Zusammenfassung im Liebesgebot. Darin kommt ihre wahre Intention zum Vorschein. Die Tora wird erfüllt durch die Tat der Liebe. Dagegen dürften die beiden folgenden Texte judenchristlicher Diskussion entstammen und später hinzugefügt worden sein[28].

daß nur das, was aus dem Munde, nämlich aus dem Herzen herauskommt, den Menschen vor Gott unrein macht (Mk 7,15), ist der Begriff der rituellen Reinheit überwunden und wird ein großer Teil des atl. Gesetzes für ungültig erklärt«.

[28] Zur Interpretation von Mt 5,17–30 vgl. *J. Schmid*, a. a. O. 85 ff.

Aus dem Gesagten ergibt sich: Für Jesus ist die Tora durchaus authentisches Zeugnis des Gotteswillens, aber sie ist für ihn im Unterschied zu den Rabbinen nicht mehr die fraglos letzte Instanz. Während für die Rabbinen Tora und Gotteswillen im Prinzip identisch sind, macht Jesus hier noch einen deutlichen Unterschied. Für ihn sind Tora und Gotteswillen nicht einfach identisch, man muß vielmehr die Tora vom Gotteswillen her kritisch interpretieren. Gerade dadurch kommt aber die eigentliche Absicht der Tora zum Vorschein, vor allem im Liebesgebot. Was also ist der Gotteswille? Letztlich nichts anderes als die Liebe und das Heil des Menschen.

Diese kritische Unterscheidung zwischen Tora und Gotteswillen dürfte auch für die Gegenwart noch von allergrößter Bedeutung sein. Denn es kommt für das richtige menschliche Handeln immer darauf an, zwischen Vorschriften und gesetzlichen Regelungen einerseits und dem »von der Sache«, vom »Wohl des Menschen« und einer bestimmten Grundeinstellung her als richtig Erkannten andererseits unterscheiden zu können und aus dieser Spannung heraus verantwortlich zu handeln. Darin liegt auch die wahre Autonomie des Menschen[29].

6. Das eine Notwendige: die Gottesherrschaft

Es geht, so darf man wohl sagen, Jesus um eine neue Grundhaltung, die das gesamte Verhalten des Jüngers prägen und durchdringen soll. Wie alle überragenden Lehrer so hat auch Jesus im Grunde nur ein einziges Thema, einen Grundgedanken, einen Ansatzpunkt, der in seiner Einfachheit zugleich eine unerschöpfliche Fülle und Abwandlungsmöglichkeit enthält. Ihm geht es um das *Unum necessarium* (vgl. Lk 10,38–42), das man mit allen Kräften suchen soll, und das ist »das Reich Gottes und seine Gerechtigkeit« (vgl. Mt 6,31–33). Es geht

---

[29] *F. Böckle,* Fundamentalmoral. München 1977, 197 ff.

also darum, aus der Vielgeschäftigkeit und den mit dieser verbundenen Sorgen um Essen, Trinken, Nahrung und Kleidung sich zurückzuholen, davon Abstand zu gewinnen und den Mut zu einer radikalen Vereinfachung, zur entscheidenden Konzentration auf das Wesentliche der Gottesherrschaft zu finden. Freilich ist damit nicht gemeint, daß man sich nun einer völligen Gleichgültigkeit gegenüber den elementaren menschlichen Lebensbedürfnissen überlassen soll, oder daß man die Verantwortlichkeit für das persönliche und soziale Leben vernachlässigen soll. *Angezielt ist vielmehr ein Lebens- und Lernprozeß, der in das menschliche Dasein die große innere Linie hineinbringt, die Fähigkeit, zwischen Wesentlichem und Unwesentlichem unterscheiden zu können, weil man in dem, was Jesus »das Reich Gottes« nennt, den umfassenden Sinn für das eigene Dasein und darüber hinaus für die Geschichte gefunden hat.* Dabei ist es wesentlich, daß in der Sicht Jesu das Reich Gottes nicht als eine Last verstanden wird, sondern als das überragende Glück für den Menschen, das seiner unendlichen Sehnsucht entspricht. Das Reich Gottes ist »der verborgene Schatz im Acker« und »die kostbare Perle«, für die sich der ganze Einsatz lohnt (vgl. Mt 13,44–46). Von daher bekommen auch solche Begriffe wie Askese, Opfer, Verzicht ihren positiven Sinn. Am Anfang steht die große Sinn-Erfahrung, die affektive Betroffenheit vom »Höchstwert des Reiches Gottes«. Aus solcher Betroffenheit gehen Motivation und Elan hervor, das eigene Leben nach diesem Vorschlag auszurichten und dafür sich zu engagieren, auch wenn ich dafür auf andere Güter verzichten muß. Zugleich wird durch die feste Bindung ans Liebesgebot nicht ein unmenschliches, abstraktes Ideal zur Richtschnur gemacht, sondern was »Reich Gottes« meint, bleibt an die Praxis der Liebe gebunden. Daß man hier kritisch abwägen soll, hat Jesus sehr wohl gewußt und ausdrücklich gesagt (vgl. Lk 9,57–62; 14,28–32). Wenn wir damit die Aussagen über die Tora-Kritik Jesu verbinden, dann sehen wir auch hier die gleiche Dynamik der Vereinheitlichung, den gleichen Zug zum Wesentlichen und zur großen Linie. Vom

Grundgedanken der nahen Gottesherrschaft her hatte Jesus den Mut, das ganze menschliche Dasein, alle Verhältnisse in seiner Umwelt unter diesem Blickwinkel – der freilich kein enger Winkel ist, sondern eher ein Rundblick von hoher Warte aus – zu sehen und zu beurteilen. Die »Nähe des Reiches Gottes« ist das Stichwort, der zentrale Begriff, den der charismatisch-prophetische Lehrer Jesus ins Zentrum seines Lehrens und Wirkens stellt. Es ist der Inhalt seiner neuen Gotteserfahrung. An dieser Stelle konnte ihm in der Tat kein Torabuch mehr weiterhelfen, hier ließ ihn auch die schriftgelehrte Tradition im Stich.

7. Das Angebot einer neuen Lebensform

Denn die Gewißheit, mit der Jesus von der Nähe des Reiches Gottes spricht, ist ganz und gar prophetischer Art. Das heißt auch, daß es hier nicht mehr möglich ist, »Person« und »Inhalt (Sache)« voneinander zu trennen. Denn es ist letztlich Jesus allein, der durch sein Wort die Gewißheit vom Kommen des Reiches Gottes verbürgt. Denn hier geht es nicht um einen vom Meister ablösbaren »objektiven Lehrgehalt«, sondern um eine durch ihn vermittelte gemeinsame Überzeugung. Es ist ja sehr bezeichnend, daß Jesus keine neuen Dogmen gegenüber dem Alten Testament verkündigt hat, nicht einmal eine neue Gotteslehre. Die Aussage »Das Reich Gottes ist nahegekommen«, ist ja gerade kein dogmatischer Lehrsatz (Es wäre eine theologische Überlegung wert, warum es nicht möglich ist, diese zentrale Aussage der Verkündigung Jesu zum Dogma zu machen; es wurde meines Wissens auch niemals versucht), sondern eine Verheißung, eine Aufforderung, ein Appell zur Umkehr und zur Öffnung für die strahlende Zukunft, also ein Anruf, der auf Veränderung hinausläuft, auf Veränderungen des Denkens und Handelns. Es ist jedenfalls keine Aussage, die sich durch objektiv gültige Kriterien belegen und verifizieren läßt. Sie ist das Angebot einer neuen Lebensform, eines in jeder Hinsicht »offenen Lebens«, im Gegensatz zu einem in sich verschlossenen Leben. Was durch die Lehren Jesu im Menschen ausgelöst werden kann, sind Lebensprozesse in der Tiefe der menschlichen Person. Bei solchen Prozessen ist die Person des Lehrers genauso wichtig wie der Inhalt seiner Lehre, eben weil es gerade nicht mehr um eine Vermittlung von Kenntnissen und Formeln geht, sondern um es mit einem Ausdruck *Kierkegaards* zu sagen, um Existenz-Vermittlung. Ein solcher Lernprozeß zielt aber letztlich darauf hin, den Schüler selbst zu aktivieren. Er ist ohne die intensive Beteiligung und Mitarbeit des Schülers gar nicht zu leisten. Darüber hinaus ist es gerade diese kreative Mitarbeit selber, das produktive Zusichselberkommen des Menschen im Vertrauen, Zuversicht, Hoffnung und Freude, worauf das Wirken des Lehrers zielt. Das Neue Testament bringt diesen Vorgang dadurch zum Ausdruck, daß es Jesus als denjenigen zeigt, der den Menschen die Fähigkeit des Glaubenkönnens mitgeteilt hat[30], oder der den Menschen ihre Sünden vergab, der Kranke geheilt hat usw., was ja nichts anderes heißt, als daß er diesen Menschen einen schöpferischen Neuanfang, eine echte »Wiedergeburt« oder »Neugeburt« ermöglichte. Der Spruch »Dein Glaube hat dich gesund gemacht«, verweist vor allem auf diese besondere Fähigkeit Jesu, den innersten Personenkern des Menschen anzusprechen und neu zu aktivieren. Die Heilung erscheint nach diesem wohl authentischen Wort Jesu gar nicht so sehr als eine Tat von außen, sondern als die selbstverständliche Zu-Tat des jeweils betroffenen Menschen selber, sobald diesem das Glauben gelingt.

Man sollte darüber hinaus auf den Symbolgehalt der verschiedenen Wunderberichte achten, wenn es heißt: »Blinde sehen und Lahme gehen, Aussätzige werden rein und Taube hören, Tote stehen auf und Armen wird die Freudenbotschaft verkündet, und selig ist zu preisen, wer an mir nicht strauchelt« (Mt

---

[30] Dazu noch immer wichtig *G. Ebeling,* Jesus und Glaube, in: Wort und Glaube I. Tübingen ²1962, 203–254.

11,5f.). Interpretieren wir das so: Jesus verhilft den Menschen wieder zum vollen Gebrauch ihrer menschlichen Fähigkeiten, ihres Wahrnehmungsvermögens und ihres Handlungsvermögens, zumal im Hinblick auf den Nächsten. In diesem Sinne sind sie Zeichen der nahen Gottesherrschaft.

8. Impulse für heute

Ich breche an dieser Stelle ab, um zu einer Schlußbemerkung zu kommen. Eine verbreitete Definition von »Lernen« lautet: »*Lernen* ist situationsbedingte Veränderung von Verhaltensdispositionen. Eine Eingangsdisposition, mit der ein Individuum in eine Lernsituation eintritt, wird zu einer Ausgangsdisposition verändert.«[31] Formal gesehen kann man diese Definition auch für die »Lernprozesse im Jüngerkreis« beanspruchen. Aber dann melden sich auch sogleich die Unterschiede. Entscheidend ist vermutlich, daß die Veränderung der Eingangsdisposition nicht nur im Bewußtsein stattfindet, sondern daß sie den ganzen Menschen betrifft. Die Ausgangsdisposition dagegen kann wohl nur als Symbol, als Globalziel und Verheißung artikuliert werden, als »Reich Gottes«, als »der neue Mensch«, als »vollkommene Gemeinschaft« usw., sie ist selbst aber im Bereich der Endlichkeit nirgends dingfest zu machen, sondern bleibt grundsätzlich offen. Ja es geht geradezu darum, den Menschen von einer in sich ge- und verschlossenen, fixierten Daseinshaltung, die das eigene Leben, die Welt und den Menschen in eine überschaubare, verständliche und verfügbare Ordnung bringen möchte, zu einer offenen Daseinshaltung zu bekehren, die auf eine unendliche Zukunft hinausblickt, die positiv mit überraschend Neuem rechnet, in der die Offenheit für den Nächsten als das unbekannte, mir begegnende und mich anfordernde Wesen eine ganz entschei-

---

[31] So *G. R. Schmidt* in: *Feifel–Leuenberger–Stachel–Wegenast,* Handbuch der Religionspädagogik 2. Zürich–Einsiedeln–Köln 1974, 75.

dende Rolle spielt. »In einer höheren Welt ist es anders, aber hienieden heißt leben sich wandeln, und vollkommen sein heißt sich oft gewandelt haben.«[32] Wenn Jesus den Menschen geholfen und ihnen gezeigt hat, wie sie zum Glauben, Hoffen und Lieben kommen, dann betreffen diese Lernprozesse nicht irgendwelche speziellen Fähigkeiten, sondern die Menschlichkeit des Menschen selber, das Finden seiner wahren Identität, seiner persönlichen Freiheit und Selbständigkeit ebenso wie seine Mitmenschlichkeit, sein Leben in der Gemeinschaft (vgl. die Bedeutung des Mahles!). Man darf Jesus auch unter die großen Pädagogen der Menschheit einreihen, wenn wahre Pädagogik darin besteht, dem anderen Menschen zum eigenen Sein-Können, also zur Selbständigkeit eigenen Denkens, Lebens und Handelns zu verhelfen[33]. Genau darin liegt auch der »Dienst«, den Jesus an den Jüngern geübt hat und den sein Wort auch heute noch an jedem übt, der es in sich aufnimmt. Dies hat Johannes richtig gesehen, Jesus wollte keine Untertanen, sondern Brüder und Freunde, Gleichgesinnte und Gleichberechtigte: »Ich nenne euch nicht mehr Knechte, denn der Knecht weiß nicht, was sein Herr tut; ich habe euch vielmehr Freunde genannt, weil ich euch alles, was ich von meinem Vater gehört habe, kundgetan habe« (Joh 15,15). Man kann solche Pädagogik durchaus als »emanzipiert« und »kreativ« bezeichnen. Das Grundproblem scheint mir heute darin zu liegen, daß zu fragen ist, wo in der heutigen Welt solche Lernprozesse vorwiegend stattfinden können. Hier wird ein Dilemma sichtbar, das durch die üblich gewordene Unterscheidung zwischen »Religionsunterricht« und »Katechese« noch gar nicht erfaßt wird, weil beide gerade diese grundlegenden Lernprozesse vorwiegend ausblenden, vielleicht sogar ausblenden müssen. Denn die von Jesus angezielten Lernprozesse einer kritisch reflektierenden Menschwerdung in Richtung auf »Reich Got-

---

[32] *J. H. Newman,* Die Entwicklung der christlichen Lehre und der Begriff der Entwicklung, Deutsche Übersetzung von *Th. Haecker.* München 1922, 39.

[33] Vgl. *J. Blank,* Die Vollmacht der Liebe, in: Das Evangelium als Garantie der Freiheit. Würzburg 1970, 57–78.

tes« haben in den herrschenden Systemen von Schule und Kirche keinen rechten Platz. Dieser Platz muß überhaupt erst neu gewonnen werden. Keinen Zweifel hege ich allerdings im Hinblick auf die große menschliche Bedeutung dieser Lernprozesse und daß hier eine Aufgabe ansteht, die der Mühe wert sein sollte.

IV. Die Sendung des Sohnes

Zur christologischen Bedeutung des Gleichnisses
von den bösen Winzern Mk 12,1–12

1. Zur Problemlage

a) Seit *A. Jülichers* klassischer Interpretation pflegt man das
»Gleichnis von den bösen Winzern« Mk 12,1–12 (par. Mt
21,33–46; Lk 20,9–19) als »Allgeorie« zu bestimmen[1]. Da
man mit der literarischen Gattung der »Allegorie« im Unterschied zur »Gleichnisrede« oder »Parabel« auch gewöhnlich
ein negatives »Echtheits«-Kriterium verbindet, gilt die Erzählung folgerichtig als Bildung der nachösterlichen Urgemeinde.
Vor allem *Kümmel* hat in seiner Abhandlung zu Mk 12,1–9 die
These ausführlich zu begründen gesucht, »daß das Gleichnis
von den bösen Weingärtnern nicht aus der geschichtlichen
Situation des Lebens Jesu, sondern aus der Situation nach dem
Tode Jesu und der Entstehung der Urkirche mit ihrem
Bekenntnis zum erhöhten Gottessohn stammt«[2].

b) Demgegenüber haben *C. H. Dodd*[3], *J. Jeremias*[4] und *B. M.*

---

[1] *A. Jülicher,* Die Gleichnisreden Jesu, Neudruck Darmstadt 1963, II
385–406; R. *R. Bultmann,* Die Geschichte der synoptischen Tradition.
Göttingen [3]1957, 191: »Freilich liegt nicht eine Parabel, sondern eine
Allegorie vor; denn nur als solche ist der dargestellte Vorgang sinnvoll.
Auch inhaltlich erweist sich das Stück als Gemeindebildung.« – W. G.
Kümmel, Das Gleichnis von den bösen Weingärtnern (Mk 12,1–9), in:
Heilsgeschehen und Geschichte, Ges. Aufsätze, Marburg 1965, 207–217;
– E. *Schweizer,* Das Evangelium nach Markus, NTD 1. Göttingen 1967,
136f.

[2] *Kümmel,* a. a. O. 216f.

[3] *C. H. Dodd,* The Parables of the Kingdom, rev. ed. Dingswell 1965, 96–102.

[4] J. Jeremias, Die Gleichnisse Jesu. Göttingen [6]1962, 67–75. Vgl. auch *W.
Grundmann,* Das Evangelium nach Markus. Berlin 1962, 237–242; *V.
Taylor,* The Gospel according to St. Mark. London 1963, 472ff.; *O.
Cullmann,* Die Christologie des Neuen Testaments. Tübingen 1957, 295f.

F. van Iersel[5] die Auffassung vertreten, daß es sich doch um ein ursprüngliches Gleichnis handle, auch wenn später einzelne Züge mehr oder weniger stark »allegorisiert« worden seien[6]. Durch die Einführung des »geliebten Sohnes«, der als letzter Bote vom Weinbergsbesitzer gesandt und von den Pächtern umgebracht wird (V. 6–8), hat die Erzählung hohe christologische Bedeutung. Es unterliegt keinem Zweifel, daß man im Sinne der Endredaktion, aber wahrscheinlich auch der Gemeindeüberlieferung an Jesus als Gottessohn, der gekreuzigt worden ist, denken soll. Die Vertreter der »Echtheit« sehen sich deshalb veranlaßt zu zeigen, daß die Figur des »Sohnes« in der ursprünglichen Gleichniserzählung einen normalen, von der Anlage der Geschichte selbst geforderten Sitz hat[7]. Denn die Geschichte arbeite mit einer Steigerung, und diese würde nur erreicht, wenn nach der vergeblichen Sendung der Knechte bei dem letzten Versuch des Hausherrn, von den Pächtern die Abgaben zu erhalten, auch eine Person geschickt würde, die der Forderung durch ihre Stellung einen besonderen Nachdruck verleiht, dies eben sei der Sohn. Nach *van Iersel* bilde ursprünglich nicht der Sohn oder wie in Jesaja 5 der Weinberg den Angelpunkt, sondern die Pächter. »Die Absicht ist folgende: ein Urteil über die Pächter des Weinberges, das heißt über die Führer Israels zu fällen ... Die Figur des Sohnes ist im Gleichnis zweifelsohne nur ein beiläufiges Element. Das Benehmen der Pächter dem Sohn gegenüber zeigt besonders eindringlich, wie falsch ihre Haltung dem Herrn gegenüber ist; würde diese Figur jedoch fehlen, so wäre der Unterschied nur ein nebensächlicher«[8]. Man muß fragen, ob dieses Herunter-

---

[5] *B. M. F. van Iersel,* »Der Sohn« in den synoptischen Jesusworten, Christusbezeichnung der Gemeinde oder Selbstbezeichnung Jesu? Leiden 1961, 124–145.

[6] So meint *Dodd,* Parables 101: »The parable therefore stands on its own feet as a dramatic story, inviting a judgment from the hearers, and the application of the judgment is dear enough without any allegorizing of the details«.

[7] Ebd.: »It is the logic of the story, and not any theological motive, that has introduced this figure«.

[8] *B. M. F. van Iersel,* »Der Sohn« 144.

spielen der Figur des »Sohnes« dem Text wirklich gerecht wird.
c) Von den genannten Versuchen unterscheidet sich der Ansatz
von *E. Haenchen*[9], der konsequent von der alttestamentlichen
Vorlage des Weinbergliedes Jes 5,1–7 ausgeht und darauf
hinweist: »Das Weinberglied war weder ein »reines Gleichnis«
im Sinne *Jülichers*, das nur *ein tertium comparationis*, nur einen
einzigen Vergleichspunkt liefert, noch darf man jeden Einzel-
zug darin allegorisch deuten. Vielmehr handelte es sich dabei
um eine Gleichniserzählung, bei der die Hauptpersonen und
ihr Handeln allegorische Bedeutung besaßen«[10]. Das Gleichnis
sei keine »Originalkomposition«; es ist »nicht ganz neu
entworfen, wie es die Gleichnisse Jesu sind. Vielmehr knüpft es
an das Gleichnis des Jesaja an«[11]. Aber mit diesem Ansatz wird
eine andere »Geschichte« mit anderer Aussagetendenz verknüpft. Im übrigen sieht auch Haenchen hier das »Bekenntnis
der christlichen Gemeinde, . . . die auf die Tötung des Sohnes
nicht voraus-, sondern schon zurückblickt«[12]. Der Einstieg, wie
ihn Haenchen versucht hat, dürfte in der Tat am ehesten
weiterführen. Er ermöglicht eine in traditions- und formge-
schichtlicher Hinsicht sachgemäßere Zugangsweise zu dem
Text Mk 12,1–12 als die oben besprochenen Lösungsversuche.
Vor allem ist es von daher eher möglich, nach der besonderen
christologischen Konzeption zu fragen, die diesem Text zugrundeliegt, bzw. darin verarbeitet ist. Es ist auffällig, daß man
dieser christologischen Konzeption bislang noch wenig Beachtung geschenkt hat[13]; die Frage gilt im allgemeinen als erledigt,
wenn man den Titel »Sohn« und den »Sendungsgedanken«

---

[9] *H. Haenchen*, Der Weg Jesu. Berlin 1966, 396–405.

[10] *Haenchen*, Weg 397.

[11] Ebd. 400.

[12] Ebd. 401.

[13] *F. Hahn*, Christologische Hoheitstitel. Göttingen 1963, geht auf S. 315 f. auf
die christologische Konzeption von Mk 12,1–12 kaum ein und behandelt sie
nur im Rahmen des »Sendungsbegriffes«. – Auch *E. Schweizer*, Art. υἱός,
ThWNT VIII, S. 346–395 hat Mk 12,1–9 nur im Rahmen des Sendungsbegriffes behandelt (S. 376, 380). – Anders freilich *J. Gnilka*, Jesus Christus
nach frühen Zeugnissen des Glaubens. München 1970, 137 f., dessen
Ansatz hier weitergeführt wird.

irgendwo eingeordnet hat. Dabei ist es wichtig, über die Diskussion »entweder Gleichnis – oder Allegorie«, »echt – unecht« hinauszugehen. Am besten wird es sein, diese Probleme einmal ganz auf sich beruhen zu lassen und konsequent auf der literarischen Ebene, der Ebene des Textes, anzufangen.

2. Motivgeschichtliche Analyse

a) Der Einfluß alttestamentlicher Motive auf die Textgestaltung ist unverkennbar und wurde auch immer wieder betont. Dies war ja auch mit ein Hauptgrund dafür, den Text als eine »Allegorie« zu bezeichnen; aber vielleicht sollte man doch lieber von »typologischen« Zügen sprechen. Ebenso sollte man sich sehr davor hüten, mit den literaturwissenschaftlichen Kennzeichnungen als »allegorisch« oder »typologisch« sofort bestimmte, oft negative Werturteile zu verbinden. Solche Wertungen verhindern häufig die unbefangene Analyse und Interpretation. Vielmehr wäre schärfer als bisher nach der besonderen Aussageabsicht der typologischen Züge zu fragen. Gerade bei dieser Geschichte scheinen die Möglichkeiten der form- und tradionsgeschichtlichen Analyse noch nicht ganz ausgeschöpft zu sein. Dazu kommt, daß die starke Ausgestaltung der typologischen Züge in der Matthäus-Interpretation[14] die zurückhaltendere Markus-Vorlage verdecken und ihr Verständnis erschweren. Im Grunde hat das matthäische Verständnis der Geschichte Schule gemacht und die Auslegung immer wieder beeinflußt. Um so wichtiger ist es, zunächst einmal den Markustext zu untersuchen ohne Steitenblick auf Matthäus.

[14] Vgl. dazu die ausführliche Besprechung der Mt-Interpretation Mt 21,36–44 bei *W. Trilling,* Das wahre Israel. München 1964, 55–65. Er kommt zu dem Urteil: »Die christologische Ausweitung der markinischen Fassung wird durch eine »ekklesiologische« zurückgedrängt, die der Anlage des Gleichnisses besser entspricht und zu dem Gottesvolk-Gedanken des Weinbergliedes Jes 5,1–7 zurücklenkt.«

b) Unverkennbar ist die Bezugnahme auf das »Weinberglied« Jes 5,1–7. Die Parallelen erstrecken sich nicht nur auf die Anklänge in Mk 12,1 zu Jes 5,2[15], sondern gehen so weit, daß in beiden Fällen die angesprochenen Personen selbst in die Geschichte hinein verwickelt erscheinen und mit einem Gerichtswort konfrontiert werden (Jes 5,7; vgl. Mk 12,9). Insofern handelt es sich in beiden Fällen um ein »Gerichtsgleichnis«, oder wenigstens um die Form der prophetischen Gerichtsrede[16].

Freilich, anders als in Jes, 5,1–7 steht im folgendem nicht mehr der Weinberg im Zentrum, sondern die Pächter, denen der Weinberg übergeben wurde. Auf ihr Verhalten gegenüber den Boten wird in der Erzählung reflektiert, und ihnen wird der Weinberg schließlich   abgenommen. Von daher gesehen erscheint es fraglich, ob man von Jes 5,1–7 jeden Zug übernehmen kann. Läßt sich 5,7 ohne weiteres übertragen, wo es heißt:

»Denn der Weinberg Jahwes der Heere
    ist das Haus Israel,
und die Männer Judas
    sind die Pflanzung seiner »Lust«?
                    (Übers. *H. Wildenberger BKAT*)

[15] Mk 12,1: Ἀμπελῶνα ἄνθρωπος ἐφύτευσεν, καὶ περιέθηκεν φραγμὸν καὶ ὤρυξεν ὑπολήνιον καὶ ᾠκοδόμησεν πύργον

Jes 5,1b–2: ἀμπελὼν ἐγενήθη τῷ ἠγαπημένῳ
    ἐν κέρατι ἐν τόπῳ πίονι.
    καὶ φραγμὸν περιέθηκα καὶ ἐχαράκωσα
    καὶ ἐφύτευσα ἄμπελον σωρηχ
    καὶ ᾠκοδόμησα πύργον ἐν μέσω αὐτοῦ
    καὶ προλήνιον ὤρυξα ἐν αὐτῷ.

Gewisse Anklänge in Mk 12,1 an den LXX-Text sind zwar erkennbar; aber daraus läßt sich, wenn man die Abweichungen mitberücksichtigt, nicht mit Sicherheit schließen, »daß V.1 Jes 5,1 f. nach LXX zitiert, was natürlich erst in der griechisch sprechenden Gemeinde möglich ist«, wie *Schweizer,* Markus, 136 meint.

[16] Zum Weinberglied Jes 5,1–7 vgl. jetzt *H. Wildberger,* Jesaja 1–12 (BKAT X, 1). Neukirchen 1972, 163–174; bes. den Abschnitt »Form« S. 164 ff. – *C. Westermann,* Grundformen prophetischer Rede, München 1960. Es

Damit hängt die Frage nach der Interpretation der »Pächter« engstens zusammen. Bezieht man, in Anlehnung an Jes 5,1–7 den Weinberg auf Israel, dann nimmt man gewöhnlich an, die »Pächter« seien in erster Linie die Führer Israels, also vorzüglich die jerusalemer Tempelaristokratie. Mit dieser Interpretation läßt sich nun allerdings die wiederholte Sendung der Knechte schlecht vereinbaren; denn die Propheten waren ja stets zu Israel gesandt und nicht nur zu den führenden Kreisen. Man wird dann schon eher unter den »Pächtern« ebenfalls »Israel« verstehen müssen, soweit es sich in Vergangenheit und Gegenwart den Gottesboten widersetzte. Durch die Einführung der Pächter in die Geschichte wird die traditionelle Jesaja-Vorlage jedenfalls gesprengt oder versetzt, so daß man noch am ehesten sagen könnte: Ist der »Weinberg« Bild für die besonders bevorzugte Stellung Israels, dann wird durch die Übergabe des Weinberges an die Pächter demonstriert, daß diese Vorzugsstellung kein verfügbares Privileg darstellt, sondern ein »Lehen«, mit dem bestimmte Verpflichtungen oder Erwartungen verbunden sind. Diese Erwartungen sind im Bild der »Frucht« symbolisiert. Der Herr des Weinbergs erwartet von diesem einen reichen Ertrag, den die Pächter ihm zu gegebener Zeit aushändigen sollen. So etwa wird man die Überschneidung der Bilder interpretieren dürfen.

c) Alttestamentlichen Hintergrund hat aber auch, was bisher noch wenig beachtet wurde, die wiederholte Sendung der Knechte. Im Gleichnis sollen die Knechte von den Pächtern die Frucht in Empfang nehmen. Die Erzählung arbeitet mit der *regel-de-tri,* die in V.5 plerophorisch erweitert wird, und V. 6 ff. durch die abschließende Sendung des Sohnes.

Ein wichtiges Vorbild dafür bietet der Text Jer 7,21–28. Der literarischen Gattung nach ist dieser Text ebenfalls eine

handelt sich nach ihm um die Form der prophetischen »Gerichtsankündigung gegen Israel (GU)«, S. 120 ff. »In dem Gleichnis Jes 5,1–7 ist unter der Einkleidung das GV in allen seinen Teilen zu erkennen. Das Gleichnis dient hier dazu – genau wie bei dem Gleichnis Nathans 2 Sam 12 –, die Zustimmung zu dem Gerichtsurteil Gottes hervorzulocken« (S. 145).

Gerichtsrede. Er enthält eine Art »heilsgeschichtlichen« oder richtiger »unheilsgeschichtlichen« Rückblick, höchstwahrscheinlich im Sinne der deuteronomistischen Geschichtstheologie, auf die die »unheilsgeschichtliche« Konzeption weithin zurückgeht[17], das heißt jene Betrachtungweise, die die Geschichte Israels als eine Geschichte fortwährenden Versagens und Abfalls von Jahwe verstand. Dieser Text enthält das Motiv der wiederholten Sendung der Knechte, Jer 7,25:

> »Vom Tag an, da ihre Väter auszogen aus dem Lande Ägypten
> bis zu diesem Tag
> sandte ich euch all meine Knechte, die Propheten;
> täglich, immer wieder (geschah) die Sendung.«

Nach diesem Text erscheint der Prophet Jeremias selber *als der letzte Prophet vor dem endgültigen Strafgericht:*

> »Und wenn du zu ihnen all diese Worte redest
> und sie hören nicht auf dich,
> du rufst ihnen zu, und sie antworten nicht –
> Dann sprich zu ihnen:
> Dies ist das Volk, das nicht hörte auf die Stimme Jahwes,
>   seines Gottes,
> das Zucht nicht annahm.
> Die Treue ist geschwunden, ausgerottet aus ihrem Munde«
>   (Jer 7,27 f.).

---

[17] Zu Jer 7,21–28: *A. Weiser,* Der Prophet Jeremia (ATD 20), Göttingen 1952, 71 ff. »Ähnlich wie in Anm. 2,11 erscheinen hier die Propheten in der Reihe der Gnadenerweisungen Gottes, wobei ein bedeutsames Licht auf ihre Stellung innerhalb der Bundestradition fällt« (S. 93). – *W. Rudolph,* Jeremia (HAT 12). Tübingen 1958, 51–55. – Zur »deuteronomistischen Konzeption« vgl. *M. Noth,* Überlieferungsgeschichtliche Studien. Darmstadt ²1957, 100–110; *G. von Rad,* Die deuteronomistische Geschichtstheologie in den Königsbüchern, in: Ges. Studien zum AT. München 1958, 189–204; Beispiele zur negativen Bewertung der Geschichte Israels bei den Propheten finden sich seit Hosea (dazu *H. W. Wolff,* Hosea [BKAT XIV, 1]. Neukirchen 1962, XIX ff.) immer wieder; außer Jer 7,21–28 besonders Ez 20; Ps 106; auch Apg 7,1–53 die »Stephanus-Rede«. Möglicherweise

Hört Israel nicht auf den »letzten« Propheten, hier Jeremias, dann kann nur noch der Bundesbruch konstatiert werden mit dem Eintreten der fälligen Strafsanktionen. Die Parallele zu unserem Text ist offenkundig. Auch hier wurde eine traditionelle Struktur aufgenommen und der neuen Situation entsprechend modifiziert. Die Sendung der Knechte entspricht ziemlich genau der Klimax im Jeremia-Text nur mit dem wichtigen Unterschied, daß *der letzte Bote Gottes vor dem nahenden Gericht der »Sohn« des Weinbergbesitzers selbst ist.*

d) Das Motiv *der »Sendung der Knechte« und zuletzt des Sohnes* ist mithin schon in alttestamentlicher Tradition verwurzelt und zunächst einmal von daher zu interpretieren. Es handelt sich bei diesem Sendungs-Begriff um die Abordnung zu einem besonderen Botenamt durch Jahwe; Ziel der Sendung ist eine bestimme Verkündigung, die Ausrichtung einer Botschaft. Man wird gegen *F. Hahn* und *E. Schweizer*[18] darauf insistieren müssen, daß dieses Verständnis des ἀποστέλλειν nicht auf judenchristlich-*hellenistische* Tradition zurückzuführen ist, sondern ein Verständnis von Person und Schicksal Jesu von der Analogie zur prophetischen Sendung her artikuliert. Das Fehlen des Präexistenzgedankens ist hier nicht rein zufällig, sondern besagt, daß die christologische Konzeption eine andere ist als jene, die die Sendung mit der Präexistenz-Idee verbindet. Die Konzeption, wie sie hier vorliegt, lautet demnach: *der »Sohn« ist der letzte eschatologische Gottesbote vor dem Gericht.* Mit ihm erreichen die Boten-Sendungen ihren Höhepunkt und ihren Abschluß. Es geht also nicht um »Sendung« in einem mythischen Sinn »vom Himmel« her, sondern um ein »(un-)heilsgeschichtliches« Verständnis der Sendung. Das »mythische« Sendungsmotiv mit dem Präexistenzgedanken darf somit auf gar keinen Fall mit dem »heilsgeschichtlich-prophetischen« Sendungsmotiv verquickt

besteht eine Verbindung zwischen der »unheilsgeschichtlichen Konzeption«, die die Geschichte Israels als fortgesetztes Versagen gegenüber den Forderungen Jahwes begreift und der kultischen Buß-Liturgie.

[18] Siehe oben Anm. 13.

oder in einen Topf geworfen werden. Es handelt sich hier um zwei traditionsgeschichtlich verschiedene Denkmodelle, und höchstwahrscheinlich ist die »mythische« Sendung später und sekundär.

Mit dem Gedanken der »Sendung der Knechte« und zuletzt des »Sohnes« verbindet sich das Motiv der Propheten-Verfolgung. Die Knechte werden mißhandelt, kriegen den Kopf zerschlagen[19] und werden getötet. V.5b »und viele andere, von denen sie manche mißhandelten, manche umbrachten« verallgemeinert das Motiv der Propheten-Verfolgung und dehnt es auf alle Propheten aus. Wenn der Sohn schließlich auch getötet und seine Leiche zum Weinberg hinausgeschmissen wird, dann kommt auch in diesem Mord eine unheilvolle Linie zu dem ihr gemäßen blutigen Abschluß. Der Text versteht das Schicksal Jesu, so ist ohne Bild zu interpretieren, als ein Schicksal, das in der Linie der Propheten-Verfolgungen liegt[20]. Eine solche Interpretation des Todesschicksals Jesu entspricht aber kaum hellenistisch-geprägten Vorstellungen. Sie muß, da hier der Sühnegedanke nicht vorkommt, sogar ziemlich alt sein und kann ihren Sitz nur in der palästinensisch-judenchristlichen Tradition haben.

e) Der dritte alttestamentliche Text ist das Zitat Ps 118,22–23 in Mk 12,10–11.

> »Der Stein, den die Bauleute verworfen haben,
>   der wurde zum Eckstein;
> vom Herrn her ist dies geschehen,
>   und es ist wunderbar in unseren Augen«.

---

[19] $\varkappa\varepsilon\varphi\alpha\lambda\alpha\iota\acute{o}\omega$ = »auf den Kopf schlagen«, *W. Bauer,* Wörterbuch zum NT. Berlin [5]1963, 851; *Blass-Debrunner,* Grammatik des neutestamentlichen Griechisch. Göttingen [8]1949, § 108, 1 Anh.

[20] Zur Vorstellung von der Sendung und dem gewaltsamen Geschick der Propheten: *O. H. Steck,* Israel und das gewaltsame Geschick der Propheten. Untersuchungen zur Überlieferung des deuteronomistischen Geschichtsbildes im Alten Testament, Spätjudentum und Urchristentum (WMANT 23). Neukirchen 1967. *P. Hoffmann,* Studien zur Theologie der Logienquelle (NTA NF 8). Münster 1972, 158–190; *M. Hengel,* Nachfolger und Charisma (BZNW 34). Berlin 1968, 63ff., 82ff., *Gnilka,* Jesus 138.

Hier ist von der wunderbaren Wendung der Dinge die Rede, die Jahwe im Geschick des von den Pächtern verworfenen letzten Gesandten, des Sohnes, bewirkte. Der Text ist durch die Einleitungsformel οὐδὲ τὴν γραφὴν ταύτην ἀνέγνωτε – »habt ihr diese Schriftstelle nicht gelesen« als Zitat ausdrücklich kenntlich gemacht. Gewöhnlich wird V.10f. als eigener Zusatz von der Gleichniserzählung V. 1–9 abgesetzt. Wenn man von der Auffassung einer nachösterlichen Gemeindebildung ausgeht, ist dies eigentlich inkonsequent. Gerade bei einer nachösterlichen Bildung ist der Zusatz V.10f., sogar äußerst sinnvoll. Denn er bringt den Gedanken zum Ausdruck: den von den Menschen verworfenen und umgebrachten letzten Gottesboten, den Sohn, hat Jahwe zum »Eckstein«, zum Angelpunkt des Heiles gemacht. Im übrigen zeigt auch dieser Absatz judenchristlich-palästinensisches Kolorit. Daß er sich nur auf die Auferweckung Jesu beziehen kann, ist klar und bedarf keines Beweises. Bedeutsam ist, in welcher Weise hier von der Auferweckung Jesu gesprochen wird, nämlich in einer höchst zurückhaltenden Weise und unter Berufung auf die Schrift (vgl. 1 Kor 15,4b). Es ist die Rede von einem Handeln Gottes, das in ganz überraschender Form die große Wende im Geschick des Sohnes herbeigeführt hat.

f) Nimmt man, wie wir es hier versuchten, die verschiedenen alttestamentlichen Vorgaben bei der Analyse und Interpretation des Textes zu Hilfe – Jes 5,1–7; Jer 7,21–28; Ps 118,22–23, dann übernimmt der Text Mk 12,1–12 eindeutig die Form der prophetischen Gerichtsrede, und zwar in einer Form, die sie mit der Gleichnisrede verschränkt. Insofern könnte man von einem »Gerichtsgleichnis« sprechen. Dabei wurde das Weinberg-Motiv mit dem Motiv der Sendung der Gottesboten verbunden, und durch die »unheilsgeschichtliche« Konzeption erweitert. Da die Sendung des Sohnes als abschließender Höhepunkt erscheint, ist auf dieser Linie ein Gefälle angelegt, das im christologischen Interesse gipfelt. Mit dem prophetischen Sendungsmotiv ist dann weiter das Motiv der Verwerfung und Tötung der Gottesboten verbunden

– zuerst der Propheten, dann des Sohnes. Die abschließende Sentenz V.10f. kann es jedoch nicht bei der negativen Klimax belassen, sondern berichtet von der wunderbaren Wende, die Gott im Geschick des verworfenen Sohnes vollbrachte. Es handelt sich in Mk 12,1–12 offenkundig um eine ganz bewußt konstruierte Geschichte, um eine Art Montage, die verschiedene alttestamentliche Motive mit einigen neuen Zügen kombiniert und auf diese Weise zu einer eigentümlichen Aussage gelangt. Nach dieser Analyse wird man freilich mit der Bezeichnung »Allegorie« für unsere Erzählung nicht mehr so sorglos operieren dürfen. Genau besehen nimmt die Erzählung die traditionellen Formen oder Strukturen a) der prophetischen Gerichtsrede, b) der Gleichnisrede und c) der »unheilsgeschichtlichen« Konzeption auf, verbindet sie miteinander und aktualisiert sie unter Anwendung auf das besondere Geschick Jesu. Hochbedeutsam ist nur, daß der Text – und wahrscheinlich schon die vormarkinische Überlieferung – es nicht bei dem negativen Ende belassen konnte, sondern auch die große Wende der Auferstehung Jesu erwähnen mußte, die Gott an seinem Sohn bewirkte: der Verworfene wurde zum Angelpunkt des Heils! Von all diesen Motiven hat im Endergebnis bei Markus das »christologische Motiv« die stärkste Durchschlagskraft. Ob V.9, wie *E. Schweizer* meint, schon die »Heidenmission« voraussetzt[21], erscheint mir fraglich. Die christliche Gemeinde könnte bei den »anderen«, denen der Weinberg in Zukunft anvertraut wird, einfach an sich selber denken. Was allerdings dabei deutlich wird, ist dies, daß die christliche Gemeinde sich als das »wahre Israel« versteht, dem aufgrund des Messias-Jesus-Glaubens auch nun alle großen Verheißungen, die dem alten Israel anvertraut waren, zukommen. Vorausgesetzt ist also eine Situation, in der die Differenz zwischen dem Judentum und der Messias-Jesus-Gemeinde bewußt geworden ist. Der Punkt aber, an dem die Differenz aufbricht, ist ohne Zweifel die Stellung zu Jesus.

---

[21] *Schweizer,* Markus 136.

3. Die christologische Konzeption von Mk 12,1–12

a) Damit stehen wir bei dem für die Markusfassung des Winzer-Gleichnisses grundlegenden Problem, nämlich bei der Frage nach der christologischen Konzeption, wie sie in diesem Text vorliegt. Es wurde schon mehrfach darauf hingewiesen, daß es sich hier nach meiner Meinung um eine verhältnismäßig alte, judenchristlich-palästinensische Christologie handelt, die noch keinen nachhaltigen »hellenistischen« Einfluß erkennen läßt, bei der vielmehr die heilsgeschichtliche Betrachtungsweise dominiert. Diese These steht in einem Gegensatz zu der von *F. Hahn* und *E. Schweizer* geäußerten Auffassung, wonach die Verbindung von Sendungs-Gedanke und Sohnes-Titel für die »hellenistisch« (-judenchristlich) geprägte Christologie kennzeichnend sei.

Als christologischer »Titel« erscheint in diesem Text vor allem der υἱὸς ἀγαπητός, der »geliebte Sohn«, eine Bezeichnung, die außer Mk 12,6 auch noch in den Perikopen von der Taufe Jesu (Mk 1,9–11) Mk 1,11 und der Verklärung Jesu (Mk 9,2–10) Mk 9,7 vorkommt.

Schon die Einführung der Sohnbezeichnung gilt weithin als relativ sicheres Indiz für die nachösterliche Entstehung der Geschichte. So sagt beispielsweise *Kümmel:* »Hätte Jesus selber das Gleichnis geformt, so hätte er sich durch die Einführung der Gestalt des »Sohnes« schwerlich verständlich machen können. In der Urgemeinde dagegen ist der Titel »Sohn Gottes« für den auferstandenen Jesus schon früh im messianischen Sinn im Gebrauch gewesen und vermutlich im Zusammenhang mit der Beziehung von Ps 2,7 auf Jesus aufgekommen (s. Mk 1,11; 3,11; 5,7; 9,7; Mt 4,3.6)«[22]. Für *F. Hahn* handelt es sich sowohl in Mk 9,2–10 wie Mk 1,9–11 eindeutig um »hellenistisch« verstandene Gottessohnschaft[23]. »Der Gottessohntitel hat zwar eine funktionale Bedeutung behalten, hat aber mit der alten Messianologie überhaupt

[22] *Kümmel,* Gleichnis 216.
[23] *Hahn,* Hoheitstitel S. 335.343 f.

nichts mehr zu tun«[24]. Diese Bemerkung zeigt, daß Hahn richtig gesehen hat, daß die Wendung vom »geliebten Sohn« sich in der Tat nicht ohne weiteres von der »messianischen« Gottessohnschaft im Sinne von Ps 2 und 110 herleiten läßt. Wenn wir nun in dieser Beobachtung einig sind, so ist doch zu fragen, ob Hahn mit seiner Zuweisung als »hellenistisch« im Recht ist. Ich möchte hier eine Problematik aufnehmen und weiterführen, die ich in meiner Arbeit »Paulus und Jesus«[25] darzulegen versuchte, wo ich im Gebrauch des »Sohn«-Titels bei Paulus drei verschiedene »Horizonte« unterschied, drei verschiedene christologische Denkmodelle mit je verschiedener traditionsgeschichtlicher Zuordnung. Für unsere Überlegung ist vor allem das zweite Modell, »der Sohn und die Söhne«, wie es Gal 4,4–7 aufgenommen ist, von Bedeutung. Zunächst geht es um die methodische Feststellung, daß der jeweilige Kontext für die traditionsgeschichtliche Zuordnung der Sohnes-Bestimmung nicht vernachlässigt werden darf. Darüber hinaus ist zu fragen, *ob von der synoptischen Jesus-Tradition her, wobei auch die Logienüberlieferung Q mitberücksichtigt werden muß, nicht mit der Möglichkeit zu rechnen ist, daß eine bestimmte Ausprägung des Sohnes-Titels durch Person und Eigenart des historischen Jesus maßgeblich beeinflußt wurde.* Ich fühle mich zu dieser Fragestellung besonders durch die jüngst von *P. Stuhlmacher geäußerte Kritik an der systematischen Ausklammerung aller christologischen Titel für den »historischen Jesus« ermutigt*[26]. Was von *Hahn* als »hellenistische Gottessohnschaft« bezeichnet wird, könnte eventuell ein älteres Verständnis der Gottessohnschaft Jesu enthalten, zumal auch das »hellenistische« Verständnis der Tauf- und Verklärungsgeschichte keineswegs überzeugt. Anstatt vom Denkmodell der »hellenistisch« verstandenen »Epi-

---

[24] Ebd. 344f.

[25] *J. Blank,* Paulus und Jesus. München 1968, 5. Kapitel »Sohn Gottes« bei Paulus, 250–303.

[26] *P. Stuhlmacher,* Kritische Marginalien zum gegenwärtigen Stand der Frage nach Jesus, in: Fides et communio, Doerne-Festschrift. Göttingen 1971, 341–361; bes. S. 356ff.

phanie« auszugehen, müßte die Möglichkeit eines apokalyptisch geprägten Offenbarungs-Modells ernsthaft in Rechnung gestellt werden; jedenfalls bietet die jüdische Apokalyptik eine ernsthafte Alternative. Auch wenn man damit heute auf wenig Gegenliebe stößt, darf die Möglichkeit nicht grundsätzlich ausgeschlossen werden, daß der irdische Jesus selbst ein Verständnis von »Gottessohnschaft« hatte, oder ein solches nahelegte, das sich weder im »messianischen« noch in einem »hellenistischen« Horizont unterbringen läßt, sondern traditionsgeschichtlich eigenständige Züge aufweist, also original »jesuanisch« wäre. Dabei geht es nicht um den Aufweis einer »metaphysischen« Gottessohnschaft im Sinne der späteren Dogmatik, obgleich es nicht verwerflich sein sollte, wenn man auf diese Weise zu dem Ergebnis käme, daß die kirchlich-dogmatische Interpretation wenigstens an einigen Stellen auf einer Schriftgrundlage aufruht. Ich würde eher von einer existentiell gelebten Gottessohnschaft sprechen, wie sie durch das gesamte Gottesverhältnis Jesu nahegelegt wird. Um es einmal ganz primitiv zu sagen: Wenn Jesus Gott als seinen »Vater« verstanden hat und diesen Gott im Gebets-Dialog als »Abba« anredete[27], dann impliziert dies logischerweise ein eigentümliches Verständnis einer wie immer gearteten »Gottessohnschaft«.

Von dieser Frage einer traditionsgeschichtlichen Rückführung des Sohn-Begriffs auf Jesus ist die andere Frage, ob in Mk 12,1–12 ein authentisches Jesus-Gleichnis vorliegt, oder ob man einen Kernbestand auf Jesus zurückführen könne, zu unterscheiden. Es ist ein Fehler in der bisherigen Exegese dieses Textes, daß man immer wieder die beiden Fragen miteinander verquickte. *Es kann sich bei Mk 12,1–12 sehr wohl um eine nachösterliche Gemeindebildung handeln, und trotzdem kann das Sohn-Verständnis traditionsgeschichtlich älter sein und ein sehr frühes Jesus-Verständnis sachgemäß reflektieren.*

[27] *J. Jeremias,* Abba, in: Abba, Studien zur neutestamentlichen Theologie und Zeitgeschichte. Göttingen 1966, 15–82.

b) Die Erzählung bedient sich in ihrer Christologie des Sendungsgedankens, angezeigt durch den Gebrauch von ἀποστέλλειν (ἀπέστειλεν V.2.4.5.6). Dieser Sendungsbegriff läßt sich bei näherer Betrachtung (vgl. 2.3) nicht als »hellenistisch« bestimmen, sondern als »heilsgeschichtlich-jüdisch«. Dies ergibt sich sowohl aus dem Fehlen der Präexistenz-Idee, als auch noch stärker durch die Verbindung mit der »prophetischen« Sendung. Für diese ist die Abordnung zu einem Botenamt, der Auftrag zur Verkündigung, auch im Sinne des Buß-Rufes, charakteristisch. Der »Sohn« erscheint in einer Reihe mit anderen Boten, und zwar *als der letzte eschatologische Gottesbote*. Mithin hat der Sohnbegriff hier auch diese Bedeutung, den eschatologischen Auftrag bzw. die eschatologische Vollmacht Jesu zu unterstreichen, und eben diesen Grundzug wird man nicht als »hellenistisch« abstempeln können.

c) Dazu gibt es in der synoptischen Tradition wichtige Parallelen. Ein Hinweis mag schon darin liegen, daß Markus den Gebrauch von ἀποστέλλειν im Sinne einer »Sendung« als Auftrag und Bevollmächtigung zur Verkündigung kennt, allerdings als Sendung der Jünger durch Jesus (Mk 3,14; 6,7; in etwa auch 11,1; 14,13).

Besondere Bedeutung als Sachparallelen kommt jedoch den beiden Logien aus Q zu, die Matthäus am Schluß der »Pharisäer-Rede« bringt: (1) Mt 23,34–36 par. Lk 11,49–51; (2) Mt 23,37–39 par. Lk 13,34–35. Die beiden Texte stehen mit ihren Aussagen dem Winzer-Gleichnis außerordentlich nahe und weisen auf eine gemeinsame traditionsgeschichtliche Herkunft zurück[28].

(1) lautet nach Lk 11,49–51:
»Darum spricht auch die Weisheit Gottes:
Ich werde Propheten und Apostel zu euch senden,

---

[28] Zur Analyse und Gesamtinterpretation der beiden Stellen vgl. *D. Lührmann*, Die Redaktion der Logienquelle. Neukirchen 1969, 45–48; *Hoffmann*, a. a. O. 162–190.

einige von ihnen werden sie töten und verfolgen;
so soll das Blut aller Propheten,
das von der Weltschöpfung an vergossen wurde,
von diesem Geschlecht eingefordert werden,
angefangen vom Blute Abels bis auf das Blut des Zacharias,
der zwischen Altar und Tempel umgebracht wurde.
Ja, ich sage euch, von diesem Geschlecht wird
                                                es eingefordert werden.«

(2) lautet nach Lk 13,34–35:
»Jerusalem, Jerusalem,
du tötest die Propheten und steinigst die, die zu dir
                                                gesandt sind:
wie oft wollte ich deine Kinder sammeln,
wie ein Vogel seine Brut unter die Flügel sammelt,
aber ihr habt es nicht gewollt.
Siehe, euer Haus wird euch zur Öde werden.
Ich sage euch aber,
ihr werdet mich nicht mehr sehen,
bis (der Tag) kommt, da ihr sprecht:
Gebenedeit sei, der da kommt im Namen des Herrn.«

Es erübrigt sich, die von *Lührmann* und besonders von *Hoffmann* (Anm. 28) durchgeführte Analyse der beiden Logien noch einmal ausführlich zu wiederholen. Hier kommt es besonders auf den Vergleich mit Mk 12,1–12 an. Beide Autoren legen ihrer Interpretation die Ausführungen von *O. H. Steck* (Anm. 20) zur »deuteronomistischen« Unheilskonzeption zugrunde.

In den beiden Texten ist von »Sendung« die Rede. (1) spricht ausdrücklich von der Sendung der Propheten (Mt 23,34: »Propheten, Weise und Schriftgelehrte«; Lk 11,49: »Propheten und Apostel« – Matthäus und Lukas haben, wie man sieht, die Tradition auf ihre eigene Gegenwart bezogen), sowie von der Tötung der von Gott gesandten Männer im Sinne der

»unheilsgeschichtlichen« Konzeption. Nach *Hoffmann* behauptet der Vorwurf » eine Kontinuität der Gesinnung und des Tuns... Wie die Väter der Angesprochenen die Propheten, so verfolgen und töten die Söhne die zu ihnen gesandten Boten«[29].

Was (2) betrifft, so ist in diesem Text die Ähnlichkeit zum Winzergleichnis noch viel größer. Jerusalem wird des Prophetenmordes angeklagt; weiter, es habe die »zu ihm Gesandten« (ἀπεσταλμένους πρὸς αὐτήν) gesteinigt. In Lk 13,34b (Mt 23,37b) ist von der Absicht Jesu die Rede, die Kinder Jerusalems zu »sammeln«, was sich möglicherweise auf die eschatologische Sammlung zur Basileia bezieht (vgl. den ähnlichen Gedanken Joh 10,16; 11,52). Καὶ οὐκ ἠθελήσατε – »aber ihr habt nicht gewollt«, beschreibt knapp den Mißerfolg des eschatologischen Boten und seiner Sammlung, die am schuldhaften Versagen der Betroffenen gescheitert ist. Hoffmann meint dazu: »Vielmehr stellt sich der Sprecher nur in eine Reihe und den Propheten und Gesandten: wie jene wurde auch er abgewiesen; wie jene war auch er zu Jerusalem gesandt. Die durch die Partizipien beschriebenen Abweisungen der Boten sind daher auch nicht mit den Erfahrungen des Sprechers völlig gleichzusetzen; seine Abweisung ist vielmehr ein Spezialfall jenes in der Geschichte Israels die Boten immer wieder treffenden Geschicks. Der Sprecher bezieht sich also auf sie, weil er sein Geschick in Analogie zu dem der Propheten und Gesandten versteht, nicht aber, weil er als ein übergeschichtliches Subjekt sich mit dem Geschick der Propheten und Gesandten identifiziert.«[30] Der Schluß des Logions Lk 13,35/Mt 23,38 f. enthält ähnlich wie Mk 12,9–11 sowohl eine Gerichtsankündigung – »euer Haus wird euch zur Öde werden« –, wie auch die Ansage einer Wende, die sich hier allerdings auf die Parusie bezieht[31]: »bis zu dem Tage da ihr sprecht: Gebenedeit sei, der da kommt im Namen des Herrn«.

---

[29] *Hoffmann*, Studien 164.
[30] Ebd. 174.
[31] Dazu *Hoffmann*, Studien 177.

Wie in Mk 12,10f. wird die Wende durch ein Schriftzitat ausgesagt; und was noch besonders bemerkenswert ist, *es handelt sich ebenfalls um ein Zitat aus Ps 118, Vers 26* (Mk 12,10f.=Ps 118,22–23). Mit Recht sagt Hoffmann, hier werde der Tod Jesu interpretiert; man verstand ihn »von der jüdischen Überlieferung her als das dem Boten, ja jedem Boten der Weisheit gemäße Geschick«[32] freilich mit einem besonderen eschatologischen Ausblick.

Die Folgerungen aus diesem Vergleich zwischen Markus und Q liegen auf der Hand. Die beiden Q-Texte spiegeln genau dieselben Anschauungen wider, wie der Mk-Text 12,1–12. Die traditionsgeschichtlichen Denkmodelle sind genau die gleichen. *Wir haben es mit zwei verschiedenen Ausprägungen ein und derselben Grundvorstellung zu tun,* wonach Sendung und Geschick Jesu nach Analogie zu und im Zusammenhang mit Sendung und Geschick der Propheten verstanden wurden. Der zweite (2) Q-Text (Mt 23,37–39; Lk 13,34–35) hat darüber hinaus einen starken impliziten christologischen und expliziten eschatologischen Akzent. Wenn in beiden Texten der Psalm 118 herangezogen wird, freilich verschiedene Verse dieses Psalmes, dann liegt der Schluß nahe, daß der Psalm 118, der nach der jüdischen Tradition das große *Passa-Hallel* abschließt[33], in der urchristlichen Schriftinterpretation bei der Deutung von Tod und Auferstehung Jesu eine Rolle gespielt haben muß. Die Markustradition hat ihrerseits das, was die Logien in direkter Rede zur Sprache bringen, in die Form einer Gleichniserzählung umgegossen und sie hat im Sinne des Markusevangeliums die christologische Aussage stärker zur Geltung gebracht. *Von daher gesehen wird man Mk 12,1–12 gegenüber der Tradition der Logienquelle eher für sekundär halten.* Aber nach diesen Ausführungen sollte über die traditionsgeschichtliche Zuordnung von Mk 12,1–12 eigentlich kein Zweifel mehr herrschen. Der Schluß bei Markus reflektiert anstatt auf die Parusie wesentlich stärker auf die Aufer-

[32] Ebd. 188.
[33] *Billerbeck* IV, 1,69ff.

weckung Jesu; Gott hat die große Wende schon bewirkt, der verworfene Stein ist schon zum Eckstein geworden, die christologisch bestimmte Heilsgegenwart hat größeres Gewicht. In dieser christologischen Zuspitzung liegt hauptsächlich die Besonderheit der Markus-Tradition.

d) Mk 12,1–12 versteht den Tod Jesu in Analogie zum tödlichen Schicksal der Propheten. Die traditionsgeschichtlichen Voraussetzungen dieser Auffassung hat O. H. *Steck* in seiner Untersuchung »Israel und das gewaltsame Geschick der Propheten«[34] ausführlich dargelegt. Hier verfügte die Urkirche über ein Denkmodell, mit dessen Hilfe sie den Tod Jesu deuten konnte. Ob man jedoch sagen kann, daß dieses Verständnis viel älter ist als dasjenige von 1 Kor 15,3 ff., läßt sich schwer beantworten. Die Neigung, eine kontinuierliche »Entwicklung« aufzuzeigen, ist zwar sehr groß, sie ist aber auch für ein historisches Verständnis nicht ungefährlich. Wahrscheinlich bestanden in den urchristlichen Gruppen verschiedene Deutungs-Ansätze nebeneinander. Ausschlaggebend ist, daß der Text zwar die Tötung und nachträgliche Entehrung des Sohnes durch Leichenschändung berichtet – er wird aus dem Weinberg-Gehege hinausgeworfen (dazu Hebr 13,12 f.) – aber die besondere Heilsbedeutung des Todes Jesu nicht reflektiert. Darin trifft er sich wieder mit den Q-Parallelen. Das Fehlen einer soteriologischen Interpretation des Todes Jesu im Sinne der »stellvertretenden Sühne« weist die christologische Konzeption des Markustextes einer bestimmten judenchristlich-palästinensischen Tradition zu.

Wichtig für unseren Zusammenhang ist der Umstand, daß auch Paulus dieses Verständnis des Todes nach Analogie der Prophetenmorde kennt: »Denn ihr, liebe Brüder, seid Nachahmer der Gemeinden Gottes, die in Christus Jesus in Judäa bestehen, geworden, weil auch ihr das gleiche von den eigenen Landsleuten erlitten habt, wie sie von den Juden: sie haben ja auch den Herrn Jesus getötet und die Propheten, und haben

---

[34] Vgl. besonders *Steck*, Israel 110–264.

auch uns verfolgt; sie können Gott nicht gefallen und sind allen Menschen feind, da sie uns hindern wollen, den Heiden zu predigen, damit sie gerettet werden. So machen sie in jeder Weise ihr Sündenmaß voll. Aber schon ist der Zorn Gottes über sie gekommen zum Ende« (1 Thess 2,14–16). Da Paulus dieses Verständnis des Todes Jesu sonst nicht vertritt, ist anzunehmen, daß er hier eine geläufige Auffassung der palästinensischen Gemeinde wiedergibt. Darauf verweist auch die Erwähnung der Verfolgung der jüdischen Christengemeinden. Wie die Q-Texte sieht er die Verfolgungen der Propheten und des Kyrios und die der Christengemeinden in einer durchgehenden Linie. Damit wird auch Paulus zu einem Zeugen dafür, daß wir es bei diesem Verständnis des Todes Jesu mit alter judenchristlicher Tradition zu tun haben.

f) Aber läßt sich auch die Formel vom υἱὸς ἀγαπητός, dem »geliebten Sohn«, als alter Traditionsbestand nachweisen?

(1) Einige Bemerkungen zuvor. Erstens erscheint es nötig, die christologische Formel υἱὸς ἀγαπητός genauer unter die Lupe zu nehmen. Daß sie nicht ohne weiteres als Messiasprädikat im Sinne von Ps 2 verstanden werden kann, dürfte richtig sein. Denn dieses Prädikat betrifft vor allem die besondere Funktion und Stellung des königlichen Gesalbten Jahwes im Sinne einer Herrschaftsübertragung; es handelt sich um ein Herrschaftsprädikat im genauen Wortsinn. So wird die Bezeichnung υἱὸς θεοῦ auch in der Stelle Röm 1,3f. verstanden. Von Herrschaftsübertragung ist jedoch im Kontext Mk 12,1–12 nicht die Rede. Das Adjektiv ἀγαπητός bringt eher ein emotionales Moment im Sinne besonderer Zuwendung herein, das freilich auch nicht im antik-hellenistischen Gottessohnbegriff des »göttlichen Menschen« enthalten ist. Außerdem bezeichnet die Formel im Kontext der Gleichniserzählung doch eher die besonders hervorgehobene Stellung des letzten Gottesboten. Nach der vergeblichen Sendung der »Knechte« ist die des »geliebten Sohnes« die äußerste und letzte Möglichkeit. Die Formulierung: ἔτι ἕνα εἶχεν, υἱὸν ἀγαπητόν· ἀπέστειλεν αὐτὸν ἔσχατον πρὸς αὐτοὺς λέγων ὅτι ἐντραπήσονται τὸν υἱόν μου.

– »Nun hatte er nur noch einen Einzigen, (den) geliebten Sohn; ihn schickte er als letzten zu ihnen mit den Worten: Meinen Sohn werden sie doch wohl respektieren« (Mk 12,6), bringt diese Besonderheit der *ultima ratio* auch sprachlich gut zum Ausdruck. Zweitens, Mk 12,7 verbindet mit dem Begriff des »Sohnes« den anderen Begriff des »Erben«, im Bilde gesprochen des »Erben des Weinbergs«. Als »Erbe« steht er in einer besonderen Beziehung zum »Erbgut«, er hat darauf ein besonderes Anrecht. Ohne Bild gesprochen, der »Sohn« erscheint also auch in einem besonderen Verhältnis zu Israel. Die christologische Reflexion, die darin steckt, hat die Frage nach dem Verhältnis Jesu zu Israel gestellt und in gewisser Hinsicht schon beantwortet. Drittens, die These von *F. Hahn:* »Die Übertragung der Gottessohnvorstellung auf den irdischen Jesus erfolgte erstmals im Bereich des hellenistischen Judenchristentums«[35], dürfte in solch dezidierter Form nicht mehr zu halten sein. Die gewichtigsten Gegenargumente hat neuerdings *P. Hoffmann* in seinen »Studien zur Logienquelle« geliefert, wo er die Christologie der Logienquelle untersuchte und dabei auf die Konvergenz zwischen der Menschensohn-Christologie und der Sohn-Christologie in Q stieß[36]. Wenn man davon ausgehen muß, daß Q die Verkündigung einer judenchristlich-palästinensischen Gruppe darstellt, und diese Hypothese hat Hoffmann meines Erachtens gut begründet, und wenn Q nachweislich eine Sohn-Christologie mit charakteristischen Momenten enthält, dann ist in der Tat die Gottessohn-Bezeichnung nicht erst auf hellenistischem Boden auf Jesus übertragen worden. Darüber hinaus ist auch für Markus zu sagen, daß seine Sohn-Christologie eine ziemlich komplexe Größe ist, die einer differenzierteren Interpretation bedarf. Offenbar müßte man, wie unser Vergleich c) ergab und worauf auch manche Dubletten hinweisen (z. B. Mk 8,38 im Vergleich

---

[35] *Hahn,* Hoheitstitel 308, Zusammenfassung.
[36] *Hoffmann,* Studien 81–233; bes. S. 106–142; dazu *ders.:* Die Versuchungsgeschichte in der Logienquelle. Zur Auseinandersetzung der Judenchristen mit dem politischen Messianismus, in: BZ NF 13 (1969) 207–223.

zu Lk 12,8 f. par. Mt 10,32 f.), die eigenartigen Querverbindungen zwischen der Markus-Tradition und Q stärker berücksichtigen. *Die Zwei-Quellen-Theorie, die auf der literarkritischen Ebene ihre Berechtigung hat, darf nicht schematisierend so gehandhabt werden, daß man jede traditionsgeschichtliche Querverbindung leugnet oder mit einer solchen erst gar nicht rechnet. Vielmehr kann der Vergleich zwischen Markus und Q eine Hilfe sein, um die »markinische« Theologie schärfer zu erfassen.*

(2) Von daher erscheint es geraten, zunächst den Blick auf zwei Texte in Q zu richten, in denen die Sohn-Gottes-Bezeichnung auf Jesus angewendet wird, nämlich (a) die große Versuchungsgeschichte Mt 4,1–11 par. Lk 4,1–13; (b) das Offenbarungs-Logion Mt 11,25–27 par. Lk 10,21–22.

(a) *Die Versuchungsgeschichte* von Q Mt 4,1–11 (Lk 4,1–13), deren ursprüngliche Gestalt bei Matthäus vorliegen dürfte, stellt, darin stimme ich mit Hoffmann (vgl. Anm. 36) überein, eine Auseinandersetzung mit dem politischen Messianismus dar, wie er von apokalyptischen Gruppen, vor allem von der zelotischen Bewegung vertreten wurde. Sie zeichnet die politisch-messianischen Erwartungen als eine diabolische Versuchung, die von Jesus scharf zurückgewiesen wird. Messias im Sinne dieser Erwartungen, so sagt Q, war Jesus nicht, und hat er nicht sein wollen. Zwei der drei Teufelsgespräche werden mit der Formulierung eingeleitet: εἰ υἱὸς εἶ τοῦ θεοῦ, »Wenn du der Sohn Gottes bist...« (Mt 4,3.6; Lk 4,3.9). Man darf vermuten, daß »Sohn Gottes« in diesem Text als Messias-Bezeichnung zur Diskussion steht, also den Sinn hat: »Wenn du der Messias bist«, dann vollbringe auch die vom Messias erwarteten Zeichen. Möglicherweise antwortet der Text auf jüdisch-zelotische Argumente, die gelautet haben: Jesus kann gar nicht der »Messias – Sohn Gottes« sein, weil er die messianischen Beglaubigungszeichen im Sinne der apokalyptischen Messiasvorstellung nicht erbrachte. Die verschiedenen Antworten Jesu sind durchweg Schriftzitate (Mt 4,4 = Dt 6,16; – Mt 4,7 = Dt 6,16; – Mt 4,9 = Dt 6,13; 32,43 LXX). Diese

Antworten: »Nicht vom Brot allein lebt der Mensch, sondern von jedem Wort, das aus dem Munde Gottes kommt«; – »Du sollst den Herrn, deinen Gott, nicht versuchen«; – Du sollst den Herrn, deinen Gott, anbeten und ihm allein dienen«, lassen in der Ablehnung eines bestimmten Messiasbildes eine positive Bestimmung des »Sohnes Gottes« erkennen: eben diese Antworten weisen die wahre Gottessohnschaft Jesu aus[37]. In welchem Sinne? Im Sinne des Gehorsam-Gedankens; eben weil Jesus auf jede eigenwillige, machterfüllte Selbstdarstellung verzichtet hat, ist er der wahre Gottessohn. Die Sohnesprädikation wird im Hinblick auf Jesus radikal mit dem Gehorsamgedanken verknüpft, wobei der *Machtverzicht* als besonders bedeutsam hervortritt. Dieser »Machtverzicht« weist aber auf ein Verhalten des irdischen Jesus zurück.

(b) *Das Offenbarungslogion Mt 11,25–27 (Lk 10,21–22)* ist ebenfalls in unsere Überlegungen einzubeziehen. Während *E. Norden*[38] eine »hellenistische« Herkunft des gesamten Komplexes Mt 11,25–30 behauptet hatte, beurteilte schon *R. Bultmann* die Traditionsgeschichte des Q-Bestandes Mt 11,25–27 wesentlich differenzierter, indem er zwischen 11,25 f. und 11,27 eine Zäsur markierte[39]. Nach *F. Hahn* sind V.25 f. und V.27 »nur aus christlicher Tradition zu verstehen«, wobei V.25 f. der palästinensischen Urgemeinde zuzusprechen und mit ursprünglich aramäischer Fassung zu rechnen sei, während V.27 aufgrund der Analogie zu Mt 28,18 f. interpretiert wird. Auch den »apokalyptischen« Hintergrund hat Hahn vor allem für V.25 f. betont[40]. *P. Hoffmann* hat diesen

---

[37] Man könnte es auch so verstehen: Zur Diskussion stand die Sohn-Gottes-Bezeichnung, gegen deren Mißverständnis im politisch-messianischen Sinn unsere Perikope polemisiert. Sie setzt dem ein anderes Sohn-Verständnis entgegen, das sie bereits mitbringt. Woher?

[38] *E. Norden,* Agnostos Theos. Darmstadt [4]1956, 277–308.

[39] *Bultmann,* Synopt. Tradition 171 f. Nach Bultmann ist Mt 11,25 f. ein »ursprünglich aramäisches Wort«, während V.27 als »spezifisch hellenistisches Offenbarungswort« bestimmt wird, obwohl Bultmann die Ähnlichkeit mit Mt 28,18 sieht und vermutet, »daß V.27 ursprünglich als Wort des Auferstandenen überliefert worden war« (S. 172).

[40] *Hahn,* Hoheitstitel 321–326. Merkwürdigerweise liegt das Hauptinteresse

Interpretationsansatz aufgenommen und in wichtigen Punkten weitergeführt[41]. Das literarkritische Ergebnis, wonach V.25 f. und V.27 zwei verschiedene Bestandteile sind, die miteinander kombiniert wurden, und zwar in der Tradition Q, wird auch hier übernommen. Mir scheint jedoch, daß man den Stil-Bruch des bei Mathäus und Lukas ziemlich gleichlautend überlieferten Logions stärker berücksichtigen und in seiner formgeschichtlichen Bedeutung würdigen muß[42]. Während V.25 f. als »Lobgebet« Jesu an den »Vater« stilisiert ist, wendet V.27 sich gleichsam in objektivierender Rede »nach außen«, um das einzigartige Gottesverhältnis des Sohnes und seine exklusive Offenbarer-Funktion zu bekräftigen. Die Wendung »Alles ist mir von meinem Vater übergeben worden« enthält mit ihrem Anklang an Mt 28,18 möglicherweise den Gedanken umfassender Vollmachtsübertragung und verweist wohl auf die »nachösterliche« Situation; eine Nähe zum »Menschensohn« ist nicht ausgeschlossen[43]. Doch wird man vom ganzen Kontext her die Vollmachtsübertragung auf den Offenbarungsgedanken beziehen müssen, mit dem V.27 abschließt[44]. Weiter ist zu

der Interpretation Hahns wesentlich stärker bei V.27 als bei V.25 f., was für die Beurteilung der Sohnes-Bezeichnung nicht ohne Folgen ist.

[41] *Hoffmann*, Studien 104–142.

[42] *Hahn*, Hoheitstitel 322 geht auf das Formproblem von V.25 f. nicht weiter ein, sondern meint lediglich: »Man wird diesen Spruch der palästinensischen Urgemeinde zusprechen dürfen und mit einer ursprünglich aramäischen Fassung zu rechnen haben.« Dazu führte ihn wahrscheinlich das problematische Urteil 321, »daß in der Logienquelle ›mein Vater‹ tatsächlich kaum vorkam, sondern in deren Stoff erst nachträglich von Matthäus eingetragen ist«. Dabei übersieht er, daß Mt 11,25 par. Lk 10,21 die Gebetsanrede völlig gleichlautend überliefern: ἐξομολογοῦμαί σοι, πάτερ, κύριε τοῦ οὐρανοῦ καὶ τῆς γῆς. Die Gebetsanrede mit dem absoluten πάτερ »Vater« ist demnach in der Q-Tradition fest verankert.

[43] Dazu besonders *Hoffmann*, Studien 131–142.

[44] Gegen *Hahn*, Hoheitstitel 323 f., der V.27 zu einseitig von Mt 28,18 her interpretiert. Im übrigen berücksichtigt der Vergleich mit Mt 28,18 viel zu wenig, daß Mt 11,27 Q *traditionsgeschichtlich und redaktionell älter ist* als Mt 28,18, wo es sich um eine Bildung des Matthäusevangelisten handelt, vgl. *Trilling*, Israel 21–51. Richtig *Hoffmann*, Studien 133: »Andererseits tritt in dem Q-Logion Jesus an die Stelle, die in der apokalyptischen Tradition Jahwe bzw. die Weisheit einnimmt. Gerade in dieser seiner Funktion des

berücksichtigen, daß dem Wortlaut nach nicht vom »Menschensohn« die Rede ist, sondern in einer absoluten Weise vom
»Sohn«, wie *Hahn* mit Recht betont. Das Gebet V.25f.
verweist dem Inhalt nach in die Situation des irdischen Jesus[45].
Bultmanns Auffassung, es stamme möglicherweise »aus einer
verlorenen jüdischen Schrift«, ist wohl eine Verlegenheitsaus-
kunft, zumal er sagt, es liege »kein zwingender Grund vor, es
Jesus abzusprechen«[46]. Die Rückblende auf die Situation des
irdischen Jesus behält auch dann ihre Gültigkeit, wenn das
Logion V.25f. der Gemeinde zuzusprechen wäre. Andererseits
ist die Möglichkeit, den Lobspruch Jesu in der Situation des
irdischen Jesus zu verankern, ernstlich zu erwägen.
Stellt man die beiden Stil-Formen der dialogischen Gebetsan-
rede Mt 11,25f. und der objektivierenden Aussage Mt 11,27
einander gegenüber, dann verweist der Unterschied auf zwei
verschiedene »Sprech-Situationen«. Der Lobspruch setzt, in
Übereinstimmung mit der auch sonst bezeugten Gebetssprache
Jesu[47] eine »existentielle« Sohnschaft Jesu im dialogischen
Verhältnis zum »Vater« voraus, während die Offenbarungs-
Aussage über das Gottesverhältnis Jesu reflektiert und im
Zusammenhang mit der Vollmachtsübertragung Jesus als
»Sohn« als den eschatologischen Offenbarer Gottes bestimmt.
Wir haben es also mit zwei verschiedenen Sprachformen zu tun,
mit *dialogischer Gebetsanrede* einerseits, und mit *objektivieren-
der christologischer »Sachaussage«* andererseits. Für das Sohn-

Offenbarers wird er ›der Sohn‹ genannt«. Auch S. 138ff. – Auch *Lührmann,*
Logienquelle 66: »als der Sohn, vom Vater eingesetzt…, ist Jesus der
Offenbarer«.
[45] Vgl. *Hoffmann,* Studien 114f. Nach ihm stammt V.25 »aus der Q vorgegebenen Überlieferung. Möglicherweise geht es auf den historischen Jesus
selbst zurück. Q hat dieses Wort aber aufgenommen und der Botenrede
angefügt« (S. 111).
[46] *Bultmann,* Syn. Tradition 172.
[47] Mk 14,36 par.; vgl. auch die überlieferte Anrede »Abba« Röm 8,15; Gal
4,6; – *Jeremias,* Abba (Anm. 27); *Gnilka, J.:* Art. Vater I, 3, LThK² X, Sp.
619f.; *Schrenk,* Art. πατήρ, in: ThWNT V, besonders D I, 2 e. Das absolute
ὁ πατήρ 289f. – Für Q bildet Mt 11,25f., den wichtigsten Beleg für das
absolute ὁ πατήρ in der Gebetssprache Jesu.

Verständnis von V.27 ist der eschatologische Offenbarer-Gedanke bestimmend, der so im Gebet nicht vorkommt. Vergleicht man V.25 f. und V.27 noch genauer, dann werden manche Unterschiede noch deutlicher. Man gewinnt den Eindruck, daß V.27 eine nachträgliche Analogie-Bildung zu V.25 f. darstellt, und daß dabei manche Akzente nicht unwesentlich versetzt wurden. Ein wichtiger Unterschied wird kaum vermerkt. Nach V.25 f. ist es *Gott selbst, der »Vater«,* der »dieses« – ταῦτα bezieht sich nicht auf V.27 und darf auf keinen Fall auf πάντα bezogen werden; gemeint ist damit wohl ursprünglich der gesamte Inhalt der Jesus-Verkündigung – vor den »Weisen und Klugen« verbirgt, es aber den Unmündigen offenbart. Eine Analogie hierzu bildet Mt 16,17. Der Vater ist also nach dem Gebet von V.25 f. der »Offenbarer«, nicht Jesus, und Jesus nimmt das »Verbergen« und »Enthüllen« als »Wohlgefallen«, das heißt als Willen des Vaters entgegen. Dagegen spricht V.27 die Offenbarer-Funktion dem »Sohn« in einer umfassenden, uneingeschränkten Weise zu. Jetzt heißt es, daß Jesus »alles« vom Vater übergeben wurde, daß niemand den Sohn »kennt« außer der Vater und umgekehrt, und daß alle menschliche Gotteserkenntnis daran hängt, »wem der Sohn es offenbaren will«. V.27 reflektiert deutlich ein »späteres« Stadium als V.25 f. Eben diese Differenz, wonach in Mt 11,25 f., »der Vater« noch ganz über die Offenbarung verfügt und sie nach seinem Willen den Menschen mitteilt, während nach Mt 11,27 der Sohn selbst dies tut, verweist offenkundig auf zwei verschiedene Situationen, nämlich auf die »Situation Jesu« einerseits, und auf die »nachösterliche Situation der Gemeinde« andererseits. Dazu kommt weiter, daß nach V.25 f. Jesu im Lobgebet die Konkretisierung des göttlichen Offenbarungswillens als Offenbarung an die »Unmündigen« für sich selbst als das »Wohlgefallen des Vaters« akzeptiert. Die Anerkennung des göttlichen Wohlgefallens mit der Zustimmung »Ja, Vater«, zeigt eine Distanz zwischen Gott und Jesus, wie sie wohl für den irdischen Jesus typisch ist, wie sie aber gerade in V.27 nicht mehr vorliegt. Es sieht eher so aus, als wollte V.27 die Aussage von V.25f. bewußt korrigieren oder überbieten, wenn der »Sohn« ausdrücklich als Offenbarer, der von Gott dazu ermächtigt wurde, bestimmt wird.

Mit anderen Worten, die Verschiedenheit der sprachlichen Form und der entsprechenden Situationen indiziert auch eine Differenz in der Christologie. Im ersten Fall ist vom Sohn-*Verhalten* Jesu die Rede; im zweiten Fall wird dagegen auf das Sohn-*Verhältnis* Jesu im Hinblick auf seine Offenbarer-Funktion reflektiert. Durch die bereits in der Q-Überlieferung, oder sogar schon früher vorgenommene Parataxe von V.25f. und V.27 wird aber auch eine *Kontinuität zwischen der existentiell-dialogischen Gottessohnschaft des irdischen Jesus und dem nachösterlichen Gemeindebekenntnis zu Jesus als »Sohn Gottes« zum Ausdruck gebracht,* wobei die Offenbarer-Funktion in diesem Fall als das entscheidende Moment angesehen wird. Bildet, wie ich unterstellen möchte, V.27 eine nachösterliche Interpretation von V.25f. durch die »Q-Gruppe«, dann würde hier deutlich, *wie der Übergang vom »existentiellen« Sohn-Verhalten Jesu zur christologischen Sohn-Formel* stattfand. Diese Vermutung würde noch mehr bestätigt, wenn die Vollmachtsübertragung eher dem »Menschensohn-Komplex« zuzuordnen wäre[48]. Wenn hier expressis verbis nicht vom »Menschensohn«, sondern vom »Sohn« die Rede ist, dann wird der Hauptgrund dafür der Umstand sein, daß die Vorlage der Tradition von V.25f. in Verbindung mit der zweimaligen Gottes-Anrede »Vater« von sich aus die Sohnesbezeichnung stärker empfahl als den »Menschensohn«-Titel, der niemals im Zusammenhang mit einer Gebets-Situation Jesu auftaucht. Auf diese Weise dürfte der gesamte Text Mt 11,25–27 auch in einer historisch zuverlässigen Weise demonstrieren, daß und in welcher Weise die Sohn-Gottes-Bezeichnung auch einen *Rückhalt am historischen Jesus hat,* und zwar an der Besonder-

---

[48] Für Mt 28,18f. hat *Trilling,* Israel 21–25, den Hintergrund der Vollmachtsübertragung in Dan 7,13f. erhellt. – *Hahn,* Hoheitstitel 323ff. – *Hoffmann,* Studien 139ff. hat dafür die »Ostererfahrung in der Logienquelle« namhaft gemacht.

heit und vielleicht sogar Einzigartigkeit seines lebendigen *Gottesverhältnisses.*

Andere traditions- und religionsgeschichtliche Voraussetzungen, insbesondere die »messianische Gottessohnschaft«, sowie nachträglich hinzukommende »hellenistische« Interpretamente werden dadurch nicht ausgeschlossen, aber doch in bedeutsamer Weise relativiert und modifiziert. In der Art und Weise, wie Jesus sich zu Gott verhielt und seine ganze Existenz im Dialog mit Gott als seinem »Vater« begriff und lebte, und dazu gehörte, wie Mt 11,25f. zeigt, auch die Annahme des »Mißerfolges«, sah die Urgemeinde mit Recht die Gottessohnschaft Jesu exemplarisch verkörpert. Ebenso ist es folgerichtig, wenn die Sohn-Bezeichnung in ihrer Anwendung auf Jesus so verstanden wurde, daß man mit dieser Kategorie die eschatologische Offenbarer-Funktion zum Ausdruck brachte. So gesehen, steht auch das Johannesevangelium in einer legitimen Kontinuität zur Jesus-Tradition der Urkirche und zum historischen Jesus. Auch in diesem Fall erweist sich die vorwiegend religionsgeschichtliche Interpretation, die in erster Linie nach der Herkunft der Titel fragt, als unzulänglich, wenn dabei nicht genügend berücksichtigt wird, daß die Gestalt Jesu selbst den Titeln erst den entscheidenden neuen Inhalt verlieh, der sie zu »christologischen Titeln« im Sinne des christlichen Jesusglaubens machte. Der Begriff einer »existentiell-dialogischen« Gottessohnschaft, dies sei noch vermerkt, geht auf den Gedanken der »dialogischen Existenz«, wie ihn *M. Buber* entwickelte, zurück[49]. Er darf nicht mit dem Problem des »Selbstbewußtseins Jesu« verwechselt werden, über das eine direkte Aussage nicht gemacht werden kann. Vielmehr läßt er den Raum für das Persongeheimnis Jesu ausdrücklich offen.

[49] *M. Buber,* Ich und Du, Werke I, Schriften zur Philosophie. München 1962, 77–170, bes. S. 123: »Und um vorwegnehmend aus dem Reich der unbedingten Beziehung ein Bild hier herzustellen: wie gewaltig bis zur Überwältigung, ist das Ichsagen Jesu, und wie rechtmäßig, bis zur Selbstverständlichkeit! Denn es ist das Ich der unbedingten Beziehung, darin der Mensch sein Du so Vater nennt, daß er selbst nur noch Sohn und nichts anderes mehr als Sohn ist.«

Wir dürfen als vorläufiges Resultat festhalten, daß nach Q die Anwendung der Sohnesbezeichnung auf den »historischen Jesus« in der Tat nicht erst im »hellenistischen« Juden- oder Heidenchristentum erfolgte, sondern *bereits in der palästinensischen Gemeinde.* Für das Verständnis der Gottessohnschaft Jesu war in einem entscheidenden Maße das faktische Verhalten des irdischen Jesus mitbestimmend. »Machtverzicht« und »Offenbarer-Funktion« sind charakteristische Momente für das Sohnverständnis Jesu. Das Offenbarungslogion Mt 11,25–27 par. weist außerdem in V.25 f. auf das existentiell-dialogische Sohnverhalten Jesu zurück und zeigt, in welcher Weise die Sohnbezeichnung in der Existenz Jesu gründet.

g) Für die traditionsgeschichtliche Zuordnung der Christologie des Winzergleichnisses Mk 12,1–12 ist damit eine neue Ausgangsbasis gewonnen. Wir machen uns auch in diesem Fall die methodische Überlegung zunutze, daß Markus keine von Q prinzipiell verschiedene Tradition repräsentiert, sondern daß man mit traditionsgeschichtlichen Querverbindungen rechnen muß. Für die Sohn-Christologie würde das heißen, *auch bei Markus ist damit zu rechnen, daß die eine oder andere Komponente im »Sohn« traditionsgeschichtlich in die palästinensische Urgemeinde zurückführt.* Einen ersten positiven Beweis sahen wir im Denkmodell, das den »Sohn« als den letzten Boten analog zu den Propheten versteht, mit denen er Sendung und Geschichte teilt. Dann läge, worauf schon *F. Hahn* aufmerksam machte, ohne diese Vermutung weiter zu verfolgen[50], ein entscheidendes Bindeglied darin, *daß man sehr früh schon den Gedanken des »eschatologischen Propheten« mit der Sohnbezeichnung verband; oder besser gesagt, im »Sohn« ging die Kategorie des »endzeitlichen Propheten« auf, was sicher nicht erst bei der Übersetzung ins Griechische erfolgte.* Die eschatologische Gestalt des »Sohnes« überbietet die des Propheten. Diese Verschmelzung rückt unseren Text wieder eng in die Nähe des Offenbarungslogions Mt 11,27, wo

---

[50] *Hahn*, Hoheitstitel 338.

der Offenbarungsgedanke im Vordergrund steht. Was den »Sohn« mit den »Propheten« sachlich verbindet, ist die *Verkündigung*. Unter apokalyptischem Vorzeichen ist die *Verkündigung* als *Offenbarung* gedacht. Damit wäre die für das Verständnis notwendige und sachlich schlüssige Verbindung hergestellt.

(3)Zur Vertiefung und Absicherung unserer Interpretation ist es notwendig, noch einen Blick auf die Tauferzählung Mk 1,9–11 und die Verklärungsgeschichte Mk 9,2–9 zu werfen. Wenn sich auch hier noch zeigen ließe, daß die Formel vom »geliebten Sohn« andere Beziehungen erkennen läßt als die als »hellenistisch« bezeichneten, dann wäre unsere Interpretation textlich so weit abgesichert, daß man mit ihr arbeiten kann. *F. Hahn* hat in seiner Analyse der beiden Texte[51] einige wichtige Gesichtspunkte beigesteuert, sich aber durch die Hypothese von der nur »hellenistisch« denkbaren Übertragung der Sohnesbezeichnung auf den irdischen Jesus um die Möglichkeit gebracht, aus seinen Beobachtungen entsprechende Folgerungen zu ziehen. Wir beschränken uns auch hier auf den Markustext, sowie auf jene Gesichtspunkte, die für unser Thema von Wichtigkeit sind.

(a) Was zunächst *die Verklärungsgeschichte Mk 9,2–9* betrifft, so stellt sich die Frage, ob man bei dieser Erzählung, die traditionsgeschichtlich sehr verschiedene Elemente aufgenommen hat, nicht auch eine Verbindung von »Sohn« und »Menschensohn« annehmen muß, ebenso eine Verschmelzung mit dem »eschatologischen Propheten« und eventuell noch anderer Motive. *E. Schweizer* versah die Erzählung mit der Überschrift: »Gottes Antwort auf die offene Rede vom Leiden des Menschensohnes«[52], meines Erachtens ein zutreffender Hinweis auf den richtigen Ansatz. Schreitet man den näheren Umkreis des Markustextes einmal ab, dann findet sich dort ein auffallend häufiger Gebrauch der »Menschensohn«-Bezeichnung: Mk 8,31 in der Einleitung der Leidensweissagung; 8,38

---

[51] Ebd. 334–350.
[52] *Schweizer,* Markus 102.

bringt das Menschensohnlogion und verweist auf das »Kommen des Menschensohnes in der Herrlichkeit seines Vaters mit seinen heiligen Engeln« (Verschmelzung von »Sohn« und »Menschensohn« durch τοῦ πατρὸς αὐτοῦ); und schließlich 9,9, wo Jesus den Jüngern beim Abstieg vom Berg die Weisung erteilt, keinem etwas von dieser Schau zu erzählen, »bis der Menschensohn von den Toten auferstanden sei«. Hier ist die Verbindung vom »Menschensohn« und »Ostern« wichtig, die auch darauf hinweist, daß zumindest nach Markus »Ostern« und »Eschatologie« nicht zu trennen sind. Bei einer derartigen Häufung von »Menschensohn«-Aussagen besteht zumindest die Vermutung, daß im Verständnis des Evangelisten zwischen »Sohn« und »Menschensohn« die Grenzen fließen. Gilt dies auch für die Erzählung selbst? Dies ist zu bejahen. Die Schilderung der »Verwandlung« zeigt Jesus in leuchtend weißen Gewändern, »wie sie kein Walker auf Erden so weiß machen kann«, V.3. Daß die weißen Gewänder ein Bild der himmlischen Glorie sind, ist allgemein bekannt[53]. Sie kennzeichnen Jesus als himmlisches, der göttlichen Welt zugehöriges Wesen, und eigentlich liegt nichts näher, als dabei an den himmlischen Menschensohn zu denken, zu dem Jesus erhöht worden ist. Darin liegt auch die Berechtigung, die Verklärungsgeschichte als »vorweggenommene« oder »zurückdatierte Ostergeschichte« zu verstehen[54]. Der gekreuzigte Menschen-

---

[53] Vgl. *P. Volz*, Die Eschatologie der jüdischen Gemeinde im neutestamentlichen Zeitalter. Tübingen 1934, 396 ff. – Weitere Belege bei *Schweizer, Markus* 102 f., der sagt: »Was also für den Jüngsten Tag erhofft wird, vollzieht sich hier schon mit Jesus, wie es sich ähnlich an Mose ereignete. Endzeitliche Herrlichkeit bricht über ihm an.« – *W. Michaelis*, Art. λευκός, in: ThW NT IV, 247–256, besonders S. 251, 30–45. Zur Doxa-Gestalt des »Menschensohnes« vgl. besonders äthiopischen Henoch 45. – Ap 1,12–20.

[54] So vor allem *Bultmann*, Synoptische Tradition 278: »Daß diese Legende eine ursprüngliche Auferstehungsgeschichte ist, ist längst erkannt worden. Das οὗτός ἐστιν ὁ υἱός μου ὁ ἀγαπητός der Himmelsstimme ist doch offenbar die Messiasproklamation Jesu, und das ἀκούετε αὐτοῦ ist doch nicht nur zu den Anwesenden gesprochen, sondern gilt schlechthin«. – Die Erklärungen, die die Perikope in irgendeiner Form in der historischen Situation Jesu verankern wollen, tun sich demgegenüber schwer. Ziemlich unbefriedigend ist die Auskunft *Grundmanns*, Das Evangelium nach

sohn, dem man hier auf Erden nachfolgen muß und dessen man sich nicht schämen darf, ist zugleich der schon erhöhte Menschensohn, der in der göttlichen *Doxa* lebt. Dazu kommt die Himmelsstimme Mk 9,7: »Dieser ist mein geliebter Sohn, höret auf ihn!« Der Imperativ »höret auf ihn« verbindet den »Sohn« mit dem Offenbarungsgedanken. Damit sagt Markus in der Form einer Erzählung sachlich genau dasselbe wie Markus 11,27. Die »Himmelsstimme« ist in diesem Falle Metapher für die göttliche Legitimation und Bevollmächtigung des Sohnes; die Autorisierung begründet den Imperativ, seine Verkündigung als von Gott beglaubigt zu akzeptieren. Wahrscheinlich steckt darin ein Vergegenwärtigungsmoment; denn es ist ja wohl nicht daran zu zweifeln, daß der Imperativ für die gegenwärtigen Hörer und Leser des Evangeliums gedacht ist und sich nicht bloß auf die drei Jünger bezieht. Es geht um den *gegenwärtigen Offenbarungspruch Jesu,* genau wie Mt 11,27. Die Formulierung V.7 könnte man mit Hahn als »ein aus Jesaja 42,1 und Dt 18,15 kombiniertes Zitat« verstehen und daraus in der Tat schließen: »Jesus wäre in seinem irdischen Wirken, somit in Analogie zu Elia und Mose, als eschatologischer Prophet verstanden«[55]. Die Frage ist allerdings, ob man hier so betont das »irdische Wirken« in den Vordergrund stellen darf. Denn einmal ist die Verschmelzung des »Propheten« mit dem »Sohn« bereits in der vorausliegenden Tradition vollzogen. Die

Markus, Berlin 1962, 180: »Hinter der Perikope dürfte eine Himmelsvision Jesu stehen, die eine ihn selbst verwandelnde Wirkung gehabt hat, ein Vorgang also, wie er religionsgeschichtlich bekannt ist.« – Richtiger *J. Schmid,* Das Evangelium nach Markus. Regensburg [4]1958, 170: »Jesu Verklärung ist somit eine kurze Vorwegnahme seiner »Eschatologie«. – Unbefriedigend ist auch der Erklärungsversuch *Hahns* 338f. – Demgegenüber muß man damit ernst machen, daß für die Markus-Darstellung der Jesus-Geschichte die Verschränkung von irdischer Jesus-Geschichte und Glaubenszeugnis im Sinne des »*Osterglaubens*« charakteristisch ist. In gewissem Sinne ist es noch zu wenig, mit *Schweizer,* Markus 30 zu sagen: »das Geheimnis Jesu wird erst am Kreuz wirklich offenbar«; denn Markus bezeugt in seiner ganzen Jesus-Erzählung auch den Osterglauben; es geht ihm um die paradoxe Identität zwischen dem »irdischen« und dem »verherrlichten« Jesus.

[55] *Hahn,* Hoheitstitel 338.

himmlische *Doxa* verweist aber doch eher auf den »Menschen-
sohn«, was auch viel besser dazu paßt, daß Jesus gegenüber
Mose und Elia als die überlegene Größe erscheint, deren
Offenbarungsvollmacht ja gerade proklamiert wird.

Die Formel ὁ υἱός μου ὁ ἀγαπητός, die man im Anschluß an die
Taufgeschichte gewöhnlich als Kombination aus Ps 2,7 und Jes
42,1 versteht[56], verweist aber durch das ἀγαπητός noch auf
eine andere Spur, nämlich auf *die Erzählung von der Opferung
Isaaks,* die »Isaak-Typologie« von Genesis 22. Dort heißt es
Gn 22,2: καὶ εἶπεν λαβὲ τὸν υἱόν σου τὸν ἀγαπητόν, ὃν
ἠγάπησας, τὸν Ισαακ, κτλ. (LXX), »Nimm deinen geliebten
Sohn, den du liebst, den Isaak . . .« Nach dem M-Text heißt es:
»Nimm deinen Sohn, deinen Einzigen, den du liebhast, den
Isaak . . .« Nimmt man dazu noch die Formulierung nach Mk
12,6: »Jetzt hatte er nur noch einen Einzigen, den geliebten
Sohn«, dann gewinnt unsere Vermutung noch an Deutlichkeit.
Nach Röm 8,32 hat Paulus die Interpretation des Todes Jesu
nach dem Modell der Opferung Isaaks offenbar gekannt,
vermutlich aus der Gemeindetradition. Im Judentum war die
Opferung Isaaks schon ansatzweise in einem märtyrertheologi-
schen Sinne verstanden worden, so daß die Bezugnahme auf
den Tod Jesu für die Wendung »der geliebte Sohn« in der Tat
nicht ausgeschlossen werden kann[57]. Da es sich um eine nur bei
Markus (und den von ihm abhängenden Seitenreferenten)
vorkommende Formel handelt, dürfte sie ihm schon als

---

[56] *Schweizer,* Markus 19; *Hahn,* Hoheitstitel 343.
[57] Zum gesamten Komplex vgl. *Blank,* Paulus und Jesus 294 ff. – Zur
»Märtyrertheologie« siehe 4 Makk 7,13; 13,12; 16,19 f.; 18,10 f. – Der
»Sühnegedanke« war damit ursprünglich nicht verbunden; er fehlt auch bei
Markus; anders Röm 8,32. Eine willkommene Bestätigung dieser Auffas-
sung findet man jetzt auch bei *J. Maier,* Geschichte der jüdischen Religion.
Berlin 1972, 118 ff. wo der »Aqedah« ein Exkurs gewidmet ist. Dazu
besonders 119,2. b: »Gen 22 wird mit dem Gottesknechtmotiv verbunden:
Isaak, zur Zeit des Opfers bereits erwachsen, nimmt seine Opferung willig
auf sich (vgl. 4 Makk; Jos., pal. Targ.; Ps-Philo; Sifre Dt etc.)« und »3. Das
Opfer des einzigen Sohnes gilt, obschon nicht vollzogen, doch als ob
dargebracht.« Ferner *C. Thoma,* Christliche Theologie des Judentums,
Aschaffenburg 1978, §§ 96 ff. »Schon in vorchristlicher Zeit gehörte die
Aqedah zum Festgeheimnis des jüdischen *Pesach* (Osterfest)«,146.

traditionell vorgeprägte Formel zugekommen sein. Bei Mk 12,6 ff. ist diese Beziehung auf den gewaltsamen Tod Jesu ohnehin deutlich ausgeprägt, und bei der Verklärungsgeschichte legt sie sich durch den gesamten Kontext Mk 8,27–38 ebenfalls nahe. Unser Argument lautet also: Die Formel »der geliebte Sohn« bezieht sich nicht allein auf das »irdische Dasein« Jesu, sondern ganz speziell auf den *gekreuzigten Jesus,* was in gewisser Weise durch das Bekenntnis des Centurio unter dem Kreuz bestätigt wird: »Dieser Mensch ist wahrhaftig Gottes Sohn gewesen«, Mk 15,39. Dies entspricht auch der Markus-Christologie, die man, was die Sohn-Gottes-Beziehung angeht, nach meiner Meinung nicht gründlicher mißverstehen kann, als wenn man sie vom hellenistischen Theios-Aner-Motiv her interpretiert. Gerade für Markus gilt, daß er den »gekreuzigten Christus« verkündet. Und für diese Verkündigung und ihre Verbalisierung kommt Gn 22 durchaus in Betracht[58].

Eben der »Menschensohn«, der den Leidensweg geht, ist der »geliebte Sohn«, auf den man hören soll. Seine durch Ostern beglaubigte Offenbarungsvollmacht leuchtet in der Verklärungsgeschichte hintergründig auf, indem gezeigt wird, daß eben der gekreuzigte zugleich der verherrlichte Menschensohn ist. Nach diesem Verständnis weisen die meisten Traditionselemente der Verklärungsgeschichte auf palästinensische und apokalyptische Tradition zurück. Jedenfalls läßt sich vom »Verwandlungsmotiv« allein her die Zuordnung zur »hellenistischen« Gemeinde nicht zureichend begründen, und zwar um so weniger, wenn man damit rechnet, daß dieses Motiv einen sachlichen Grund im Osterglauben hat und diesen zum

---

[58] Die hier vertretene Auffassung kommt in gewisser Weise derjenigen von *Cullmann,* Christologie 65 ff. nahe, ohne freilich die These vom Gottesknecht-Bewußtsein zu übernehmen. Über das »Selbstbewußtsein Jesu«, etwa in Zusammenhang mit dem »Tauferlebnis« wird hier nichts ausgesagt. Unsere Interpretation bewegt sich auf der »kerygmatischen« und traditionsgeschichtlichen Ebene. Für diese wird eine Interpretation des υἱὸς ἀγαπητός gefordert und dafür scheint nur der übliche Verweis auf Jes 42,1 und Ps 2,7 nicht ausreichend zu sein.

Ausdruck bringt, und wenn man darüber hinaus die Prägung durch den Offenbarungsgedanken sowie die Ausrichtung auf den Gekreuzigten bedenkt.

(b) Aber gilt diese Interpretation auch für *die Taufgeschichte Mk 1,9–11*[59]? Gegenüber dem vorherrschenden Trend, die Taufgeschichte danach zu befragen, ob es sich um eine vormarkinische Bildung oder um eine des Markus handle, wieweit die markinische Bearbeitung geht, welche Elemente in der Tradition schon enthalten waren oder erst später dazukamen, ist auf eine Beobachtung hinzuweisen, die gewöhnlich übergangen wird. Die Formel vom »geliebten Sohn« kommt ja in drei Markusperikopen vor, in der Tauferzählung, der Verklärungsgeschichte und im Winzergleichnis. In den beiden ersten Perikopen erscheint sie innerhalb einer direkten Anrede in Verbindung mit dem Motiv der »Himmelsstimme«[60]. Damit stellt sich die Frage nach der traditionsgeschichtlichen Abhängigkeit bzw. Priorität: In welchem der drei Texte kam die Formel erstmals vor? Ist sie in jeder Perikope ursprünglich, oder nur in einer einzigen, und wurde sie dann vom Evangelisten auf die anderen Stellen übertragen? Und welcher Text enthält dann den frühesten Beleg? Es ist ein reines, durch optische Täuschung bedingtes Postulat, wenn man ganz selbstverständlich davon ausgeht, die Taufperikope müsse der älteste Beleg für die Sohn-Formel sein, und die Himmelsstimme mit der Sohnproklamation sei der vormarkinischen Tradition zuzuschreiben. Es kann sich durchaus um nachträgliche Gestaltung und Interpretation durch Markus handeln. Eine weitere Beobachtung kommt hinzu: Nach Mk 1,10f. erfolgt die Enthüllung des Sohnes ausschließlich für Jesus selbst, der durch die Himmelsstimme direkt angesprochen wird. Bei der Verklärung hören die Jünger Petrus, Jakobus und Johannes die

[59] Zur Taufgeschichte vgl. außer den Kommentaren, die den gegenwärtigen Diskussionsstand gut zusammenfassende Abhandlung von *A. Vögtle,* Die sogenannte Taufperikope Mk 1,9–11. Zur Problematik der Herkunft und des ursprünglichen Sinnes, in: EKK 4. Neukirchen–Zürich 1972, 105–138.

[60] Zum jüdischen Hintergrund der »Himmelsstimme« = *bat qol* vgl. *Billerbeck* I, 125–134. Es ist klar, daß es sich hier um einen literarischen Topos handelt.

Himmelsstimme; ihnen wird das Sohn-Geheimnis Jesu ausdrücklich mitgeteilt, freilich in Verbindung mit dem typischen Schweigegebot Mk 9,7.9. Im Winzergleichnis Mk 12,1–12 endlich ist ganz offen vom »geliebten Sohn« die Rede, freilich in einer durch die Gleichnisrede verschlüsselten Form. Angesprochen sind die Gegner Jesu, die, so wird man nach Mk 4,10–12 annehmen müssen, als »Draußenstehende« den wahren Sinn der Gleichnisrede nicht verstehen. Immerhin verstehen sie nach Mk 12,12 davon doch so viel, um zu merken, daß Jesus zu ihnen das Gleichnis gesprochen hatte und sehen sich in der Absicht, Jesus zu beseitigen, bestärkt. Auf jeden Fall muß man annehmen, daß wenigstens für Markus das Verständnis der Formel vom »geliebten Sohn« in allen drei Texten dasselbe ist; etwas anderes wäre widersinnig. Man darf weiter schließen, *daß das dreimalige Vorkommen der Formel bei Markus nicht zufällig, sondern vom Evangelisten bewußt so gestaltet ist.* Und schließlich läßt sich eine Steigerung im Sinne des markinischen »Messias-Geheimnisses« oder in diesem Fall richtiger des »Sohn-Geheimnisses« erkennen als Tendenz zunehmender »Enthüllung«. Aufgrund dieser Beobachtungen gewinnt die Annahme markinischer Gestaltung sowohl für die Taufperikope wie für die Verklärungsgeschichte an Gewicht, zumindest für das rein literarische Motiv der »Himmelsstimme« mit der Sohn-Proklamation.

Ich sehe außerdem keine Schwierigkeiten, daß nach Mk 1,11 auch schon bei der Tauferzählung an das Kreuz Jesu gedacht werden soll. Ein solcher stillschweigender Hinweis ist dem Markusevangelisten durchaus zuzutrauen; das würde bedeuten: Bei der Taufe beginnt nach Markus der »Weg Jesu«, der am Kreuze endet. Der Mangel bei den üblichen Interpretationen besteht darin, daß man zuwenig bedenkt, welche Bedeutung die Formel vom »geliebten Sohn« für Markus selber hat, und daß man viel zu voreilig ein bestimmtes Messias-Verständnis unterstellt. Mir scheint jedoch ziemlich deutlich zu sein, daß Ps 2,7 und Jes 42,1 zur Interpretation von Mk 1,11 nicht ausreichen. Man frage sich nur einmal, welches Messiasverständnis Mk nach 8,27–33 hat! Dies müßte zumindest berücksichtigt werden. Darüber hinaus dürfte die Theologie der Taufperikope Mk 1,10 f. weit eher auf »apokalyptischen« als auf »hellenistischen« Hintergrund verweisen[61]. Die Geistbegabung läßt ein »messianisches« (vgl. Jes 11,1 ff.), aber auch ein »prophetisch-charismatisches« Verständnis (im Sinne von Jes 61,1 ff.) zu und wäre im zweiten Fall auf die vollmächtige Ankündigung der nahen Gottesherrschaft (Mk 1,14 f.) zu beziehen.

So scheint es zumindest diskutabel, wenn man aufgrund dieser Beobachtungen die These wagt, daß die Formel vom »geliebten Sohn« ihren ursprünglichen und ältesten Sitz im »Winzergleichnis« hat und von dort auf die anderen Perikopen übertragen wurde. Im Winzergleichnis hat die Formel eine klare Funktion im Rahmen der Erzählung: die Sendung des »geliebten Sohnes« bildet den Höhepunkt der ganzen Geschichte; würde sie fehlen, dann wäre das Gleichnis seiner Pointe beraubt. Anders verhält es sich bei den Proklamationen durch die Himmelsstimme; hier sind nachträgliche Bildung und Einfügung weit eher denkbar, zumal es sich um ein ganz selbständiges, rein literarisches Motiv handelt. Gesteht man grundsätzlich zu, daß »Redaktionsgeschichte« nicht nur als literarkritisches Verfahren bedeutsam ist, um zwischen »Tradition« und »Redaktion« zu unterscheiden, sondern auch theologisch, um die Denkweise der Evangelisten besser zu erfassen, dann dürfte es kaum schwerfallen, dieses Ergebnis ernsthaft zu erwägen.

---

[61] Zu dem entsprechenden alttestamentlich-jüdischen Hintergrund vgl. *Schweizer,* Markus 19 f.: »Die angeführten alttestamentlichen Stellen zeigen, daß Himmelsöffnung, Kommen des Geistes und Erschallen der Gottesstimme Zeichen der Endzeit sind«. – Vgl. auch *ders.:* Art. υἱός, in: ThW NT VIII, 369 f. D II 2c. Die Taufe Jesu (Mk 1,11). Anders *Hahn,* Hoheitstitel 342 f.

4. Schlußbemerkung

Die Untersuchung des Gleichnisses von den bösen Winzern Mk 12,1–12 dürfte gezeigt haben, daß es sich lohnt, den traditionsgeschichtlichen Voraussetzungen dieses Textes einmal genauer nachzufragen. Die schon oft geäußerte Meinung, daß es sich hier nicht um ein altes Gleichnis Jesu handelt, sondern um eine nachösterliche Gemeindebildung mit allegorischen Zügen, hat sich dabei durchaus bestätigt, aber es hat sich auch ergeben, daß damit die für die Auslegung dieses Textes interessanten Fragen erst beginnen. Was den »Sitz im Leben« des Textes angeht, so gehört er m. E. in eine Zeit, in der die Auseinandersetzung zwischen der neuen Gruppe der Messias-Jesus-Anhänger und der traditionellen jüdischen Gemeinde bereits begonnen hat; aber diese Auseinandersetzung spielt sich noch auf palästinensisch-jüdischem Boden ab. Ein Hauptergebnis ist, daß spezifisch hellenistische Einflüsse bei diesem Text und seiner christologischen Konzeption noch nicht nachzuweisen sind. Wenn man nicht apriorisch davon ausgeht, daß die »Sohn«-Bezeichnung schon als solche ein ausreichendes Indiz für »hellenistischen« Einfluß sein muß, dann läßt sich tatsächlich nichts Spezifisches finden, was diese These stützen würde. Das unheilsgeschichtliche Denkmodell in Verbindung mit dem »prophetischen« Sendungsbegriff verweist im Gegenteil auf alttestamentlich-jüdische Tradition. Ebenso scheint es mir berechtigt, mit einem traditionsgeschichtlichen Ansatz der Sohn-Bezeichnung beim irdischen Jesus zu rechnen. Die dezidierte Behauptung, wonach keiner der christologischen Titel auf den irdischen Jesus zurückzuführen sei, ist in dieser globalen Redeweise nicht haltbar, sondern dringend korrekturbedürftig. Daß es daneben noch andere traditionsgeschichtliche Ansätze, Weiterführungen und Neuinterpretationen gab, ist damit nicht bestritten. Im übrigen ist es logischer, die nachösterliche Christologie *auch,* wenn auch keinesfalls ausschließlich, als Weiterführung und Explikation gewisser Ansätze zu verstehen, die sich bereits beim irdischen Jesus finden.

154

Auch ein anderes Ergebnis verdient Beachtung. Obgleich dies am Beginn der Untersuchung nicht beabsichtigt war, so ergab sich bei der traditionsgeschichtlichen Aufhellung in zunehmendem Maße, daß das Problem der Beziehungen zwischen der Markusüberlieferung und der Logienquelle Q sich als immer bedeutsamer in den Vordergrund schob, so daß unsere Untersuchung auch als Beitrag zu dieser Frage angesehen werden darf. Markus und Q sind nicht so unabhängig voneinander, daß man sie als zwei völlig selbständige Größen, die miteinander nichts zu tun haben, betrachten dürfte. Die Zwei-Quellen-Theorie ist damit keineswegs aufgehoben, aber sie gilt streng genommen nur auf der letzten, literarischen Ebene. Sobald man auf die traditionsgeschichtliche Ebene der vorliterarischen Überlieferung zurückgeht, gibt es Berührungen und mancherlei Gemeinsamkeiten. Dabei erwies es sich in unserem Fall, daß Markus offenbar eine »spätere«, jüngere Ausprägung dieser gemeinsamen Tradition vertritt, Q dagegen noch ein älteres Stadium repräsentiert; die Frage stellt sich, ob sich dies auch noch in anderen Fällen nachweisen läßt. Das Prinzip der Markus-Priorität würde dann nur für die Abfassungszeit des ältesten Evangeliums gegenüber den beiden Großevangelisten Matthäus und Lukas gelten und wäre somit kein traditionsgeschichtliches oder historisches Urteil, wenigstens nicht prinzipiell in allen Fällen. »Literarisch früher« wäre mithin nicht gleichbedeutend mit »traditionsgeschichtlich älter« oder »historisch zuverlässiger«. Eine Arbeit, die sich eingehend mit dem Verhältnis von Markus und »Q« befaßt und diesem Problem einmal gründlich nachgeht, erweist sich jetzt als ein dringendes Desiderat. Nachdem nun einige wichtige Publikationen zur Logienquelle vorliegen, außer den genannten von *D. Lührmann* und *P. Hoffmann,* nun auch noch die von mir noch nicht berücksichtigte von *S. Schulz,*[62] ist für diese Fragestellung eine hinreichende wissenschaftliche Ausgangsbasis vorhanden. *R. Schnackenburg* äußerte mir gegenüber einmal in einem

---

[62] *S. Schulz,* Q – Die Spruchquelle des Evangelisten. Zürich 1972.

Gespräch, daß schon sein Lehrer *F. W. Maier,* von dem auch ich selbst als Student die ersten Eindrücke einer überzeugenden theologischen Exegese bekam, den Vergleich von Markus und Q für besonders wichtig hielt. Die Zeit dazu ist jetzt reif. Damit wäre auch eine wichtige methodische Hilfe gewonnen für die Profilierung der markinischen Theologie. Die Schwierigkeiten bei Markus lagen ja bisher darin, daß man für diesen Evangelisten keine Vergleichsmöglichkeiten sah; man war der Meinung, die Markus-Theologie allein aus diesem Evangelium erheben zu müssen. Wenn es jedoch traditionsgeschichtliche Beziehungen zwischen Markus und Q gibt, dann entfällt diese Schwierigkeit wenigstens teilweise. Dann ist es in der Tat möglich, an Hand methodisch gesicherter Kriterien die theologische Interpretation des ältesten Evangelisten viel genauer zu erfassen als dies bisher gesehen wurde.

V. Zur eschatologischen Konzeption des historischen Jesus

1. Die eschatologische Frage und die jüdische Apokalyptik

Die Probleme der neutestamentlichen Eschatologie, insbesondere der Botschaft Jesu, gehören seit den bahnbrechenden Arbeiten von *Johannes Weiß*[1] und *Albert Schweitzer*[2] noch immer zu den spannendsten und noch längst nicht ausdiskutierten Problemen neutestamentlicher Theologie. Es ist überhaupt schon äußerst bemerkenswert, daß sich das eschatologische Problem in der Theologie des zwanzigsten Jahrhunderts so hartnäckig behaupten konnte und vor allem in der Frage nach dem »historischen Jesus«, sowie nach dem besonderen Sinn seiner Botschaft von der nahen Gottesherrschaft seine unumgängliche Bedeutung erweist. Dabei kann man eine gewisse Akzentverschiebung des Interesses an der eschatologischen Botschaft beobachten: Während vor noch nicht allzu langer Zeit, vor allem unter dem Einfluß *Bultmanns* und seines Eschatologieverständnisses das Hauptinteresse der »existentialen Interpretation« der eschatologischen Botschaft galt, richtet sich heute, nicht zuletzt unter dem Einfluß der »politischen Theologie« das Interesse vorwiegend auf die soziale und gesellschaftliche Seite der Reichsbotschaft Jesu. Dieses Moment hatte schon *A. Schweitzer* gesehen, wenn er sagt: »Daß aber die sittliche Gemeinschaft, welche durch Jesu Predigt hervorgerufen wird, als solche irgendwie das wirksame Anfangsglied in der Realisierung des Gottesreiches sei, dieser

---

[1] Die Predigt Jesu vom Reiche Gottes. [2]1900; 3. Aufl. hrsg. von *F. Hahn*, Göttingen 1964.
[2] Das Messianitäts- und Leidensgeheimnis. [1]1901; 3. unveröffentl. Aufl. Tübingen 1956.

Gedanke liegt nicht nur in unserem ethischen Empfinden, sondern er belebt auch die Predigt Jesu, denn er arbeitet den sozialen Charakter seiner Ethik scharf heraus«[3]. Nicht zuletzt trugen die Qumranfunde dazu bei, die jüdische Apokalyptik, in der man vorher oft nur eine Randerscheinung innerhalb des Judentums zur Zeit Jesu erblickte, in ihrer epochalen Bedeutung für diese Zeit zu erkennen. Man kann in der Tat die Zeit vom Makkabäer-Aufstand 167 v. Chr. bis zum jüdischen Krieg mit dem Ende des zweiten Tempels Chr. bis zum jüdischn Krieg mit dem Ende des zweit 66–70 n. Chr. bzw. bis zum Ende des Bar-Kochba-Aufstandes 132–135 n. Chr. als die »apokalyptische Epoche« des Judentums bezeichnen, und zwar nicht nur deshalb, weil »Eschatologie« und »Apokalyptik« (man kann für diese Zeit zwischen beiden Begriffen keinen scharfen Unterschied markieren; »Apokalyptik« bestimmt durchweg das Gesamtgepräge der damals gängigen Endzeit-Erwartung) Hauptmerkmale der theologischen Produkte dieser Zeit sind, sondern weil diese Gedankenwelt, die dem heutigen Leser oft so skurril und abwegig erscheint, mit den gesellschaftlichen und politischen Erscheinungen, Gruppenbildungen, Krisen, Unruhen und Auseinandersetzungen im damaligen Judentum engstens verquickt ist. In welchem Umfang apokalyptische Hoffnungen mit den politischen Zielsetzungen verbunden waren, vor allem in der jüdischen Freiheitsbewegung der »Zeloten«, hat *M. Hengel* in seinem Buch aufgezeigt[4]. Apokalyptische Vorstellungen und Bilder gehören zum ideologischen und propagandistischen Arsenal dieser Zeit, und es ist von daher gesehen auch kein Wunder, daß nach den großen Niederlagen der Jahre 70 und 135 n. Chr., die im Grunde die Niederlagen der religiös-militanten Freiheitsbewegung waren, die pharisäischen Schriftgelehrten das apokalyptische Gedankengut bis auf wenige entschärfte Reste unterdrückt oder ausgeschieden haben. Wenn man von der »eschatologischen Konzeption«

---

[3] Ebd. 23.

[4] Die Zeloten. Leiden 1961; vgl. auch *A. Schlatter,* Geschichte Israels von Alexander dem Großen bis Hadrian, Neudruck Stuttgart 1972.

Jesu oder der Urkirche sprechen will, dann wird man diesen geschichtlichen Hintergrund im Blick behalten müssen. Welche wichtigen Perspektiven für das Verständnis der Jesus-Überlieferung sich von daher ergeben, haben einige jüngst erschienenen Publikationen deutlich gemacht[5].

2. Die Tradition und die Neuheit in der neutestamentlichen Naherwartung

Auf diesem zeitgeschichtlichen Hintergrund gesehen bilden die Taufbewegung Johannes des Täufers und die Jesus-Bewegung, die, wie das NT bezeugt, in einem genuinen Zusammenhang miteinander stehen, zunächst nichts anderes als eine weitere besondere Spielart innerhalb der eschatologisch-apokalyptischen Naherwartung des Judentums. Apokalyptik und Naherwartung des baldigen Endes bilden den gemeinsamen Hintergrund zwischen dem Judentum und der Botschaft Jesu. Daß Jesus eine eschatologische Botschaft verkündet, bezeichnet noch nichts Besonderes, sondern stellt Jesus von Nazareth unverwechselbar in seine Zeit und Umwelt hinein. Dann kann freilich die Besonderheit nur darin liegen, *wie Johannes und Jesus den Gedanken der eschatologischen Naherwartung aufnahmen, wie sie ihn interpretierten und welche praktischen Konsequenzen sie daraus zogen oder auch nicht zogen.* Größe und Originalität einer Konzeption sind nicht allein danach zu bemessen, weiviel »Neues« jemand bringt, das es vor oder neben ihm noch nicht gegeben hat, sondern auch danach, wie jemand die Gedanken und Vorstellungen seiner eigenen Zeit aufnimmt, sie verarbeitet und welche neue Richtung er diesen Gedanken gibt. Die Bedeutung Jesu verliert nichts, wenn man

---

[5] *P. Hoffmann,* Studien zur Theologie der Logienquelle, Neutestamentliche Abhandlungen, Neue Folge 8, Münster i. W. 1972; – *K.-H. Müller,* Hrsg., Die Aktion Jesu und die Re-Aktion der Kirche, Würzburg 1972; – *J. Blank,* Jesus von Nazareth, Geschichte und Relevanz, Freiburg i. Br. 1972.

für viele Vorstellungen und Worte Jesu Parallelen aus dem damaligen Judentum anführen kann; denn es läßt sich durchaus zeigen, daß solche Vorstellungen bei Jesus und in seinem Gefolge auch in der Urkirche in eine überraschend neue Gesamtkonzeption eingefügt wurden, daß sie eine neue Ausrichtung erfahren haben, die sie vorher so noch nicht hatten. Um es an einem wichtigen Beispiel zu demonstrieren. Auch die jüdischen Freiheitskämpfer, die Zeloten, hatten eine bestimmte Vorstellung von der Gottesherrschaft. Der jüdische Historiker *Flavius Josephus* bezeichnet als Hauptmerkmal ihre »unüberwindliche Freiheitsliebe«, und daß sie »Gott allein als ihren Herrn und König anerkennen«[6]. Sie zogen aus dem Gedanken der Alleinherrschaft Gottes über Israel eine radikale politische Konsequenz, nämlich daß keine fremde heidnische Macht über Israel herrschen dürfe. Die Steuerfrage war für sie ein religiös-politisches Bekenntnisproblem. Wir wissen aber mit größter Wahrscheinlichkeit, daß Jesus aus seinem Verständnis der Gottesherrschaft solche Konsequenzen nicht gezogen hat, sondern daß er sie entschieden zurückwies. Die Geschichte von der Frage nach der Erlaubtheit der Kaisersteuer mit der lapidaren Antwort: »So gebt dem Kaiser, was dem Kaiser gehört, und was Gott gehört, Gott« (Mk 12,13–17) zeigt eine grundsätzlich andere Einstellung. Es geht hier übrigens nicht um die Abgrenzung zweier Bereiche, vielmehr liegt der Nachdruck auf dem Schluß des Wortes. Gegenüber dem Anspruch Gottes ist die Frage nach der Kaisersteuer zweitrangig, sie ist jedenfalls für Jesus keine Bekenntnisfrage. Aber auch das Gleichnis vom Unkraut unter dem Weizen (Mt 13,24–30), das man zum authentischen Jesus-Gut rechnen darf (die Matthäusinterpretation dieses Gleichnisses Mt 13,36–43 allegorisiert und geht an der Pointe des Textes vorbei), zeigt eine unzelotische Einstellung: es ist nicht Menschensache, die große Reinigung der Welt von allem Bösen vorzunehmen, um auf diese Weise das reine, vollkommene Endreich herbeizufüh-

---

[6] Jüdische Altertümer, XVIII, 23.

ren. Aus all dem ergibt sich die wichtige Beobachtung: Von außen betrachtet bekennen sich die Zeloten und Jesus zu demselben Gott. Beiden geht es fast dem Wortlaut nach um dieselbe Sache, um die Königsherrschaft Gottes. Beide sind von der großen Sehnsucht bewegt, die sich in der Vater-unser-Bitte ausdrückt: »Dein Reich komme!« Gleichwohl sind die Konsequenzen radikal verschieden. Die Zeloten brauchen Gewalt, um die Gottesherrschaft herbeizuzwingen. Jesus ist der Meinung, daß blutige Gewalt, Haß und Feindschaft alles mögliche bewirken, nur nicht das Reich Gottes. Dessen Kommen liegt in keiner menschlichen Verfügung, es bleibt Gottes Sache allein (so hat es auch Lukas Apg 1,6 f. richtig verstanden: »Euch steht es nicht zu, Zeiten und Fristen zu erfahren, die der Vater in seiner Macht festgesetzt hat«; es handelt sich um den prinzipiell gemeinten »eschatologischen Vorbehalt«). Bedenkt man diese Konsequenzen, dann stellt sich zwangsläufig die Frage ein: Haben beide, was den Kern der Sache betrifft, dasselbe im Kopf, wenn sie von der Gottesherrschaft sprechen? Ja noch entschiedener: Haben beide noch den gleichen Gott? Woraus man auch entnehmen mag, daß in der Situation, in der Jesus lebte und wirkte, die Gottesfrage keinesfalls so eindeutig geklärt war, wie man dies oft unterstellt. In der Verschiedenheit des Verhaltens manifestiert sich eine Verschiedenheit des Gottesgedankens, so wird man wohl sagen müssen.

Dann lautet die weitere Frage: Was heißt das, daß Jesus die Nähe der eschatologischen Gottesherrschaft proklamiert? Welchen Sinn gewinnt bei ihm diese umfassende, Schöpfung und Geschichte betreffende Zukunftshoffnung? Welche Handlungsimpulse löst sie aus? Gegenüber den uns bekannten apokalyptischen Vorstellungen dürfte der entscheidende Unterschied darin liegen, daß es beiden, dem Täufer und Jesus nicht mehr um den eschatologischen Endsieg Israels über seine und Gottes Feinde geht, sondern um den innersten Kern des Gottesverhältnisses selbst. Jesus war kein Zelot. Er war auch kein Sozialrevolutionär. Er teilte vielmehr die grundlegende

Überzeugung der alttestamentlich-jüdischen Tradition, daß der Mensch in letzter Instanz durch sein Gottesverhältnis bestimmt wird, wobei sogleich dazu gesagt werden muß, daß dieser Ansatz in keiner Weise »privatisierend« gemeint ist. Im biblischen Denken hat das Gottesverhältnis die allerstärksten Auswirkungen auf das soziale und welthafte Handeln des Menschen. Johannes der Täufer und Jesus radikalisieren die endzeitliche Zukunftserwartung dahingehend, daß sie verstanden wird als das Kommen Gottes zu Gericht und Heil. Beide wenden sich mit ihrer Botschaft an das ganze jüdische Volk, ohne jede exklusive Gruppenbildung, wie sie etwa von der Qumran-Gruppe praktiziert wurde. Johannes der Täufer wendet die eschatologische Naherwartung *kritisch gegen Israel selbst* und fordert daraufhin zu Umkehr und Buße auf: »Ihr Natternbrut, wer hat euch gelehrt, dem kommenden Zorngericht zu entgehen.« Die Berufung auf die Abrahamskindschaft nützt da überhaupt nichts; man ist noch nicht dadurch, daß man Jude ist und sich als »Abrahams-Sohn« verstehen darf, der Teilhabe am eschatologischen Heil versichert. Im Gegenteil, eine derartige Heilssicherheit ist Magie, keine wahre Frömmigkeit. Das Gericht steht unmittelbar bevor, es ist höchste Zeit zur Umkehr. Echte Umkehr würde sich darin erweisen, daß man entsprechende Taten, »Früchte der Umkehr« hervorbringt (vgl. Mt 3,7–10; Lk 3,7–9). Es ist deutlich zu sehen, daß hier »apokalyptisch« gedacht wird im Sinne der Naherwartung des unmittelbar bevorstehenden Gerichts. Aber diese Denkweise ist entscheidend verändert; denn das Gericht, das der Täufer verkündet, ist nicht das Vernichtungsgericht der Israel-Feinde, sondern ein Gericht, das bei Israel anfängt! Israel gewinnt nur dann das Heil, wenn es selbstkritisch mit der eigenen Umkehr anfängt und nicht in erster Linie daran denkt, wie es mit der politischen Fremdherrschaft fertig wird. Der Hinweis auf die »Früchte der Umkehr« erinnert an die sozialen Konsequenzen der Umkehr. Die lukanische Täuferpredigt (Lk 3,10ff.) mit ihrer Konkretisierung der Bußforderung hat diesen Punkt, auch wenn es sich weitgehend um lukanische

Gestaltung handelt, durchaus richtig erfaßt: Wer zwei Gewänder hat, soll dem, der keins hat, eins abgeben; die Zöllner sollen die Leute nicht überfordern und die Soldaten sollen mit ihrem Sold zufrieden sein. So wird bei Johannes dem Täufer die Naherwartung des Endgerichts in Verbindung mit der Umkehr-Forderung zu einem Dringlichkeits-Appell für richtiges mitmenschliches Handeln (vgl. auch schon Jes 58).

3. Die neutestamentliche Naherwartung zwischen Gegenwart und Zukunft

Genau in dieser Linie liegt auch der Ansatz der Verkündigung Jesu von der Nähe der Gottesherrschaft, wie sie programmatisch in Mk 1,14 sinngemäß zusammengefaßt ist: »Die Zeit ist erfüllt, die Königsherrschaft Gottes hat sich genaht; kehrt um und glaubt an die Freudenbotschaft«. Es unterliegt keinem Zweifel, daß Jesus mit einem baldigen Kommen der Gottesherrschaft gerechnet hat, daß also die Naherwartung ein Moment seiner Botschaft ist (vgl. Mk 9,1). »Alles in allem erhärten die Gegenwartsaussagen über Gottes Herrschaft und Reich in der Verkündigung Jesu den Eindruck einer akuten *Naherwartung:* von der eschatologisch-zukünftigen Größe der Basileía kann eine Gegenwart ausgesagt werden, weil das nahe erwartete definitive Ende mit Jesu Predigt und Handeln vorlaufend im Anbruch ist«[7]. Wahrscheinlich hat erst Jesus, nicht schon der Täufer den Begriff von Gottes Herrschaft und Reich, der βασιλεία τοῦ Θεοῦ zum Zentralbegriff seiner Botschaft gemacht (anders Mt 3,2; aber hier handelt es sich wohl doch um eine von Matthäus geprägte Wendung, die auf diese Weise Täufer-Botschaft und Jesus-Botschaft miteinander redaktionell verklammert). Gottes Herrschaft und Reich: das bedeutet in der Botschaft Jesu das von Gott dem Menschen

---

[7] *K. H. Müller,* »Die Aktion Jesu, a. a. O. 12.

zugedachte eschatologische Endheil. Man müßte vielleicht zutreffender von der *Heilsherrschaft Gottes* sprechen, um »autoritäre« Herrschaftsvorstellungen von vornherein auszuschließen. Jesus ist vom unbedingten Vorrang des göttlichen Heilswillens überzeugt, was das eschatologische Endziel angeht. Ebenso ist dieses Endheil universal gedacht, es gilt für alle, das heißt zunächst für ganz Israel, aber auch für die gesamte Schöpfung. Doch liegt für Jesus das Endheil nicht mehr in einer entfernten Zukunft. Obgleich das Kommen des Endheils exklusiv als Tat Gottes verstanden wird, die dem Menschen unverfügbar bleibt (vgl. das Gleichnis von der »selbstwachsenden Saat« Mk 4,26–29), soll der Mensch doch schon jetzt in der Gegenwart des »alten Äons« aus der endgültigen Heilsgewißheit heraus handeln und leben. Er soll die Heilsgewißheit der eschatologischen Zukunft festhalten und sich in der Gegenwart im Sinne solcher Heilsgewißheit engagieren. Man hat immer wieder die Frage gestellt, ob die Gottesherrschaft »rein zukünftig« oder »gegenwärtig« zu verstehen sei. Die Frage trifft mit ihrer Alternative jedoch nicht den Kern der Sache. Denn nach dem biblischen Zeitverständnis, das auch das Zeitverständnis Jesu prägt, wird die Zukunft niemals abstrakt gedacht, sondern immer als eine Größe verstanden, die die Gegenwart des Menschen zutiefst bestimmt. Je nachdem, was der Mensch von seiner Zukunft erwartet, wie er sich seine Zukunft vorstellt, wird er sich auch in der Gegenwart verhalten. Es sind die Hoffnungen und Befürchtungen, die sein Handeln tiefgehend beeinflussen, bewußt oder unbewußt. Wenn also der Mensch für die endgültige Zukunft seines Lebens aufgrund der göttlichen Heilszusage des Endheils gewiß sein darf, dann hat dies auf jeden Fall Konsequenzen für sein gegenwärtiges Verhalten. Er braucht sich dann in der Tat um diese Zukunft nicht mehr zu sorgen und wird auf diese Weise frei für den vollen Anspruch der Gegenwart. Im Logion vom Nicht-Sorgen wird solches Freiwerden beschrieben (Mt 6,25–34; Lk 12,22–32): »Sorgt euch nicht um euer Leben und darum, daß ihr etwas zu essen habt, noch um euren Leib und darum, daß ihr etwas anzuziehen habt! Ist nicht das Leben wichtiger als die Nahrung und der Leib wichtiger als die Kleidung? ... Euch soll es zuerst um sein Reich und seine Gerechtigkeit gehen; dann wird euch alles andere dazugegeben«. Das Wort ist nicht so gemeint, daß man alles laufen lassen soll, es zielt vielmehr auf eine grundsätzliche Einstellung in allem Handeln. Der Mensch der mit der Gottesherrschaft rechnet und sie an die erste Stelle setzt, ist die bedrängende Sorge um die letzte Zukunft los, er darf auf Gottes Werk und Verheißung vertrauen. Er gewinnt auf diese Weise eine ruhige, zuversichtliche Gelassenheit, die große Geduld, die ihn auch für die täglichen Konflikte des Lebens tragfähig macht. Er hat dann gleichsam auch den Rücken frei, sich um so stärker den Problemen zuzuwenden, die ihm heute anliegen, insbesondere wird er frei für die mitmenschlichen Dinge, für die Liebe. Dies ist ein Beispiel, das hier nur für viele andere steht: die Annahme der universalen Zukunftsverheißung bedeutet keine Flucht aus der Gegenwart, aus dem Heute, sie ist vielmehr ein dringlicher Appell, dieses Heute als den zugewiesenen göttlichen Auftrag anzunehmen und das jeweils Fällige zu tun, auf Hoffnung hin. Solche grundlegend positive Einstellung zur Zukunft befähigt den Menschen allererst zur Umkehr, zur μετάνοια, zur Veränderung des Bewußtseins und des Handelns. Die Umkehr spricht die menschlichen Grundfähigkeiten zu Glauben, Hoffnung und Liebe an; sie zielt letztlich auf die Entbindung der kreativen menschlichen Fähigkeiten im Hinblick auf die Realisierung des Guten im Sinne größerer Freiheit, Mitmenschlichkeit und Liebe. Auch die ethischen Weisungen Jesu, die in seiner eschatologischen Konzeption begründet sind, enthalten diesen Anruf zur Freiheit, indem sie den Willen Gottes nicht mehr gesetzlich interpretieren, sondern in modellhaften Grundlinien dynamisieren. Es gilt, das »Unheil« in all seinen Erscheinungsformen zu überwinden. Darauf verweisen vor allem die »Zeichen«, die Jesus gesetzt hat: die Krankenheilungen und Dämonenaustreibungen, sowie das überragende Zeichen der

Mahlgemeinschaft Jesu mit den Ausgestoßenen. Diese Zeichen muß man verstehen als die Konkretisierungen und Verleiblichungen der Botschaft, diese will nicht im Theoretischen steckenbleiben, sondern veranlaßt immer wieder eine konkrete Praxis. Die eschatologische Zukunftshoffnung muß sich immer neu in solchen »Zeichen« ausdrücken; Jesus hat den Jüngern dazu ausdrücklich Sendung und Vollmacht verliehen (vgl. etwa Mk 3,14–15). Damals waren die Heilungen und Dämonenaustreibungen die angemessenen Zeichen des Reiches, heute sind andere Zeichen angemessener, wie die Entwicklungshilfe. Die Theologie der »Zeichen des Reiches Gottes« ist noch ziemlich unterentwickelt, wäre aber dringend erforderlich. Denn darin würde sich zeigen, wie die eschatologische Konzeption Jesu, anders als totalitäre Vorstellungen vom Endheil, zu konkreten Realisierungen auffordert, die heute weiterhelfen, und doch ihrer eigenen Vorläufigkeit eingedenk bleiben, morgen wird wieder ein anderes Modell wichtig sein. Solche Freiheit in der Disposition des im Sinne des Endheils jeweils Wichtigen müßte sicher noch viel entschiedener ausgenützt werden.

2. TEIL
ZUR JOHANNEISCHEN CHRISTOLOGIE

VI. Die Verhandlung vor Pilatus Joh 18,28–19,16

Entsprechend der Eigenart des Johannesevangeliums hat in
ihm auch jener Stoff, den es in weitestem Umfang mit den
Synoptikern gemeinsam hat, nämlich der Bericht von der
Gefangennahme, dem Prozeß, dem Leiden und Sterben des
Herrn, eine besondere »johanneische« Durchgestaltung erfahren. Man darf wohl behaupten, daß die Passionsgeschichte bei
Johannes im Vergleich mit den Synoptikern am bewußtesten
und konsequentesten in den Dienst theologischer Leitgedanken gestellt wurde. Es soll im Folgenden der Versuch gemacht
werden, diese Leitgedanken, die man in formaler Hinsicht auch
als Form-Motive für die Gestaltung des Stoffes bezeichnen
kann, an einem zusammenhängenden Stück der johanneischen
Passionsgeschichte, dem Prozeß vor Pilatus Joh 18,28–19,16,
herauszuarbeiten und exegetisch zu erhärten[1]. In einem ersten
Überblick werden die Leitmotive aufgezählt, danach erfolgt
die exegetische Begründung[2].

---

[1] Zur Literatur: Grundlegend für die Arbeit sind: *E. Peterson,* Zeuge der
Wahrheit (erstmals 1937), in: Theologische Traktate, München 1956,
165–224. – *H. Schlier,* Jesus und Pilatus nach dem Johannesevangelium, in:
Die Zeit der Kirche. Exegetische Aufsätze und Vorträge, Freiburg i. Br.
1956, 56–74. – *R. Bultmann,* Das Evangelium des Johannes (Meyers
Kommentar z. NT, 11. Aufl.), Göttingen 1950. – *J. Blinzler,* Der Prozeß
Jesu, Stuttgart 1951. – Die Kommentare werden nur mit Verfassernamen
zitiert. – Weitere Lit. findet sich an der jeweiligen Stelle angegeben.

[2] Methodisch ist der Weg natürlich umgekehrt zu wählen: Zuerst ist
exegetisch der Text zu befragen, auszulegen und zu sehen, ob sich
»Leitmotive« herausarbeiten lassen, die man dann am Schluß zusammen-
fassen kann. Wir stellen das Ergebnis voran, weil dadurch der Blick auf das
vorbereitet wird, was es in der Einzelauslegung zu sehen gilt.

1. Gliederung

Wir gliedern im Gegensatz zur allgemein üblichen Aufteilung[3] den Abschnitt in sieben Szenen. Dies geschieht nicht aus Freude an der Siebenzahl, sondern um die Verspottungs- und Vorführungsszene schärfer voneinander abzuheben. Es ist richtig, daß beide Szenen eng zusammengehören. Aber einmal sind sie im Evangelium auch durch einen Ortswechsel voneinander abgehoben, sodann wird dadurch die Bedeutung, die sie je für sich haben, deutlicher erkennbar.

a) 18,28–32:   Aufriß der Szenerie. Eröffnung des Verfahrens durch eine erste Verhandlung des Pilatus mit den Juden.

b) 18,33–38a: 1. Verhandlung zwischen Jesus und Pilatus.

c) 18,38b–40:   Jesus und Barabbas (2. Verhandlung des Pilatus mit den Juden).

d) 19,1–3:   Geißelung und Verspottung Jesu.

e) 19,4–7:   3. Verhandlung des Pilatus mit den Juden.

f) 19,8–12a: 2. Verhandlung zwischen Jesus und Pilatus.

g) 19,12b–16:   4. Verhandlung des Pilatus mit den Juden, Verurteilung Jesu.

2. Die Leitmotive des johanneischen Prozesses Jesu

Johannes hat in seiner Darstellung des Prozesses vor Pilatus bestimmte Leitmotive durchgeführt. Das ist schon oft und seit langem bemerkt worden. Das bekannteste und allgemeinste ist das Motiv der Verherrlichung in der Erniedrigung. Daneben sind eine Reihe anderer zu nennen:

a) Das βασιλεύς*-Motiv*
Spielte schon bei den Synoptikern der βασιλεύς-Titel (als Messiastitel) in der Anklage und Verhandlung vor Pilatus eine

---

[3] Vgl. *Bultmann, Schlier, Wikenhauser, Schick* zu den Stellen. Dagegen *K. Kundsin,* Topologische Überlieferungsstoffe im Johannes-Evangelium, Göttingen 1925, 42.

170

entscheidende Rolle (vgl. Mk 15,2.9.12.18; Mt 27,11.29; Lk 23,2.3), so wird dieser Königs-Titel jetzt bewußt aufgegriffen und zum Mittelpunkt der Auseinandersetzung gemacht[4]. Im Zusammenhang und nach der Art, wie der Titel auftaucht, spiegelt er zugleich die Zweideutigkeit der Situation wider. Es überschneiden sich hierbei: 1. das βασιλεύς-Verständnis der Juden; 2. das des Pilatus (im Anhang an dieses); 3. das Jesu selbst.

Zugleich ist dieses Motiv der Angelpunkt, an dem die Juden selbst entscheidend in den Prozeß hineinverwickelt sind, so daß es sich nicht mehr nur um den Prozeß zwischen Pilatus und Jesus handelt. Vielmehr werden die Juden im Verlauf der Verhandlung gezwungen, sich mit ihrem eigenen Messiasverständnis und so mit dem Messiasbegriff auseinanderzusetzen, indem sie sich mit Jesus auseinandersetzen.

Sodann ist das Ganze als »Königs-Epiphanie« dargestellt:

(1) mit Königsproklamation (durch Jesus vor Pilatus),

(2) mit Königsinthronisation und Investitur (Verspottungs-szene),

(3) mit Königsepiphanie vor dem Volke (in Purpurmantel und Dornenkrone),

(4) mit Königsakklamation durch das Volk (ans Kreuz, ans Kreuz-σταύρωσον, σταύρωσον).

Dazu kommt die Rolle, die das Epiphanie-Motiv im ganzen Prozeß spielt. Man hat im allgemeinen zu wenig darauf geachtet, daß dem Prozeß nicht nur ein dynamisches Moment eignet (in der genauen Abstimmung von Rede und Gegenrede, in Aufeinanderfolge und Wechsel der Szenen), sondern auch ein stark kontemplatives Moment. Dieses tritt darin zutage, daß Jesus, äußerlich gesehen, sich völlig passiv verhält. Er selbst tut nichts, sondern läßt alles mit sich geschehen. Dennoch träfe die Bezeichnung »Passivität« die Sache nicht. Denn sobald Jesus spricht, macht sich seine Gegenwart eindringlich geltend und erscheint als das die Szene Beherr-

---

[4] βασιλεύς in der Passionsgeschichte erscheint bei Mt 4 mal, bei Mk 6 mal, bei Lk 4 mal, bei Joh dagegen 12 mal!

schende. Seine Rede ist Offenbarungsrede im streng johanneischen Sinn. So wird man den kontemplativen Zug richtig deuten, wenn man sagt, daß der Pilatus-Prozeß in der johanneischen Darstellung den Charakter der Epiphanie, des Offenbarungsgeschehens im eigentlichen Sinne hat. Es ist die Enthüllung der *Doxa* mitten in der tiefsten Erniedrigung. Selbst die Spottembleme der Königsherrlichkeit müssen dazu dienen, durch die ironische und bizarre Verzerrung hindurch die Wahrheit zu bezeugen. Dabei wird eine gewisse Steigerung erkennbar, welche die Offenbarung immer mehr hervorleuchten läßt:

– vom König der Juden-βασιλεὺς τῶν Ἰουδαίων (18,33.39; 19,3)

– zum Menschen-ἄνθρωπος (19,5)

– und schließlich zum Sohn Gottes-υἱὸς τοῦ θεοῦ (19,7).

In diesem Zusammenhang wäre auch jener Zug zu erwähnen, den *Schlier* und *Bultmann*[5] als die Auseinandersetzung mit dem Staat bezeichnen und worin sie das Entscheidende des Pilatus-Prozesses bei Johannes erblicken. Doch soll die Exegese zeigen, daß die Verhandlung mit der Überschrift: »Jesus und Pilatus« keineswegs erschöpfend oder auch nur ausreichend erfaßt ist. Man könnte ebensogut sagen: »Jesus und die Juden vor Pilatus«, oder noch richtiger: »Pilatus und die Juden vor Jesus«. Damit soll nicht geleugnet werden, daß in unserem Prozeß auch Feststellungen über die Größe »Staat« gemacht werden. Das ist aber nur ein Nebenmotiv, das in Verbindung mit dem Hauptmotiv gesehen werden muß. Insofern kommt die Auffassung *E. Petersons* der Sache näher, der an der Gerichtsverhandlung vor dem Vertreter des römischen Staates vor allem den Öffentlichkeitscharakter herausstellt, den das Zeugnis des Offenbarers als Offenbarungszeugnis überhaupt besitzt und der vor dem offiziellen Forum der Weltöffentlichkeit geltend gemacht wird[6].

---

[5] *Bultmann* vgl. S. 507, für *Schlier* seine ganze Abhandlung.
[6] *Peterson,* a. a. O. 172, 178 f., 187, 188 f. Es geht um die »staatliche Publizität eines öffentlichen Gerichtsverfahrens« (188).

b) Das Motiv der Unschuld Jesu

Dieses Motiv durchzieht die ganze Verhandlung und gibt ihr von Anfang an eine eigentümliche Schwebe. 18,29 klingt es zunächst implizit an, 18,38b; 19,4; 19,6 wird es ausdrücklich genannt. Es ist der unverwischbare und sich mächtig aufdrängende Eindruck einer wesenhaften Unschuld, der von der Person Jesu ausgeht. Unschuld und Stille gehören bei Jesus ebenso zusammen wie Haßgeschrei und grundlose Anklage bei den Juden. Durch das »Unschuldsmotiv« hängt die ganze Verhandlung gleichsam im Leeren; außer Jesus haben die beteiligten Personen keinerlei Anhaltspunkt und insofern auch keinen Halt. Haltloses ist es auch, was sie gegen Jesus vorbringen. Die »Dramatik« des johanneischen Prozesses kommt zuletzt daher. Sie ist mehr eine »innere« als eine »äußere« Dramatik.

c) Das κρίσις-Motiv

Dieses »Gericht«-Motiv ist damit von selbst gegeben, daß es sich um einen regelrechten und nunmehr ausdrücklich geführten Prozeß handelt. Nun ist aber, wie *Bultmann* und *Schlier* mit Recht betonen, bei Johannes die ganze Auseinandersetzung um Jesus unter dem Bild eines Prozesses dargestellt, »der zwischen dem christlichen Glauben und der durch die Juden repräsentierten Welt geführt wird« *(Schlier)*. Dieser Prozeß findet in diesem Verfahren seinen Abschluß, indem er die in ihm ursprünglich angelegte Tendenz zur Exekution Wirklichkeit werden läßt. Der Prozeß gelangt an sein Ende, indem der Haß gegen den Offenbarer an sein Ziel gelangt[7].

---

[7] Für *Bultmann* und *Schlier* ist der Prozeß zwischen Jesus und den Juden mit 16,11 bzw. 16,33 abgeschlossen. Dazu ist zu sagen, daß sowohl das κέκριται 16,11 wie auch das ἐγὼ νενίκηκα τὸν κόσμον 16,33 insofern vorwegnehmenden Charakter haben, als sich dies ja erst am Kreuz realisiert. Zu beachten ist weiterhin die entscheidende Beteiligung der Juden am Prozeß Jesu vor Pilatus. Daraus erhellt, daß dieser Prozeß Abschluß und Höhepunkt der gesamten, das Johannesevangelium durchziehenden Auseinandersetzung zwischen Jesus und den Juden ist. Da beiden dieser Sachverhalt entging, kamen sie notgedrungen zu der Auffassung, daß die Auseinandersetzung mit dem römischen Staat auch das theologisch Entscheidende sei.

Damit aber wird der Prozeß zur eindrucksvollsten Darstellung dessen, was im Johannesevangelium κρίσις heißt[8]. Die Vertauschung der Rollen ist eine vollständige. Jesus erscheint als Angeklagter. Er richtet niemanden. Die Juden führen den Prozeß in der Hauptsache und ziehen dabei den Prokurator mehr und mehr auf ihre Seite. Die Gegner Jesu halten also, wie sie wähnen, Gericht über Jesus. In der Tat, sie halten Gericht – aber über sich selbst (vgl. dazu 3,18; ferner 16,8–11; auch bereits 1,5).

3. Besondere Stilmittel der johanneischen Darstellung

Die im Folgenden genannten Stilmittel sind keine Motive im eigentlichen Sinn. Vielmehr dienen sie dazu, die Verschränkung der Motive stilistisch zu gestalten. Dadurch jedoch bekommen sie ebenfalls einen gewissen theologischen Akzent. Es sind zu nennen:

a) Das Stilmittel der vertauschten Rollen
Darauf wurde bereits hingewiesen. Zwar gibt es in diesem Prozeß: Ankläger – die Juden, einen Richter – Pontius Pilatus und einen Angeklagten – Jesus. Die ersteren führen scheinbar den Prozeß. In Wahrheit läuft die Sache genau umgekehrt: Der überlegene Angeklagte ist in Wahrheit Ankläger und Richter; besser: an ihm kehren sich die Anklagen und das Gericht um gegen die Ankläger selbst. Daher ist in dieser Situation fast jedes Wort paradox. Jede Handlung hat ihren Vordergrund, aber auch ihre Hintergründigkeit, die den Vordergrund aufhebt, ungültig macht und in Frage stellt. Ahnen z. B. die Juden, was sie sagen, wenn sie rufen: »Wir haben keinen König, sondern nur den Kaiser!« (19,15)? In diesem Prozeß werden für die Beurteilung der Welt, ihrer Verhältnisse und der

---

[8] Zu κρίσις F. *Büchsel* im ThWNT III, 939; 943; *R. Bultmann,* Theologie des Neuen Testaments, Tübingen 1953, 384 ff.

Geschichte neue Maßstäbe grundgelegt. – Für die Exegese ergibt sich damit methodisch, daß man hier nicht »einlinig« (z. B. historisch oder begrifflich einlinig) denken darf, sondern an der Sache mehrere, einander überschneidende, ja gegensinnig verlaufende Beziehungen zugleich erfassen muß.

b) Die Bedeutung der besonderen Umstände
Scheinbar äußerliche Nebenumstände gewinnen hier ein neues spezifisches Gewicht, z. B. die Angaben von Tag und Tageszeit. Je mehr man sich die Eigenart des johanneischen Pilatus-Prozesses vor Augen führt, um so unausweichlicher wird der Schluß, daß die chronologischen Angaben eine symbolische Bedeutung haben[9]. Oder die Tatsache, daß die Juden außerhalb des Prätoriums bleiben, während Jesus sich in dessen Innerem befindet, Pilatus also zwischen beiden Parteien hin und her wechselt. »Der Aufbau ist bestimmt durch den Wechsel der Schauplätze: ›Die Juden um des bevorstehenden Festes willen draußen vor dem Prätorium, Jesus im Innern und Pilatus zwischen der Unruhe und dem Haß der Welt und dem stillen Zeugen der Wahrheit im wörtlichsten Sinne schwankend‹ (so *Lohmeyer,* ThR NF 9 [1937] S. 197)«[10].
Nach diesen Vorüberlegungen dürfte schon hinlänglich klar geworden sein, daß es bei Johannes um wesentlich mehr und anderes geht als um einen neuen zusätzlichen historisch berichtigenden oder ergänzenden Passionsbericht. Vielmehr handelt es sich um eine eigenständig johanneische, theologisch hochbedeutsame Konzeption, die das historisch überlieferte Gut in einer selbständigen Weise bearbeitet hat.

[9] Damit ist nicht gesagt, daß ihr chronologischer Wert gleichgültig wäre, wohl aber, daß diese Frage gesonderter Behandlung bedarf, wobei der symbolische Akzent der johanneischen Chronologie in Rechnung zu stellen ist.
[10] *R. Bultmann* 501.

4. Einzelauslegung

a) 18,28–32

V.28. Jesus wird, darin stimmt Johannesevangelium mit den Synoptikern überein, von Kaiphas zum Prätorium, dem Amtssitz des römischen Prokurators zu Jerusalem, gebracht. Damit ist für die folgende Szene die Einheit des Ortes gegeben. Zugleich ist gesagt, daß der Prozeß zwischen Jesus und den Juden, dem Offenbarer und dem Kosmos, nunmehr in das Stadium öffentlich-rechtlicher Relevanz eintritt[11]. Folgt die Zeitangabe: »es war früh am Morgen« – ἦν δὲ πρωί, die an das »es war Nacht« – ἦν δὲ νύξ von 13,30 erinnert. Die Zeitangabe hat also tiefere Bedeutung: Der Tag der Hinrichtung Jesu, der Tag, an dem die Passahlämmer und das wahre Passahlamm geschlachtet werden, der Tag der Vollendung und des Sieges bricht an. Diejenigen, die Jesus zu Pilatus bringen, werden zunächst noch nicht genannt, es sind aber die »Juden«, johanneisch also die Vertreter des ungläubigen Kosmos[12]. Von ihnen werden gelegentlich unterschieden Hohenpriester und ihre Diener – οἱ ἀρχιερεῖς καὶ οἱ ὑπηρέται, so 19,6 bzw. οἱ ἀρχιερεῖς 19,15. Die Juden gehen selbst nicht in das Prätorium hinein, um sich nicht zu »bemakeln«[13]. Sie wollen am Abend das Passahlamm essen. Für Johannes steht somit fest, »daß das Paschamahl noch nicht stattgefunden hat«[14]. »Die Welt, die Jesus zu Pilatus bringt, ist eine Welt, die ihrem Gesetz anhängt.

---

[11] *Schlier* (a. a. O. 56 f.) sieht vor allem, »daß die von der Welt getroffene religiöse Entscheidung zur Realisierung im Politischen drängt, und zweitens, daß die politische Entscheidung den Abschluß der religiösen voraussetzt.« Für »politisch« hieße es richtiger: öffentlich-rechtlich.

[12] Über die »Juden« als Vertreter des ungläubigen Kosmos siehe *Bultmann,* Index, »Judentum« bzw. Ἰουδαῖοι; *W. Gutbrod* im ThWNT III, 380 f.

[13] Bestimmten Menschen, die als körperlich »befleckt« galten, war es nicht erlaubt, am Passahmahl teilzunehmen, vgl. *Fl. Josephus,* Bell. VI, 426 (zitiert bei *A. Schlatter,* Der Evangelist Johannes, wie er spricht, denkt und glaubt, Stuttgart ²1948, z. 17.); ferner *Billerbeck* II, 838 f. – Zum Ausdruck »bemakeln« vgl. *M. Buber,* Zu einer neuen Verdeutschung der Schrift. Beilage zu dem Werk »Die fünf Bücher der Weisung«, Köln 1954, 21.

[14] *Bultmann* 504 Anm. 3.

Das gilt auch gerade in bezug auf das Passahlamm... Das wahre Passahlamm erkennen die nicht, die um sein Vorbild so besorgt sind«[15]. Zugleich bestimmen die Juden ihren Standort während der Verhandlung: sie bleiben »draußen«. Nur Jesus wird in das Innere hineingeführt, ob sofort oder später, wird nicht gesagt. Der Raum entspricht auch den Äußerungen: dem Schreien-κραυγάζειν[16] der Juden draußen, und der hoheitsvollen Offenbarungsrede Jesu im Innern. Aber auch der Ort des Pilatus wird festgelegt durch den Wechsel zwischen Hinaus- und Hineingehen – ἐξῆλθεν und εἰσῆλθεν. Der wechselnde Standort bestimmt jeweils die Haltung des Prokurators. Damit sind die Positionen von Anfang an deutlich gekennzeichnet, die Szene ist aufgerollt, die Verhandlung kann beginnen.

V.29–32. Pilatus geht hinaus und stellt sogleich die vom juristischen Standpunkt aus einzig dringliche Frage: Welche Klage habt ihr gegen diesen Menschen (griechisch: *genetivus objectivus*) vorzubringen? Er hält sich auf der sachlichen Ebene. Zugleich erlaubt die Frage, zum Kern der Sache vorzudringen, und es enthüllt sich sehr bald, was daran ist. Ferner ist damit der sachliche Leitfaden gegeben. Daß Pilatus richtig angesetzt hat, zeigt die Antwort der Ankläger V.30. Die Antwort selbst ist völlig nichtssagend. Statt der Angabe eines strafwürdigen Deliktes erfolgt eine unbewiesene Behauptung: Dieser ist ein Verbrecher – κακὸν ποιῶν[17]. Man kommt also mit einer vorgefaßten Meinung zu Pilatus, das Urteil der Welt steht schon fest. Zugleich zeigt sich, daß man nichts Stichhalti-

---

[15] *Schlier,* a. a. O. 58. Ähnlich schon *Thomas v. A.:* »Sed attende impiam caecitatem, quia timebant contaminari homini gentili; sed sanguinem Dei et hominis effundere non timebant« (Ed. Turin–Rom 1952, Joh-Kommentar, Nr. 2334).

[16] *Schlier,* a. a. O. 67: »jenes dämonisch inspirierte κραυγάζειν, das ... offenbar schon die ganze Verhandlung begleitet hat.« Dazu ebd. Anm. 20.

[17] Eigentlich läge es nahe, und man hat darauf auch immer wieder hingewiesen, daß jetzt eine Anklage vorgebracht würde, etwa im Sinne von Lk 23,2, zumal 18,33 auch eine solche vorausgesetzt ist. Aber es ist für Johannes-Evangelium bezeichnend, daß sie nicht genannt oder sogar bewußt beiseite gelassen ist. Denn es soll von Anfang an deutlich sein, daß ein strafwürdiges Delikt nicht genannt werden konnte. Jesus ist wesenhaft unschuldig.

ges vorzubringen hat. Das Unschuldsmotiv klingt an, vgl. Joh 8,46: »Wer von euch kann mich einer Sünde überführen?« Das Verfahren bekommt dadurch etwas Schwebendes; es hängt völlig in der Luft[18]. Der Haß ist die Triebfeder der Ankläger. Er wird sich im Prozeß in seinen letzten Tiefen enthüllen. Pilatus kann damit nichts anfangen. Es entspricht dem Urteil, das die Juden bereits gefällt haben – nach einem Maßstab, über den Pilatus nicht verfügt –, daß er den Angeklagten an sie zurückverweisen will, sie zugleich auffordernd, nach diesem Maßstab, »nach eurem Gesetz« – κατὰ τὸν νόμον ὑμῶν – zu richten. Daß Pilatus richtig vermutet, zeigt sich erst 19,7. Daß er damit aber gerade Jesu Tod herausfordert, gehört zur inneren Paradoxie der Sache. Gewiß will er der Angelegenheit aus dem Wege gehen. Aber »es wird sehr schnell offenbar, daß es in dieser Sache und in dieser Lage ... kein Ausweichen vor der Entscheidung gibt«[19]. Die Juden dagegen ignorieren den Hinweis auf den νόμος, um später mit erhöhter Vehemenz darauf zurückzukommen. Doch müssen sie jetzt ihre wahre Absicht enthüllen: sie wollen Jesu Tod, und wie die Tatsache, daß sie zum römischen Gericht kommen, zeigt, den Kreuzestod[20]. Ihr Vorentscheid, mit dem sie zu Pilatus kommen, ist der Vorentscheid zum Tode Jesu, vgl. Joh 11,47–53. Der Hinweis V.32 besagt ein Mehrfaches: a) Er erinnert an die Aussagen Jesu von der »Erhöhung« des Menschensohnes: 3,14; 8,28; 12,32.34. Die Stunde der »Erhöhung«, d. i. der Kreuzigung und Verherrlichung in einem, ist gekommen. In dieser Doppeldeutigkeit beruht der hier erwähnte Zeichen-Charakter

---

[18] Vgl. hierzu *Schlier*, a. a. O. 58. An dieser Stelle wird auch deutlich, warum Johannesevangelium keine eigentliche Verhandlung vor dem Synedrium kennt. Sie ist nicht deswegen ausgelassen, weil ihre Kenntnis auf Grund der Synoptiker vorausgesetzt werden konnte, zumindest ist das nicht der ausschlaggebende Grund. Sie ist vielmehr ausgelassen, weil sie innerhalb der johanneischen Gesamtkonzeption keinen rechten Ort hat. Vgl. dazu Joh 18,19–21. Ferner den kurzen Kommentar zu dieser Stelle bei *E. Sjöberg*, Der verborgene Menschensohn in den Evangelien, Lund 1955, 204.

[19] *Schlier* a. a. O. 59.

[20] So schon *Thomas v. A.*, Nr. 2341: »sed volebant eum mortem turpissimam condemnare«.

(σημαίνων). b) Er ist ein Hinweis, daß Jesus das, was jetzt geschieht, vorausgewußt hat. Es überkommt ihn nicht als blindes Schicksal, sondern als das vom Vater zugewiesene Geschick. c) Er ist deshalb auch ein Hinweis auf die Freiwilligkeit Jesu (vgl. 10,18).

b) 18,33–38a

Nun wendet sich der Prokurator von den Juden ab, geht in das Innere des Prätoriums hinein, läßt Jesus vorführen und wendet sich direkt an ihn[21], *V.33.* Seine Frage lautet: Bist du der König der Juden? – σὺ εἶ ὁ βασιλεὺς τῶν Ἰουδαίων; Damit fällt das Stichwort, das nunmehr im Mittelpunkt der Auseinandersetzung stehen wird. Die Frage findet sich gleichlautend in allen vier Evangelien: Mk 15,2; Mt 27,11; Lk 23,2; desgleichen die Antwort: Du sagst es – σὺ λέγεις (ibid.) hier: 18,37. Bei Johannes findet sich zwischen der Frage V.33 und der Antwort V.37b (d. h. dem Teil der Antwort, den Johannes mit den Synoptikern gemeinsam hat), der große Einschub V.34–36, und im Anschluß an V.37b die Erweiterung und Ausdeutung dieser Antwort. Wenn es auch zu weit geht, V.34–36. 37b–c als johanneisches Produkt anzusehen, so muß man doch zugeben, daß diese Verse ganz im Stile johanneischen Offenbarungsrede gehalten sind.

Johannes hat also das Stichwort vom »König der Juden« der Tradition entnommen[22], entfaltet aber in besonderer Weise seinen Gehalt. Die Frage zeigt, daß Pilatus die Anklage von den Juden übernommen hat (vgl. auch V.34–35). Sie setzt also eine ähnliche Anklage voraus, wie sie etwa Lk 23,2 erfolgt[23].

---

[21] Nach *M.-J. Lagrange,* Evangile selon S. Jean, Paris [7]1948, zur Stelle will Pilatus Jesus allein befragen »afin qu'il parle plus librement«. Das kann vielleicht für Pilatus ein Anlaß gewesen sein, ist hier aber nicht entscheidend. Wichtig ist die Herstellung des Raumes, in dem das Zeugnis Jesu erfolgt.

[22] So mit Recht *Lagrange* und *Bultmann* zur Stelle.

[23] Auf die verhältnismäßig engen Beziehungen zwischen johanneischen und lukanischem Prozeß-Bericht kann hier nicht näher eingegangen werden. Ob beiden eine gemeinsame Tradition zugrundeliegt? Die Frage drängt sich jedenfalls auf.

Damit ist die Frage nach dem Messiasbegriff und dem Messiasverständnis gestellt. Vorausgesetzt wird im Sinne der Anklage das politische Messiasverständnis. Dem Messias-Begriff gegenüber hatte Jesus »selber immer eine eigenartige Zurückhaltung an den Tag gelegt, ohne ihn allerdings völlig zurückzuweisen«[24]. Diese Zurückhaltung läßt sich auch hier erkennen. *V.34:* Jesus entgegnet darauf mit einer Gegenfrage, antwortet also nicht direkt mit Ja oder Nein. Das ist sachlich zu verstehen: er kann auf die Vorstellungen, die Pilatus mit dem Begriff verbindet, nicht ohne weiteres eingehen. Vielmehr muß er zuerst den Raum freimachen und klären, damit eine Antwort erfolgen kann. Darin, daß nun Jesus der Fragende ist, liegt auch ein leiser Hinweis, wer hier eigentlich im Letzten die Verhandlung führt. *V.35* antwortet Pilatus ebenfalls mit einer Gegenfrage. Er ist kein Jude, daher ist er nicht von selbst auf die Anklage gekommen. Er stellt die Frage nicht ἀφ᾽ ἑαυτοῦ aus eigener Initiative. Er ist von den Juden beeinflußt und also auch in etwa bereits von ihnen abhängig. Doch zeigt er sich um eine sachliche Prozeßführung bemüht, wie seine Frage: Was hast du getan? beweist. Pilatus will sich nicht vom Begriff abhängig machen, sondern sucht nach einem greifbaren juristischen Tatbestand. Im Verfolg der Frage muß er zur Überzeugung von Jesu Unschuld gelangen.

V.36. Nun kann Jesus sein βασιλεύς-Verständnis offenbaren. Seine Worte haben den Stil johanneischen Offenbarungsrede und bilden hier eine Art *feierlicher Proklamation seines Königtums.* Diese Proklamation stellt den inneren Höhepunkt des Prozesses dar. Sie erfolgt in aller Klarheit, zu einer Stunde, da Jesus weiß, daß seine irdische Laufbahn am Kreuz enden wird. *Von dieser Stunde an und in dieser Perspektive sind keine Mißverständnisse mehr zu befürchten.* Hier findet das Problem

---

[24] *O. Cullmann,* Christologie des Neuen Testaments. Tübingen 1957, 113. Gegenüber den Extremen einer entschiedenen Leugnung jedes messianischen Selbstverständnisses im Munde Jesu und einer allzu naiven Bejahung scheint Cullman mit dieser Formel den ntl. Sachverhalt gut getroffen zu haben.

des »Messiasgeheimnisses« seine Lösung. Jesu Wort ist Offenbarungsrede, daher Zeugnis – μαρτυρία[25]. Die μαρτυρία gliedert sich in zwei Teile, die durch die Zwischenfrage des Pilatus getrennt sind, sachlich aber zusammengehören[26]. Der erste Teil spricht von Jesu βασιλεία, ihrem Ursprung und ihrer Art, in abgrenzender Weise. Königsherrschaft – βασιλεία ist eschatologisch zu verstehen, freilich im Sinne der johanneischen Eschatologie, als jene eschatologische Größe, die ihren Anspruch in Jesu Gegenwart geltend macht[27]. Als solche ist sie nicht von dieser Welt – ἐκ τοῦ κόσμου τούτου, ihr Ursprung liegt in der göttlichen Sphäre, in Gott. Ihre völlige Andersartigkeit wird an einem konkreten Zug verdeutlicht, den selbst der mit den Dingen der Macht vertraute Römer begreifen kann: Sie zwingt sich nicht mit welthaften Machtmitteln auf und läßt sich mit diesen auch nicht halten. Ihr König hat keine Diener, die mit Waffen für ihn kämpfen[28]. Dennoch ragt sie in die irdische Sphäre herein und hört nicht auf, hier ihren Anspruch zu erheben[29]. Das paradoxe Verhältnis zwischen diesem

[25] *Peterson,* a. a. O. 178 f. macht mit Recht darauf aufmerksam, daß es ein Bekenntnis und kein Geständnis ist, »ein Bekenntnis, in dem sich der Öffentlichkeitsanspruch der Herrschaft Christi anmeldet«.

[26] Vgl. *Schlier,* a. a. O. 61.

[27] *Bultmann* S. 506: »Sie ist im johanneischen Sinn eine eschatologische Größe.« *Peterson,* a. a. O. 211: »Jesu Reich ist nicht aus diesem Kosmos, weil es nicht an den gegenwärtigen, sondern an den zukünftigen Äon gebunden ist. Man kann das Königtum Christi nicht von dem eschatologischen Charakter des Evangeliums ablösen.« Dagegen lehnen *A. Wikenhauser* (Das Ev nach Joh, Regensburg [2]1957) und *F. Büchsel* (Das Ev nach Joh, Göttingen [4]1946) wegen der Gegenwärtigkeit das eschatologische Verständnis ab. Aber beides bedeutet für das johanneische Denken keinen Widerspruch, ganz im Gegenteil.

[28] *Thomas v. A.* Nr. 2353: Qui habet regnum terrenum sive iuste sive violenter, oportet quod habeat socios et ministros, per quos in potestate fulciatur. Cuius ratio est, quia non est potens per se ipsum, sed per ministros suos ... Sed rex supernus, quia potens est per se ipsum, servis suis potentiam tribuit, ideo non indiget ad regnum suum ministros.

[29] *Schlier* verweist an dieser Stelle auf *Augustinus,* Tract. in Ioann. 115, 2: »Non ait: nunc autem regnum meum non est hic, sed non est *hinc*« (a. a. O. 62, Anm. 12). Ähnlich auch *Thomas v. A.* Nr. 2350, der in diesem Zusammenhang die Meinung der Manichäer erwähnt, die diesen Satz falsch verstanden hätten, indem sie behaupteten, es gäbe zwei Götter und zwei

Anspruch und der Situation dessen, der ihn erhebt, springt in die Augen. Es wäre nun falsch, würde man Jesu βασιλεία schlechtweg als »unpolitisch« bezeichnen. Gerade ihr nichtwelthafter Charakter ist es, durch den sie auch die politische Sphäre an ihrer Wurzel tangiert und in Frage stellt. Eine andere Auffassung liefe darauf hinaus, daß man den authentischen Herrschaftscharakter der Königsherrschaft Jesu leugnete.

V.37: Pilatus muß den Worten Jesu entnehmen, daß er ein König ist und will sich dessen noch einmal vergewissern. Der Sinn der Frage ist: Du erhebst wirklich den Anspruch, ein König zu sein? Ihre Form mit »also« – οὐκοῦν κτλ, unterstreicht das Ungewohnte. Jesus bestätigt die Frage und zeigt, daß er sich als Messiaskönig versteht. Er ist der König der Endzeit, und zwar in solcher Weise, wie er es jetzt von sich sagt. Er bezeichnet es als das Ziel und den Inhalt seines Geboren- und Gekommenseins, daß er für die Wahrheit Zeuge sei. Jesus spricht sich damit über Sinn und Zweck seiner Sendung aus. Mit »daß ich für die Wahrheit Zeugnis ablege« – ἵνα μαρτυρήσω τῇ ἀληθείᾳ[30] sind in johanneischer Terminologie Tatsache und Weise der Offenbarung ausgedrückt. Jesus ist der Zeuge der göttlichen Wirklichkeit, der Offenbarer Gottes in der Welt. In seinem Wort und Zeugnis tut sich Gottes Anspruch an den Menschen kund. König ist Jesus als der Offenbarer, weil er ganz aus der Wahrheit ist und sie mitteilt. Er braucht dazu kein anderes Emblem. Wer aber gehört zu seiner βασιλεία? »Jeder, der aus der Wahrheit ist, hört auf meine Stimme.« »Wer aber ist aus der Wahrheit? ... Der Möglichkeit und der

Reiche: das Lichtreich und das Reich der Finsternis (den Kosmos). Damit hat Thomas mit sicherem Gespür jene geistesgeschichtliche Grundströmung erkannt, die überall dort wirksam ist, wo man prinzipiell jeden welthaften Anspruch der Königsherrschaft Christi bestreitet.

[30] Zu μαρτυρεῖν siehe *H. Strathmann* im ThWNT IV, 502 f. »Zeugensein« und »Gekommensein« hängen eines am anderen. Ἀλήθεια = »die sich offenbarende göttliche Wirklichkeit« (*R. Bultmann* im ThWNT I, 246, 34 f.), und zwar sofern sie im Zeugnis des Offenbarers ihren Anspruch an den Menschen geltend macht. Das Zeugnis hat »Wahrheit« zum Inhalt und ist die Form, wie Wahrheit sich dem Menschen offenbarend erschließt. Zeugnis und Wahrheit gehören hier also ganz wesentlich zusammen.

Be-stimmung nach alle Menschen. In Wirklichkeit aber und der Entscheidung nach sind es nur die, die ihren neuen Ursprung, Jesus und die Wahrheit, erkennen und annehmen«[31]. Jesus hat also sein Königtum und sich selbst als König bezeugt. Das Zeugnis hat zugleich klargemacht, worum es in diesem Verfahren geht, nämlich um diesen Anspruch Jesu, König zu sein als der Wahrheitszeuge. Damit ist der innere Kern des Prozesses freigelegt: es ist der Prozeß des Kosmos gegen die Offenbarung. Dem Zeugen der göttlichen Wirklichkeit wird von der Welt der Prozeß gemacht!

Der Anspruch des Wahrheitszeugen richtet sich auch an den Vertreter des Staates, den Prokurator. Dieser selbst ist nun in die Entscheidung gestellt. Er kann den Prozeß nur dann richtig, d. h. gerecht zu Ende führen, wenn er seine Rolle als überlegener, neutraler, tolerant sich gebender Richter, der zum »Fall Jesus« Stellung nehmen soll, aufgibt und sich dem religiösen Anspruch der ἀλήθεια beugt. Weicht er hier aus, dann ist der Prozeß im Prinzip negativ entschieden. Folgt *V. 38* die berühmte Frage: Was ist Wahrheit? Sie bedeutet sachlich: 1. daß Pilatus ein Wissen um Wahrheit nicht hat, 2. daß er dem Anspruch der Wahrheit ausweicht, die Entscheidung vertagt. Er flüchtet sich in die Entscheidungslosigkeit. Diese Entscheidungslosigkeit bezeichnet genau die Stellung, die der Prokurator in der johanneischen Darstellung einnimmt und die ihn nach und nach zum gefügigen Werkzeug der Juden macht. Hier, an diesem Punkt, entscheidet sich der Ausgang des Verfahrens[32].

c) 18,38b–40

Die Barabbas-Szene wird hier nur soweit behandelt, als auch sie in die theologische Konzeption der johanneischen Darstellung eingeordnet ist. Im Vergleich mit der synoptischen

[31] *Schlier* a. a. O. 64.
[32] Dies scheint *Bultmann* nicht genügend deutlich gesehen zu haben. Nach ihm wäre »Neutralität« die richtige Einstellung des Pilatus (des Staates) gegenüber dem Anspruch des Wahrheitszeugen. Die ganze Auffassung

Darstellung (Mk 15,6–15; Mt 27,15–26; und vor allem Lk 23,18–25) scheint die Szene bei Johannes merklich kürzer. Die Kürzung ist aber bei Johannes zugleich eine Verdichtung, eine Reduktion auf das für Johannes Wesentliche. Wie es zu diesem Vorgang kam, wird nicht näher berichtet. Er wird lediglich motiviert durch den Hinweis, es handle sich um eine Gewohnheit, wobei die historische Frage hier außer Betracht bleiben kann. Dagegen ist für das johanneische Verständnis wichtig, daß sie durch eine Unschuldserklärung des Prokurators eingeleitet wird. Dazu kommt das zweimalige ἀπολύσω, das die Absicht des Pilatus, Jesus freigeben zu wollen, ausdrückt. Schließlich die Gegenüberstellung: König der Juden – Räuber (βασιλεὺς τῶν Ἰουδαίων – λῃστής). So ist als Leitmotiv dieser Szene bei Johannes das Unschuldsmotiv deutlich zu erkennen. Das Verhör ist zu Ende. Die Frage: »Was hast du getan?« hatte kein juristisch greifbares Ergebnis gezeitigt. Pilatus hätte nun Jesus unverzüglich freigeben müssen, und er hätte es gekonnt, wenn er sich dem Anspruch Jesu gebeugt hätte. Er wendet sich indessen an die Juden, um ihnen das Ergebnis mitzuteilen: »Ich finde keinerlei Schuld an ihm« (V.38b). Doch warum läßt Pilatus Jesus nicht frei? Weil er auf die Entscheidung verzichtet hat. Das erhellt aus der Tatsache, daß er sich jetzt an die Juden wendet und die Entscheidung diesen anheimstellt. Sogar im Stil macht sich das bemerkbar, indem die 2. Person Plural bestimmend hervortritt: Es besteht bei euch der Brauch, daß ich ... euch freigebe, wollt ihr also, daß ich euch freigebe ...? – ἔστιν δὲ συνήθεια ὑμῖν, ἵνα ... ἀπολύσω ὑμῖν, βούλεσθε οἶν ἀπολύσω ὑμῖν. Diese Häufung von »euch« und »ihr« zeigt deutlicher als alles andere den wahren Sachverhalt. Die Juden sollen darüber befinden, was mit Jesus zu geschehen habe. Gewiß möchte Pilatus Jesus freibekommen; aber das Mittel, zu dem er greift, ist von zweifelhafter Wirkung. Dazu kommt die aufreizende, von Pilatus offenbar ironisch gemeinte Frage,

---

Bultmanns krankt daran, daß er einen bestimmten modernen Staatsbegriff in die Exegese einführt und an diesem das Verhalten des Pilatus bemißt. Anders dagegen *Schlier*, a. a. O. 65.

durch die allerdings wieder der Messiasbegriff in den Mittelpunkt der Auseinandersetzung gerückt wird. Die Juden müssen entscheiden, wie sie zum »Judenkönig« Jesus, damit
zugleich zum Messiasbegriff überhaupt, stehen. Das ist die
andere Seite der Sache. Die Reaktion auf das Ansinnen des
Pilatus ist der entschlossene Gegenschrei[33] des Kosmos: Nicht
diesen, sondern Barabbas! – μὴ τοῦτον, ἀλλὰ τὸν Βαραββᾶν.
Mit der lapidaren und eindrucksvollen Bemerkung: Barabbas
aber war ein Räuber – ἦν δὲ ὁ Βαραββᾶς λῃστής[34] schließt der
Evangelist die Szene.

Es ist deutlich, in welcher Hinsicht Johannes den Bericht
verdichtet hat: neben dem Unschulds-Motiv beherrscht das
βασιλεύς-Motiv die Gestaltung. Die Juden verwerfen den
Messiaskönig Jesus als Messias und ziehen ihm den politisch-
messianischen Bandenführer vor. Der im Sinne der Anklage
notorische politische Verbrecher, der das Kreuz verdient hätte,
wird frei, der unschuldige Wahrheitszeuge und religiöse Messias wird gekreuzigt (vgl. hierzu auch Joh 10,1; 5,41–47 bes.
V.43). Vielleicht standen dem Evangelisten die Bilder des
jüdischen Krieges vor Augen, oder auch der Gedanke: wer sich
dem wahren König versagt, wird dafür einen Verbrecher zum
König haben.

d) 19,1–3

Auch hier ist der wesentliche Gesichtspunkt die Frage nach
dem besonderen johanneischen Akzent der Stelle. Im Unterschied zu den Synoptikern hat Johannes den Bericht in das

---

[33] Κραυγάζειν: vgl. dazu *W. Grundmann* im ThWNT III, 900 ff. Bei Johannes
als Antwort auf die Erscheinung Jesu: 12, 13 als Jubelruf der Menge beim
Einzug in Jerusalem, 18,40; 19,6.12.15 als Geschrei der Juden im Prozeß
Jesu. Beide Male offenbar als Antwort darauf, was die Erscheinung Jesu an
Zustimmung oder an Ablehnung in den Menschen spontan hervorruft.

[34] Λῃστής: vgl. *H. Rengstorf* im ThWNT IV, 262 ff. Josephus beschreibt damit
die zelotische Bewegung, als illegale und noch dazu bewaffnete politische
Richtung; die Römer sehen darin politische Verbrecher (S. 264); unverkennbar ist die Beziehung von λῃστής zum Messianismus Mt 26,55 par. Wer
den königlichen Anspruch Jesu ablehnt, stellt ihn neben die zelotischen
Bandenführer. Das ist nach Rengstorf vor allem auch der Sinn der
Barabbas-Szene (S. 267).

Prozeßverfahren eingebaut. Der innere Schwerpunkt der Szene liegt bei Johannes wieder im βασιλεύς-Motiv[35]. Auch das Stil-Element der »vertauschten Rollen«, des Paradoxon wird hier und im Folgenden kräftig verwendet. Pilatus läßt Jesus geißeln, und wieder bietet sich, um den Sinn der Maßnahme zu erläutern. Lk 23,16 an. Er will den Juden entgegenkommen und hofft zugleich, Jesus damit vor dem Ärgsten bewahren zu können. Juristisch handelt es sich freilich um eine Kompetenzüberschreitung und eine Willkürmaßnahme, zu der *Thomas v. A.* bemerkt, daß die Ungerechtigkeit dadurch nicht geringer wird, daß sie um der Erreichung eines guten Zieles willen geschah[36].

In der Verspottungsszene stimmt Johannes vor allem mit Mk 15,16–19 (par. Mt 17,27–30) überein; nicht erwähnt ist das Rohr, mit dem man Jesus schlägt und das bei Matthäus zum Zepter gegeworden ist. Jesus wird, dies ist der Sinn der Szene bei Johannes, *als König investiert und inthronisiert, um die erste Huldigung entgegenzunehmen.* Die trefflichste Erklärung findet sich im Johannes-Kommentar des Aquinaten, der sagt: »Sie erwiesen ihm falsche Ehren, indem sie ihn König nannten; dadurch spielten sie auf die Anklage der Juden an, die gesagt hatten, er habe sich selbst zum König der Juden gemacht. Und darum erwiesen sie ihm dreifache Königsehre, aber falsche: 1. durch eine Spottkrone, 2. durch ein Spottgewand, 3. durch einen spöttischen Gruß. Denn damals war es wie auch heute noch Gewohnheit, daß jene die zum König kamen, ihn grüßten. Backenstreiche aber gaben sie ihm, um dadurch anzuzeigen, daß es spöttisch gemeint war, daß sie ihm solche Ehre erwiesen«[37]. Jesus empfängt die Insignien seiner Königswürde:

---

[35] »Alle Züge« sagt *Blinzler* (Prozeß Jesu 95) mit Recht, »begreifen sich aus der konreten Situation« – und am allereinfachsten aus der Situation, wie sie Johannes berichtet – »aus dem Königsanspruch Jesu einerseits, und der Mentalität der Soldateska andererseits, so daß die von den Gelehrten herangezogenen Parallelen aus dem Mimus, dem römischen Saturnalien- oder dem persischen Sakäenfest überflüssig sind«.

[36] Joh-Komm. Nr. 2370.

[37] A.a.O. Nr. 2373–2378.

Dornenkrone und Purpurgewand und nimmt die erste Huldigung entgegen: Heil dir, König der Juden! – χαῖρε ὁ βασιλεὺς τῶν Ἰουδαίων. Mit einem Wort: So erscheint Jesu Königtum und Königsanspruch in den Augen der Welt.

e) 19,4–7

V.4. Pilatus führt den Juden Jesus vor. Nach der johanneischen Darstellung war Jesus während der Entscheidung: Jesus-Barabbas offenbar im Innern des Prätoriums verblieben. Die jetzt erfolgende Vorführung steht in engstem Zusammenhang mit der vorangehenden Szene. Das gilt, was meist zu wenig beachtet wird, auch in sachlicher Hinsicht: *Der in V.1–3 investierte und inthronisierte König wird dem Volke vorgestellt.* Man muß daher den Vorgang im Sinne einer *Praesentatio,* einer regelrechten Königs-Epiphanie verstehen. Freilich erreicht das Paradoxon dabei seinen Höhepunkt: Wohl nie hat ein König eine solche *Praesentatio* und eine solche Begrüßung durch sein Volk erlebt. Der Vorgang wird durch die Worte des Prokurators: Seht, ich bringe ihn zu euch heraus – ἴδε ἄγω ὑμῖν αὐτὸν ἔξω eingeleitet, die eine gewisse feierliche Erwartung erregen. Sie künden die Erscheinung Jesu der wartenden Menge an. Auch wird der Zweck angegeben, womit zugleich die *2. Unschuldserklärung* verbunden ist. Pilatus will also mit der Vorführung zeigen, daß er ihn für unschuldig hält. Der Angeklagte ist kein politisch-messianischer Kronprätendent. Es soll also nicht an das Mitleid appelliert, sondern die Gegenstandslosigkeit der Anklage dargetan werden. Aber er führt ihn, wie der Evangelist ausdrücklich hervorhebt, als Spottkönig vor. In keinem Moment der Verhandlung kann man vergessen, daß derjenige, der kein politischer Messias ist, damit nicht aufhört, der wahre Messiaskönig und Wahrheitszeuge zu sein. Und so steigert sich die neue Situation zu einem Höhepunkt der johanneischen Darstellung.

V.5. Man kann dem Bericht an dieser Stelle eine gewisse feierliche Verhaltenheit nicht absprechen. Der Zeuge der Wahrheit und wahre König der Juden erscheint vor der Welt.

Er trägt die Insignien eines Königs. Er ist »Karikatur eines Königs« *(Bultmann)* – und dennoch der wahre König der Welt. Die Szene hat deutlich den Charakter einer Königsepiphanie. Auch die Präsentationsformel ist nicht vergessen. Pilatus stellt den König vor mit den Worten: ἰδοὺ ὁ ἄνθρωπος, ein Wort, das kaum angemessen zu übersetzen ist. Was ist damit gemeint? Wohl nicht: Da habt ihr diesen Menschen. Man wird zunächst ausgehen müssen von der vordergründigen Erscheinung Jesu, wie er in der Elendsgestalt vor den Blicken seiner Gegner erscheint. Ob man hier an Jesaja 53 denken darf (bes. Jes 53,2)? »In der Tat, solch ein Mensch ist es, der behauptet, der König der Wahrheit zu sein. Das ὁ λόγος σὰρξ ἐγένετο [das Wort ist Fleisch geworden] ist in seiner extremsten Konsequenz sichtbar geworden.«[38] Oder liegt darin eine Reminiszenz an den Menschensohn-Titel[39]? Jedenfalls hat die Formel nach dem Verständnis der Evangelisten hintergründigen Sinn, und wie sie hier erscheint, will sie offenbar noch die βασιλεύς-Formel überbieten. Ein höherer Titel als der Messias-Titel könnte zunächst nur der Menschensohn-Titel sein.

V.6. Und wie dem König bei seinem Erscheinen vor dem Volke *die Akklamation* als freudige Begrüßung entgegenschallt, so wird auch hier der König von seinem Volke begrüßt, aber wie! »Ans Kreuz! Ans Kreuz!« so rufen die Juden spontan, als sie seiner ansichtig werden. Sie sind nicht nur gegen diesen König, sondern auch gegen diesen Menschen, d. h. sie beweisen ihre

---

[38] *Bultmann* zur Stelle.

[39] Der Gedanke, daß hinter der ἄνθρωπος-Formel die Menschensohn-Vorstellung stehen könnte, ist, soweit zu sehen, bisher noch kaum vertreten. *S. Schulz,* Untersuchungen zur Menschensohn-Christologie im Johannes-Evangelium, Göttingen 1957, hat keinen diesbezüglichen Hinweis. Auch *O. Cullmann,* Christologie, erwähnt diese Stelle nicht. Es ist zu fragen, woher gerade bei Johannes an dieser Stelle die Bezeichnung »Mensch« auftaucht. An philanthropische Anwandlungen bei Pilatus zu denken, scheint nicht zu genügen. Nimmt man hinzu, daß es nach Johannes der Menschensohn ist, dem das Gericht übergeben ist (5,27), dann liegt es nahe, hier eine Anspielung auf den Menschensohn-Titel zu erblicken. Dann ist es diese Jammergestalt, vor der sich heimlich das Gericht vollzieht. Dazu, daß die Niedrigkeit zum johanneischen Menschensohnbegriff gehört, vgl. *P. Feine,* Theologie des NT, Berlin [8]1953, 62f.

»Unmenschlichkeit« *(Schlier)*, d. h. aber, sie enthüllen, wie der Mensch in der Sünde auf den Anspruch Gottes, soferne er in Menschengestalt dem sündigen Menschen begegnet, reagiert. Wie sich in der Auslegung zeigte, steht für die johanneische Darstellung des Prozesses vor Pilatus das βασιλεύς-Motiv beherrschend im Mittelpunkt, so daß sich der Schluß nahelegt, daß das johanneische Messias-Verständnis in diesem Text seine prägnanteste und konsequenteste Ausprägung gefunden hat. »Es gibt keine Stelle im NT«, sagt *Büchsel* von 18,36–37 – aber das gilt vom ganzen Pilatus-Prozeß –, »die so einfach und anfaßlich das Königtum Jesu verdeutlichte«. Wir gehen noch einen Schritt weiter und wagen die Hypothese, daß Johannes den Prozeß in seinen Höhepunkten: 18,36–37; 19,2–3; 19,4–5 zu einer Königsepiphanie[40] ausgestaltet hat, wie oben (unter 2a) dargelegt wurde.

Pilatus zeigt sich in V.6b von der heftigen Reaktion der Juden irritiert. Nach dieser Prozedur hatte er offenbar mit einem solchen Widerstand nicht gerechnet. Nur so lassen sich seine Worte erklären[41], denn nach 18,31 f. ist es klar, daß es sich nicht

---

[40] Zum Ritual der Königskrönung vgl. *E. Eichmann,* Die Kaiserkrönung im Abendland, Bd. I, Würzburg 1942, 11 f.: »Aus den Königsbüchern der Bibel ist ersichtlich, daß der Akt des Regierungsantrittes des israelitischen Königs sich aus vier Bestandteilen zusammensetzt: 1. Der König wird vom Oberpriester oder Propheten im Tempel gesalbt; 2. Dem König werden Diadem, Szepter (Ring?) und Armspangen als Zeichen seiner Würde angelegt; 3. Das Volk huldigt dem neuen König mit dem Ruf: es lebe der König N.; 4. Der König besteigt den Thron und ergreift so von seinem Amte Besitz.« Dazu Anm. 22: »Erst die Seleukiden trugen außer Diadem und Fingerring einen besonderen Mantel.« Ferner vgl. *H. Greßmann,* Altorientalische Texte und Bilder zum Alten Testament, Berlin–Leipzig 1926, I, 322 f., wo in einem Text von der Krönung und Huldigung eines assyrischen König berichtet wird. – Die Arbeit von *Eichmann* zeigt übrigens deutlich, daß sich das vom Orient herkommende Königs-Ritual mit geringfügigen Abwandlungen bis zur abendl. Kaiserkrönung durchgehalten hat.

[41] Manche wollen hier ein ernsthaftes Angebot des Pilatus an die Juden erblicken, so *Schlier:* »Er gibt ihnen soweit nach, daß er ihnen die Kreuzigung erlaubt« (a. a. O. 68), ähnlich *Schlatter* zur Stelle. Dagegen *Blinzler,* Prozeß Jesu 96: »Natürlich will er nicht im Ernst den Juden die Befugnis zur Kreuzigung übertragen.« So auch *Lagrange, Bultmann, Schick* zur Stelle.

um ein ernsthaftes Angebot des Pilatus an die Juden handeln kann. Ferner steht fest, daß Pilatus Jesus für unschuldig hält und deshalb die Verurteilung umgehen will. Da er sich von Anfang an die Sache vom Halse schaffen wollte und sich in die Situation der Entscheidungslosigkeit gebracht hatte, bedeutet das Wort wahrscheinlich: »Nehmt ihn doch und macht mit ihm, was ihr wollt.« Ratlosigkeit und Ärger angesichts seiner mißglückten Bemühungen veranlassen den Prokurator zu dieser Äußerung. Zugleich erfolgt die *3. Unschuldserklärung:* Ich finde keinen Grund, ihn schuldig zu sprechen – ἐγὼ γὰρ οὐχ εὑρίσκω ἐν αὐτῷ αἰτίαν. *V.7:* Die Antwort der Juden ist die 18,31–32 heuchlerisch umschwiegene, jetzt aber unverhüllt zu Tage tretende Berufung auf den νόμος. »Wir haben ein Gesetz...« »Die Anklage der Welt gegen Jesus, die politisch verbrämt war, gibt sich jetzt als eine grundreligiöse zu erkennen«[42]. Daß die Juden »das Gesetz« haben, ist auch für Johannes anerkannte Tatsache. Sie berufen sich auf »ihr« Gesetz: 7,49; 12,34; 18,28. Doch gehört der νόμος für Johannes zum Kosmos, und zwar von dem Augenblick an, wo man sich auf ihn beruft, um seine Stellungnahme gegen den Offenbarer »religiös« zu begründen. Das aber geschieht hier. Die Juden berufen sich auf den νόμος, um ihre Forderung von Jesu Tod zu begründen. Und es liegt in der Logik dieses Gesetzes: Er muß sterben, weil er sich zum Sohn Gottes gemacht hat – ὀφείλει ἀποθανεῖν, ὅτι υἱὸν θεοῦ ἑαυτὸν ἐποίησεν. M. a. W.: der νόμος bringt dem Gottessohn den Tod. Sachlich sind es die Strafen gegen den Gotteslästerer, auf die sie sich berufen. Doch hat diese Berufung zur Folge, daß deutlich wird: Frömmigkeit, wie sie die Juden (der Kosmos) von ihrem Gesetz her verstehen, steht gegen den Anspruch der Offenbarung Gottes in Jesus[43]. »Sohn Gottes« ist an dieser Stelle im vollen johanneischen Sinn zu nehmen[44]. Dann zeigt

---

[42] *Schlier,* a. a. O. 68.

[43] Vgl. *Schlier,* a. a. O. 68, der *Origenes* zitiert: »Origenes weist darauf hin, daß sich jetzt zum ersten Mal Joh 16,2: es kommt die Stunde, da jeder, der euch tötet, meint, Gott einen Dienst zu tun, erfüllt.«

sich aber deutlich, daß Johannes hier mit einer Steigerung
arbeitet:

(1) Zunächst wird von den Juden abgelehnt der βασιλεὺς τῶν
Ἰουδαίων (18,40), also der jüdische Messias.

(2) Sodann wird abgelehnt ὁ ἄνθρωπος (der Mensch, vermutlich der Menschensohn; das würde gegenüber dem national-jü-
disch gefärbten Messiasbegriff eine Universalisierung bedeuten, selbst wenn unsere Deutung von ἄνθρωπος = Menschensohn nicht zuträfe).

(3) Jetzt, 19,7, wird abgelehnt der υἱὸς τοῦ θεοῦ, – also der
Sohn Gottes. Die Steigerung deutet zugleich an, wie die Schuld
der Juden von Mal zu Mal wächst.

f) 19,8–12a

Das letzte Argument, das die Juden ins Feld führten, hatte
blitzartig die Abgründe freigelegt, aus welchen ihr Vorgehen
gegen Jesus kam: den Haß gegen den Offenbarer, gegen Gottes
Sohn. Dieser Haß hatte sich auf das von Gott gegebene Gesetz
berufen. Das Argument ist paradox: man beruft sich auf den
Gott, den man zu haben wähnt, um den Gott, der den
Menschen haben will, abzulehnen. Damit ist der Sinn des
Gesetzes in sein Gegenteil verkehrt: aus dem Gesetz ist das
Gesetz des Kosmos geworden.

V.8. Das Argument verfehlt den Eindruck auf Pilatus nicht.
»Er fürchtete sich noch mehr.« Damit fällt neues Licht auf das
Verhalten des Prokurators. Es wird gesagt, daß ihn bisher schon
Angst befallen hatte. Die Angst saß an der Wurzel seiner
Unentschiedenheit; die Sache war ihm von Anfang an nicht
geheuer. Und da er verschmäht hatte, im Lichte der offenbaren
Wahrheit seinen Halt zu suchen, mußte notgedrungen die
Angst um sich selbst und seine Existenz (im metaphysischen
und empirischen Sinne) in der entstandenen Leere Platz
gewinnen. Der Eindruck des Ungeheuerlichen hatte sich

---

[44] Wenn *Lagrange* meint: »On voit ici, que sans le moindre artifice Jo. retrouve
le motif de la condamnation à mort d'après les synoptiques«, so sind dagegen
doch methodische Bedenken zu erheben.

Pilatus schon aufgedrängt durch die Kraft der Unschuld sich behauptende Unangreifbarkeit Jesu – in der Tat fehlt am johanneischen Christus in dieser Situation alles »Greifbare«: es gibt keinen greifbaren juristischen Tatbestand, aber auch das Positive, daß er der Wahrheitszeuge ist, entbehrt der innerweltlichen Greifbarkeit; dieser Eindruck wird jetzt durch das Wort vom »Sohne Gottes«[45] nur verstärkt. Daß Pilatus zu Jesus hineingeht und sich also getrieben fühlt, sich noch einmal des Näheren mit ihm zu befassen, ist höchst folgerichtig und bezeichnend. So kommt es zu einem zweiten Gespräch zwischen Pilatus und Jesus[46]. *V.9.* Die erste Frage ist veranlaßt durch das Wort vom Sohn Gottes. Sie lautet: πόθεν εἶ σύ; und ist gemeint als Frage nach Jesu wesensmäßiger Herkunft, nach seinem »Woher«[47]. Pilatus möchte eine solche Gewißheit bekommen, die ein Bescheidwissen über Jesus ermöglicht. Er kann so nur fragen, weil er nicht glauben, sondern innerweltliche Sicherheit haben will. Auf diese Frage kann es für Pilatus keine Antwort geben; denn es gibt nur jene Antwort, die ihm Jesus bereits 18,36–37 erteilte, die Pilatus aber abgelehnt hatte. So ist das Schweigen Jesu innerlich in der Sache begründet und nicht nur Zeichen seiner Hoheit.

V.10. Pilatus muß sich also in seiner Erwartung enttäuscht sehen. Die Sicherheit, die er haben möchte, kann Jesus ihm so nicht geben; er könnte sie nur gewinnen durch eine positive Entscheidung zugunsten des Wahrheitszeugen. Da er aber der

---

[45] Vgl. hierzu *G. P. Wetter,* Der Sohn Gottes. Eine Untersuchung über den Charakter und die Tendenz des Johannes-Evangeliums, Göttingen 1916. Ohne den Thesen *Wetters* uneingeschränkt zuzustimmen, dürfte hier für das Verständnis des Heiden Pilatus die Analogie der heidnischen Göttersöhne-Erscheinungen einmal zutreffen: »So ist es aus Furcht vor seiner Göttlichkeit, nicht aus irgend einem Mitleid, daß Pilatus ihn gern losgeben will« (91).

[46] *Bultmann* geht mit seiner Auffassung von der Parallelität von 18,28–19,7 und 19,8–16a entschieden zu weit. Ebenso ist es zu schematisierend, als den Inhalt des 2. Gesprächs »das Verhältnis von staatlicher und göttlicher Macht« anzusehen.

[47] πόθεν: Die Frage nach dem »Woher« spielt im Johannesevangelium eine theol. wichtige Rolle: 1,49; 4,11; 7,27.28; 8,14; 9,29–30 und bezieht sich entweder auf Jesus selbst oder auf seine Gaben als Gaben des Offenbarers. Aber immer zeigt sie an, daß der Fragende nicht weiß, wonach er fragt.

Macht der Wahrheit nicht traut, sucht er seinen Rückhalt in der »Wahrheit« der Macht: Er beruft sich auf seine ἐξουσία. Die Interpretation von V.10–11 hängt im Wesentlichen davon ab, was hier unter ἐξουσία gemeint sei. Man wird sie zunächst verstehen müssen (1) als die rechtens innegehabte *Amtsvollmacht* und (2) als die Möglichkeit ihrer faktischen Ausübung *hic et nunc*. *Pilatus beruft sich also auf die ihm als Procurator des Imperium Romanum* delegierte Amtsvollmacht, in der er als einer ihm übergeordneten und so ihn selber tragenden Instanz Sicherheit und Rückhalt zu finden hofft (»Hinter mir steht der römische Staat«). Er erwähnt zuerst die Vollmacht freizugeben – der römische Beamte bietet dem Gottessohn die Freiheit an! – und erst an zweiter Stelle die Vollmacht, kreuzigen zu lassen. *V.11.* Darauf allerdings hat Jesus etwas zu sagen. Bei der Exegese ist davon auszugehen, daß Jesus *hic et nunc* zu Pilatus spricht. Erst im Anschluß daran ist zu fragen, ob man daraus weitergehende Schlüsse ziehen darf. Jesu Antwort ist zweifach gegliedert: (1) sie sagt etwas aus zu den Machtverhältnissen im vorliegenden Fall; (2) sie spricht über Schuld und Verantwortung im vorliegenden Fall. Jesus gibt Pilatus durchaus zu, daß er Vollmacht hat. Aber daß er diese im vorliegenden Fall gegen Jesus (κατ' ἐμοῦ) hat und geltend machen kann, liegt nicht im Wesen dieser ἐξουσία selbst begründet. Das ist ihm gegeben »von oben«. Es handelt sich hier gerade nicht um eine theologische Begründung staatlicher Autorität[48], sondern um einen Aufweis ihrer Grenze. Pilatus wird hier eines Besseren belehrt. Seine Rolle in diesem Fall ist weniger eine staatsrechtliche als eine heilsgeschichtliche, im Heilsplan Gottes vorgesehene und bestimmte. Der Inhaber der staatlichen Macht, der um die Möglichkeiten seiner Machtausübung (freilassen, kreuzigen) weiß, ist gekennzeichnet durch seine Blindheit für die göttliche Macht und die Freiheit des Wahrheitszeugen. Eine

---

[48] Vgl. *H. v. Campenhausen,* Zum Verständnis von Joh 19,11: TLZ 73 (1948) 387–392, der auf Grund ähnlicher Überlegungen zu dem gleichen Ergebnis gelangt. Damit sind die auf den Staat bezüglichen Auslegungen der Stelle bei Bultmann, Schlier und Peterson zurückgewiesen.

Verfügung der staatlichen Macht über die Offenbarung gibt es nicht. Damit wird auch der 2. Teil der Aussage klar. Pilatus ist zu seiner Rolle und zur Vollmacht über Jesus nicht von sich aus gekommen, sondern auf Grund des Heilsratschlusses Gottes und durch das Vorgehen der Juden. Sein Tun ist darum eigentlich auch nicht aktiver Widerstand gegen die Offenbarung, sondern eher eine seltsame Blindheit. Die Schuld der Juden[49], die aktiv gegen Jesus vorgingen, ist größer. Seine Schuld liegt in der Unentschiedenheit, die ihn zu einem Mitläufer und Werkzeug des Kosmos gemacht hat wider bessere Regung. Und wenn es nun *V.12a* heißt, daß Pilatus daraufhin Jesus freizugeben suchte, dann wohl deshalb, weil ihm das Fragwürdige seiner eigenen Lage dunkel bewußt geworden war, sodann auch, weil das Urteil Jesu, in dem er besser wegkam als die Juden, sein doch nicht völlig verschüttetes Rechtsbewußtsein angesprochen hatte.

g) 19,12b–16

Pilatus hatte also ernstlich (suchte-ἐζήτει) die Absicht, Jesus freizugeben. Von außen gesehen, steht noch einmal alles dahin. Der inneren Logik nach jedoch ist der Gang der Geschichte schon vorgezeichnet.

V.12b. Die Juden bemerken die Absicht des Pilatus und gehen nun radikal aufs Ganze. Sie packen ihn genau dort, wo er kurz zuvor seine letzte Sicherheit zu finden gehofft hatte: bei seiner Vollmacht. Jetzt muß alles in der Öffentlichkeit ans Licht treten, bei dem Prokurator Pontius Pilatus wie bei den Juden. »Wenn du diesen freigibst, bist du des Kaisers Freund nicht.« Der römische Beamte sieht sich in den Grundlagen seiner innerweltlichen Existenz – eine andere hat er ja nicht – bedroht. War er der Meinung gewesen, Jesus mit seiner Macht beeindrucken zu können, so muß er jetzt sehen, was es mit seiner ἐξουσία auf sich hat: Sie gehört ihm ja gar nicht. Er ist

---

[49] *Bultmann* 513, Anm. 2. »Der παραδιδούς ist natürlich weder Judas noch Kaiphas, sondern es sind die Juden überhaupt; der (generelle) Singular ist durch die sentenzenhafte Formulierung veranlaßt.«

der Gefangene seiner Macht. Aber auch die Juden werden zu den letzten Konsequenzen gedrängt. Das βασιλεύς-Motiv klingt wieder auf. Die Juden kommen auf ihre Anklage zurück. Der βασιλεύς-Titel hängt so sehr an der Person des Angeklagten, daß sie, um diesen loszuwerden, den Messias-Titel selbst fallen lassen müssen. Sie werden zunächst zur Verallgemeinerung gedrängt: Jeder, so erklären sie, der einen Messias-Anspruch erhebt, steht im Gegensatz zum Kaiser. Da die Juden seit 18,39 f. die Entscheidung in der Hand haben, muß ihnen der Prokurator, zumal sie jetzt noch mit der Denunziation beim Kaiser drohen, wohl oder übel nachgeben. Ihr Haß bringt sie dahin, dabei das Messias-Ideal, also ihre eigene große Hoffnung, in Frage zu stellen. Wenn Pilatus noch Widerstand leisten und sein Vorhaben durchführen wollte, hätte er einen inneren Standort nötig, der auch noch der staatlichen Macht überlegen sein müßte. Diesen könnte er nur erreichen, wenn er die ihm angebotene ἀλήθεια annähme. Das hat er, wie wir sahen, nicht getan. Und so läßt er *(V.13)* den Widerstand fallen und gibt nach. Er führt Jesus hinaus ins Freie, vor den Richterstuhl, den er, um dem Urteil die formale Geltung zu geben, besteigt. Johannes hält, um die Bedeutsamkeit der heilsgeschichtlichen Stunde zu unterstreichen, Ort[50], Tag und Stunde fest. *V.14b* steht in einer gewissen Parallele zu 19,5, aber mehr im Sinn einer leisen Paraphrase des Epiphanie-Themas. Das βασιλεύς-Thema hält sich bis zum Ende durch. Pilatus kann sich offenbar, obwohl er nachgibt, nicht damit abfinden, daß er Jesus verurteilen muß. So verebben in diesem Wort noch einmal seine Versuche, Jesus freizubekommen. Und es gehört zur Hintergründigkeit dieser Szene, daß dieser letzte Versuch in dieser Situation für die Juden die letzte Möglichkeit heilsgeschichtlicher Stellungnahme gegenüber Jesus ist[51]. Ihre

---

[50] Zur Topographie vgl. *Kundsin,* Topologische Überlieferungsstoffe 42 f.; *Blinzler,* Prozeß Jesu 153 ff.; *ders.* zur Zeitangabe: S. 160 ff.

[51] Damit soll natürlich nicht gesagt sein, daß für die Juden keine Heilsmöglichkeit mehr bestünde; aber es war die letzte Möglichkeit *heilsgeschichtlicher* Stellungnahme.

Reaktion ist, wie bei der Berührung an einem neuralgischen Punkt, der Ruf: »Hinweg, hinweg mit ihm, kreuzige ihn!« Darauf erfolgt die letzte Frage des Prokurators, die von den Juden beantwortet wird: Wir haben keinen König außer dem Kaiser – οὐκ ἔχομεν βασιλέα εἰ μὴ Καίσαρα. Das ist die Absage an den Messias Jesus und zugleich an das Messias-Ideal, an die messianische Hoffnung[52]. Die Stunde ist da, wo das Heil von den Juden übergeht zu den Völkern. Nun kann Pilatus auch der inneren Situation nach nichts mehr machen, es sei denn, er gäbe auch den Kaiser preis.

V.16. Und so kann Johannes den Bericht vom Prozeß zwischen dem Kosmos und dem Offenbarer abschließen mit dem Satz: Da übergab er ihnen Jesus zur Kreuzigung – τότε οὖν παρέδωκεν αὐτὸν αὐτοῖς ἵνα σταυρωθῇ.

---

[52] *Schlier,* a. a. O. 73, zitiert *Bengel:* »Jesum negant usque eo, ut omnino Christum negant.« Und Thomas v. A. sagt: »In quo seipsos servituti perpetuae submiserunt renuentes Christi dominium; et ideo usque in hodiernum diem alieni a Christo effecti sunt servi Caesaris et potestatis terrenae« (Nr. 2409). Zur Ergänzung vgl. jetzt *J. Blank,* Das Evangelium nach Johannes, Geistl. Schriftlesung 4/3, Düsseldorf 1977, besonders 57–103.

VII. Der johanneische Wahrheits-Begriff[1]

1. Hebräischer und griechischer Wahrheits-Begriff

» *Die Sprache des AT* verwendet das Wort *emeth* . . . absolut als Bezeichnung einer Wirklichkeit, die als *amen,* d. h. als tragfähig, gültig, verbindlich anzusehen ist und somit Wahrheit bedeutet.«[2] Wahrheit ist im Alten Testament das, was gegründet, sicher, beständig ist. Am allerbeständigsten aber ist Jahwe, seine Worte und Taten, die daher auch recht eigentlich *emeth* sind (*emeth* vom Wort Jahwes z. B. Ps 119,43; von Jahwes Taten: Ps 33,4, all sein Tun ist *emunah*), d. h. Glaubens- und Lebens-Grund in einem, darauf man sich stellen und unbedingt verlassen kann. Die Momente des Gegründeten, Festen, Beständigen sowie des absolut Verläßlichen geben diesem Wahrheitsbegriff sein eigentümliches Gepräge. Die Septuaginta hat dafür das gemäße griechische Äquivalent in ἀλήθεια erblickt, mit dem sie *emeth* zumeist übersetzt; die Vulgata hat *veritas* (bes. Psalmen, z. B. Ps 117 [116], 2: »et veritas Domini manet in aeternum«, veritas = *emeth*). Im Gegensatz zu *Bultmann,* der meint, *emeth* sei nicht, wie ἀλήθεια, »als Eigenschaft einer Person gedacht«[3], ist gerade umgekehrt mit Nachdruck

---

[1] Vgl. zum Folgenden: Art. ἀλήθεια ThWNT I 233 ff. A. der at.liche Begriff *emeth,* von *Quell,* a. a. O. 233–237; B. *emeth* im rabbinischen Judentum, von *Kittel,* 237–238; C. der griechische und hellenistische Sprachgebrauch von ἀλήθεια, 239–242; D. der urchristliche Sprachgebrauch von ἀλήθεια, 242–251, beide von *Bultmann;* – ferner: *A. Corell,* Consummatum est, Eschatology and Church in the Fourth Gospel (engl. Übs.), London 1958, 159; – *C. H. Dodd,* The Interpretation of the Fourth Gospel, repr. Cambridge 1958, 170–178; – *E. Percy,* Untersuchungen über den Ursprung der johanneischen Theologie, Lund 1939, 80–124; – *H. Schlier,* Meditationen über den johanneischen Begriff der Wahrheit, in: Martin Heidegger zum 70. Geburtstag, Pfullingen 1959, 195–203.

[2] *Quell:* ThWNT I 233; vgl. auch *L. Koehler- W. Baumgartner,* Lexicon in Veteris Testamenti libros, Leiden 1953, 60 f.

[3] *Bultmann:* ThWNT I 240, 7 f.

auf den personalen Charakter von *emeth* zu verweisen, das in Verbindung mit Jahwe oder einer menschlichen Person gewiß auch etwas von dieser Person aussagen will. Vor allem in Verbindung mit der alttestamentlichen Offenbarung hat *emeth* eminent personalen Charakter; denn es ist ja Jahwes *emeth,* nicht irgendwelche *emeth* an sich, die einem Wort oder Werk höchste Festigkeit und Verläßlichkeit gibt. Ein Wort Jahwes ist gegründeter, daher »wahrer« als alles Menschenwort, und zwar durch die hinter ihm stehende »Person«.

Der griechische Wahrheitsbegriff ist eng mit der Entfaltung des griechischen Seinsdenkens verknüpft; hierzu seien einige Hinweise gegeben[4]. »Wahrheit« ist im Griechentum vor allem das ὄντως ὄν, nach dem im Unterschied zu δόξα (Meinung, Schein) und ψεῦδος (Lüge) gefragt wird. Diese Frage ist von Anfang an verbunden mit jener nach der ἀρχὴ τῶν ὄντων, dem Grund des Seienden (vgl. Aristoteles, Metaphysik A 3, 983b[5]). Wie dabei Wahrheits- und Seinsfrage zusammengehen, kann bei Plato, Phaidon 90c–d[6] verfolgt werden. Hier begegnet die Wendung: εἰ ὄντος δή τινος ἀληθοῦς καὶ βεβαίου λόγου καὶ δυνατοῦ κατανοῆσαι, auch der Ausdruck: τῶν δὲ ὄντων ἀλήθεια[7]. Auch Aristoteles, Analytica Posteriora II 19,

---

[4] Die Darstellung *Bultmanns* a. a. O. 239 f. muß als revisionsbedürftig angesehen werden, da sie mit ihrer existentialphilosophischen Perspektive und deren subjektivistischer Grundorientierung (»Es ist die Frage nach dem wirklich Seienden schlechthin, das der Mensch kennen muß, um in seinem rätselhaften Dasein einen Weg zu finden,« 240,13 ff.) dem griechischen Wahrheitsproblem nicht gerecht werden dürfte.

[5] *C. J. de Vogel,* Greek Philosophy, A Collection of Texts, 3 vol. – Leiden 1957 (I, 2. Aufl.), 1953 (II), 1959 (III); I, Nr. 8a – vgl. auch *Diels-Kranz,* Die Fragmente der Vorsokratiker, 9. Aufl. Berlin 1959/60, I, 76 Thales A 12.

[6] Platonis opera, Oxford-Ausgabe, repr. 1953.

[7] Das Problem, das Phaidon, 90b–d verhandelt wird, ist die Frage nach der wahren (ἀληθής) und begründeten (βέβαιος) Rede (λόγος) von einem Seienden (ὄντος τινός). Plato meint, daß derjenige, der dem wahren und begründeten Wort nicht mehr traut, zum »Wortfeind« (μισόλογος, 89d) wird, der damit auch der Wahrheit und Erkenntnis der seienden Dinge verlustig geht (τῶν δεόντων τῆς ἀληθείας τε καὶ ἐπιστήμης στερηθείη). Er ist also von dem Vertrauen beseelt, daß wahres und begründetes Wort den Zugang zur Wahrheit des Seienden selbst eröffnet.

100a–b mag erwähnt werden[8]; dort zeigt sich, daß die obersten *Seins*-Gründe auch am meisten »wahr« sind, weil sie zugleich für alles Erkennen Prinzip von Wahrheit und Erkenntnis sind. Das Verhältnis von Sein, Erkennen, Wahrheit bildet daher, vor allem seit des Parmenides berühmtem Satz: τὸ γὰρ αὐτὸ νοεῖν ἐστίν τε καὶ εἶναι[9] (Parmenides B 3) das Wahrheitsproblem der großen klassischen Philosophie, wonach Wahrheit letzten Endes das Sein selbst ist bzw. Seiendes, sofern es ist, so, wie es sich immer schon von sich selbst her als das, was es ist, zeigt. »Wahrheit« gründet hier im Sein selbst und ist primär Seins-Wahrheit, τῶν ὄντων ἀλήθεια. Das, wovon gesagt werden kann, es sei ὄντως ὄν, ist auch im selben Sinne wahr, wie auch im einzelnen das ὄντως ὄν näherhin gefaßt werden mag, bei Plato als Idee, bei Aristoteles als νόησις νοήσεως[10]. Das darf für den Zusammenhang genügen.

Im ThWNT hat *Bultmann* ausführlich den johanneischen ἀλήθεια-Begriff behandelt[11], im Anschluß an seine 1928 (in der ZNW) erschienene Abhandlung zu dem gleichen Thema. Nach ihm bedeutet ἀλήθεια im johanneischen Sprachgebrauch »Echtheit, göttliche Wirklichkeit, Offenbarung« (245). »ἀλήθεια bezeichnet die göttliche Wirklichkeit im Hinblick darauf, daß sie 1. der Wirklichkeit, in der sich der Mensch zunächst vorfindet und von der er beherrscht ist, entgegengesetzt ist, daß sie 2. sich von sich aus erschließt, also zugleich Offenbarung ist.« (245). Dieser Sprachgebrauch ist nach Bultmann vom hellenistischen Dualismus aus entwickelt, unterscheidet sich jedoch dadurch von ihm, »daß für ihn der Gegensatz von ἀλήθεια und ψεῦδος kein kosmologischer ist«, d. h. »daß ἀλήθεια und ψεῦδος nicht als Substanzen, sondern als echte Möglichkeiten menschlichen Daseins verstanden werden« (245). Auch die Offenbarung ist »als echte Möglichkeit des Daseins gefaßt« (245). »ἀλήθεια ist also als Gottes Wirklichkeit ... dem menschlichen Dasein, so wie es sich durch den Abfall von Gott durch die Sünde konstituiert hat, entgegengesetzt und unzugänglich ... Aber in der Offenbarung erschließt sich dem Menschen gerade die eigentliche Möglichkeit seines Seins, wenn er sich angesichts des ihm begegnenden Offenbarungswortes zur Preisgabe seiner

---

[8] *de Vogel*, Greek Philosophy II Nr. 465.

[9] *Diels-Kranz*, Vorsokratiker I 231.

[10] Zum einzelnen vgl. auch *Hirschberger*, Geschichte der Philosophie I, 3. Aufl. Freiburg i. Br. 1957, 25f. (Parmenides): 77ff., bes. 84–100 (Plato); 154f. 159–163. 176. 192–197 (Aristoteles).

[11] *R. Bultmann*, ἀλήθεια, ThWNT I 245ff.

selbst entscheidet« (245 f.). Der Empfang der ἀλήθεια »vollzieht sich im gehorsamen Glauben« (246).

Es ist bezeichnend, daß *Bultmann* in seiner Darstellung den »Gegensatz der göttlichen Wirklichkeit zur widergöttlichen« (246) der Wahrheit als Offenbarung voranstellt; vgl. 245. 246 f. Auf diese Weise hat er sich bereits von vornherein von der Voraussetzung eines »dualistischen Denkens« abhängig gemacht, die seine Darstellung des johanneischen Wahrheitsbegriffes durch weg belastet. Zwar kennt Johannes die Ausdrücke ψεῦδος und ψεύστης, die aber erstaunlich selten vorkommen (ψεῦδος 1 mal, Joh 8,44 – dazu noch 1 Joh 2,21.27; ψεύστης 2 mal Joh 8,44.55 – 1 Joh 1,10; 2,4.22; 4,20; 5,10; ἀλήθεια dagegen 25 mal!). So läßt sich rein statistisch ein weitaus größeres Interesse an der Wahrheit als an ihrem Gegenteil, der Lüge, erkennen, was die Behauptung einer »dualistischen Herkunft« sogleich verdächtig macht. Es ist methodisch nicht von der Sache her empfohlen, vom »Dualismus« auszugehen. Eine weitere Schwierigkeit der Analyse *Bultmanns* liegt in seiner Interpretation von »Wahrheit« und »Offenbarung« als »echten Möglichkeiten menschlichen Daseins«. Dadurch wird der Akzent zu stark auf das Subjekt, das die Offenbarung empfängt, den Menschen, verlagert. Offenbarung, und damit Wahrheit, bekommen ihre Modifizierung daher, daß sie als »Möglichkeiten des Daseins« verstanden werden. Tatsächlich ist es aber genau umgekehrt: Die Wahrheit als Offenbarung modifiziert und bestimmt das menschliche Dasein und läßt sich nicht auf eine seiner immanenten Möglichkeiten zurückführen, geschweige, damit begründen. Zwar ist unter dem allgemeinen Horizont von Wahrheit für den Menschen die Möglichkeit eines Verstehens von Wahrheit, auch als Offenbarung gegeben; aber der Grund liegt letztlich im Sein von Wahrheit selbst; hier: im Sein (bzw. Erfolgen) von Offenbarung, nicht darin, daß »Verstehen« als Daseinsmöglichkeit begriffen wird. Lediglich dies kann hier gesagt werden, daß Offenbarung *(revelatio divina),* wenn sie erfolgt und vom Menschen ergriffen werden soll, den Charakter von Wahrheit haben muß, weil der Mensch in seinem Sein und Wesen immer schon von Wahrheit bestimmt ist und weil es außerhalb von Wahrheit überhaupt keine Erkenntnismöglichkeit, auch nicht für eine Offenbarung, gibt. Von hier aus ist es begreiflich, daß Offenbarung im Sinne des Neuen Testaments und der christlichen Theologie notwendig im Hinblick auf Wahrheit betrachtet sein will und werden muß; daß sie den Menschen vor die Wahrheitsfrage stellt, die nicht auf sich beruhen bleiben und zurückgestellt werden kann. Hier geht es von der Sache her niemals nur um eine formale »Richtigkeit« rein wissenschaftlich-methodischer Art innerhalb eines gegebenen Fachgebietes, um persönliche Überzeugung oder gar um »Weltanschauung«. Die Offenbarung des Neuen Testaments stellt sich als Wahrheit zur Rede, oder überhaupt nicht; denn mit dem Wahrheitsanspruch würde notgedrungen auch der Offenbarungscharakter hinfällig.

Dem entspricht es, wenn im Johannesevangelium ἀλήθεια nur im Singular vorkommt. Das bedeutet, daß die Wahrheit in einem uneingeschränkten und absoluten Sinne zur Rede steht.

ʽΗ ἀλήθεια: das ist die Wahrheit selbst, nicht eine Wahrheit unter anderen möglichen Wahrheiten. Was damit bezeichnet wird, ist dadurch selbst als einzigartig in der Weise bezeichnet, daß mit ihm zugleich alle jene Grundmomente der Allgemeingültigkeit, Absolutheit, Erkennbarkeit gegeben sind, die als mit Wahrheit schon immer gegeben zu denken gewesen waren. Historisch betrachtet nimmt der johanneische Wahrheitsbegriff die entscheidenden Momente der hebräischen *emeth,* im Sinne von Gültigkeit, Begründetheit und absoluter Verläßlichkeit (Glaubwürdigkeit) und der griechischen ἀλήθεια – Wahrheit ist das, was wirklich ist und weil es ist, erkennbar; Wahrheit als Wesensstruktur der Erkennbarkeit von Seiendem – in sich auf[12]. Das reicht aber zum Verständnis des johanneischen Wahrheitsbegriffes noch nicht hin.

2. Christologische Fassung des johanneischen Wahrheits-Begriffs

Joh 1,14 kann als Ausgangspunkt gewählt werden, weil die Aussage ohne Umweg zur Sache führt. Dort heißt es zunächst, daß der Logos Fleisch geworden ist und unter uns zeltete. Von ihm bekennt der im »Wir« zusammengeschlossene Kreis: »Und wir schauten seine Herrlichkeit, wie (sie) dem Eingeborenen vom Vater her (eignet).« Die δόξα gehört dem Eingeborenen vom Vater her (παρὰ πατρός) zu; von ihm hat er sie empfangen, so daß sie im fleischgewordenen Logos anschaubar geworden ist. Von der δόξα wird gesagt, sie sei πλήρης χάριτος καὶ ἀληθείας, der Gnade und der Wahrheit voll. Χάρις und ἀλήθεια gehören also zu δόξα des menschgewordenen Logos, die selbst der Widerschein der göttlichen δόξα ist. Jene, als die

---

[12] Auch nach *Schlier,* Heidegger-Festschrift 195, ein ἀλήθεια bei Johannes die griechische und die hebräische Grundbedeutung zu einer neuen Einheit. – Zur alttestamentlichen Komponente vgl. auch *Dodd,* Interpretation 173 f.

anschaubar gewordene Menschlichkeit des Logos und damit Gottes, ist die Offenbarung, die als Gnade und Wahrheit ergangen ist. Δόξα, χάρις und ἀλήθεια bilden demnach ein untrennbares Ganzes; sachgemäß kann man die drei Begriffe mit »Offenbarung«, »Freiheit« (Gnade), »Wahrheit« wiedergeben. Als Gnade ist die Offenbarung Gottes freie Herablassung, als »Wahrheit« ist sie Selbsterschließung Gottes, in welcher sich Gottes Wesen im Eingeborenen, der Fleisch wurde, den Menschen eröffnet. Πλήρης, »voll«, bezeichnet sowohl die Vollständigkeit, die völlige Präsenz von Gnade und Wahrheit, die hier in ihrer absoluten Fülle gegeben sind, als auch das Überströmende im Hinblick auf den Menschen (vgl. 1,16). 1,17 stellt das durch Moses gegebene Gesetz und die durch Jesus Christus »gewordene« Gnade und Wahrheit einander gegenüber. In 1,17b wird so 1,14c–d nochmals präzisiert. Gnade und Wahrheit sind »geworden« (ἐγένετο); sie haben sich ereignet. Wann und wo? Durch und in Jesus Christus. Das bloß gegebene und angeordnete Gesetz ist durch das Ereignis von Gnade und Wahrheit in Jesus Christus überboten.

Die Aussagen 1,14.17 stellen bereits die christologische Fassung des johanneischen Wahrheitsbegriffes klar heraus. »Ort und Grund der Wahrheit ist das Wort, das Fleisch ward.«[13] Durch diese christologische Fassung ist der johanneische Wahrheitsbegriff als Offenbarungswahrheit bestimmt. Aber diese Offenbarungswahrheit ist radikal an ihren Träger gebunden; nicht nur in dem Sinne, daß das Wort Jesu für Johannes selbstverständlich Wahrheit enthält als Wahrheit der Aussage dieser Person[14], sondern auch daß diese Wahrheit der Offenbarung, auch als Aussage oder Lehre, ihren wesenhaften Seinsgrund in ihrem Träger selbst besitzt. Die Wahrheit der Offenbarung ist nur zusammen mit ihrem Träger, der Person Jesu, gegeben, der selbst »die Wahrheit« ist (Joh 14,6: ἐγώ εἰμι

---

13 *Schlier*, a. a. O. 195.
14 Daß Jesus die Wahrheit redet, sagen Joh 8,40.45.46; 16,7; 18,23.37.

ἡ ὁδὸς καὶ ἡ ἀλήθεια καὶ ἡ ζωή[15]). Ohne diesen personalen Grund ist Wahrheit bei Johannes nicht zu verstehen. Daher laufen auch alle Fragen nach dem Was, dem Inhalt der Offenbarung, die Jesus bei Johannes verkündet, notwendig auf die eine Frage nach dem Wesen dieses Jesus von Nazareth hinaus. Das Glaubensproblem ist das Problem des Glaubens an Jesus Christus, daß Er der Gottgesandte ist, der Sohn Gottes, der Menschensohn, der Messias, der Retter der Welt. Alle diese Prädikate gründen zuletzt in der einen Aussage, daß er der fleischgewordene Logos Gottes ist. Das bedeutet aber, daß die Menschwerdung und somit die Menschlichkeit des Herrn die entscheidende Offenbarungsaussage Gottes ist, nicht irgendetwas an ihr. Nicht die Prädikationen »machen« Jesus zu diesem und jenem, sondern Jesus Christus gibt den Prädikationen, die ja z. T. schon vor ihm und außerhalb seiner vorhanden waren, erst ihren eigentlichen Sinn und Gehalt. Warum? Weil sich im Eingeborenen der unweltliche und unsichtbare Gott selbst »ausgesagt« hat (1,18, bes. ἐκεῖνος ἐξηγήσατο). Damit ist gegeben: Die Person Jesu Christi erklärt sich nicht von sich selbst oder von anderen, ihr vorgegebenen historischen Kategorien her. Vielmehr ist von ihr aus notwendig der Rekurs über das bloße faktische Daß hinaus (gegen *Bultmann*) auf Gott den Vater zu machen. Jesus Christus ist jene Person, an der jeder Versuch, die aus sich selbst, d. h. aus allgemein menschlichen Voraussetzungen (historischer, psychologischer, philosophischer, anthropologischer Art) verstehen und erklären zu wollen, notwendig scheitern muß[16]. Hier gelangt auch die historisch-kritische Methode an ihre durch die Sache selbst

---

[15] Vgl. dazu die theologische Auslegung bei *Augustinus,* In Joh. Ev. tract. (ed. Willems, CCSL, Turnholti 1954), 69, 2–3.

[16] Das hat *Bultmann,* Jesus, 13.–14. Tsd. Tübingen 1951, 10 ff. richtig gesehen. Aber er hat seine Kritik auf ein bestimmtes geschichtliches Jesus-Verständnis beschränkt und an dessen Stelle lediglich ein neues, ebenso geschichtlich bedingtes Verständnis gesetzt. Seine Kritik war, so möchte man sagen, nicht radikal genug; denn Bultmanns Begriff von Geschichtlichkeit geht im letzten auch nicht über den menschlichen Horizont hinaus, darum kommt er nur zur Anthropologie, nicht aber zu Christologie und Offenbarungstheologie im strengen Sinn.

gezogene Grenze, wenn sie nicht zugleich von Anfang an christlich-theologisch orientiert war. Um Jesus »verstehen« zu können (soweit dergleichen überhaupt möglich ist), muß man notwendig Gott hinzunehmen, da letztlich nur die innere Relation Jesu Christi mit Gott, des Sohnes mit dem Vater, erkennen läßt, wer Jesus ist. Dieses ist sachlich gemeint, wenn etwa Joh 8,40 Jesus sich selbst bezeichnet als »Menschen, der ich zu euch die Wahrheit rede, die ich von Gott gehört habe«; oder auch 18,37, wo er es als den Zweck seines Geboren- und Gekommenseins, d. h. der Inkarnation und so wiederum seiner persönlichen Anwesenheit in der Welt, bezeichnet: ἵνα μαϱ-τυϱήσω τῇ ἀληϑείᾳ. Hier steht die Wahrheit nur scheinbar Jesus als eine Art selbständiger Größe gegenüber; in Wirklich-keit hat man natürlich zu verstehen, daß die Wahrheit auf keinem anderen Weg als über das Zeugnis ihres Offenbarers erreichbar ist, und dieses Zeugnis ist bei Johannes das Selbstzeugnis Christi. Wenn sich also Jesus hier als den Zeugen der göttlichen Wahrheit bezeichnet, dann ist es dasselbe, wie wenn er sagt, daß er die Wahrheit sei[17]. In ihm ist die Wahrheit präsent; er ist der geschichtliche Ort der Wahrheit, und sein Selbstzeugnis ist seinem Inhalte nach die Aussage dieser Präsenz. Umgekehrt bedeutet dann auch die Ausklammerung der Wahrheitsfrage durch Pilatus (19,38) das sichere Anzei-chen dafür, daß er Jesus fallen lassen wird. Auch in den anderen johanneischen Wahrheitsaussagen (4,23 f.; 8,32; 17,17.19) hat man den christologischen Charakter der Wahrheit immer mitzuhören, auch wenn er nicht ausdrücklich hervorgehoben wird. Der Kult »im Geist und in der Wahrheit« – ἐν πνεύματι καὶ ἀληϑείᾳ ist der durch Jesus begründete, der eschatologi-sche Kult, der in der eschatologischen Stunde (»es kommt die Stunde, und sie ist jetzt da« – ἔϱχεται ὥϱα καὶ νῦν ἐστιν)

---

[17] Treffend sagt *W. Lütgert*, Die johanneische Christologie, 2. völlig neu bearb. Auflage, Gütersloh 1916, 173 f.: »Weil Jesus der Zeuge der Wahrheit ist, so ist er ein König... Für ihn [sc. Johannes] gibt es ein Reich der Wahrheit nur, weil es einen König der Wahrheit gibt, einen, dem der Besitz der Wahrheit Macht gibt über alle die, die wie er aus der Wahrheit sind... Die Wahrheit ist er, weil er das Wort Gottes ist. Denn Gottes Wort ist die Wahrheit.«

anfängt. Die eschatologische Stunde ist mit Christi Gegenwart eingetreten. Hier wird auch der »eschatologische Charakter« des johanneischen Wahrheitsbegriffes ersichtlich, der seinerseits wiederum von dem christologischen Charakter nicht zu trennen ist. Es ist diese christologisch-eschatologische Wahrheit, in welche der Geist der Wahrheit, das πνεῦμα τῆς ἀληθείας (14,17; 15,26; 16,13) die Glaubenden einführt.

Nunmehr kann die Frage nach dem letzten sachlichen Grund des johanneischen Wahrheitsbegriffes gestellt werden. Er ist ein doppelter: Der erste Grund liegt in der Aussage des Prologs: »Im Anfang war das Wort und das Wort war bei Gott und das Wort war Gott. Dieses war im Anfang bei Gott« (1,1f.). Danach ist Wahrheit die ἐν ἀρχῇ, d. h. in der ewigen und immer schon gewesenen Ursprünglichkeit Gottes erfolgte Selbstaussage Gottes im Wort, das deswegen, als absolute, unendliche und restlos adäquate Selbstaussage Gottes, selber göttlichen Wesens ist. Im ewigen göttlichen Wort hat Gott sich in aller Ewigkeit immer schon in sich selbst geoffenbart, ist er immer schon die Wahrheit[18]. Der zweite Grund für den johanneischen Wahrheitsbegriff liegt in der Aussage: »Das Wort ward Fleisch« (1,14). Damit wird die *»veritas Dei in se«* zur *»veritas quoad nos«,* ohne aufzuhören, in sich selbst die

---

[18] Damit wird hier das *rein* funktionale und »heilsgeschichtliche« Verständnis des johanneischen Logos-Begriffes, wie es *J. Dupont,* Essais sur la Christologie de Saint Jean, Brügge 1951, 46–49 mit Nachdruck (»Le nom de Logos n'est donné à Jésus-Christ que dans sa relation au monde et aux hommes«, 49) und *O. Cullmann,* Die Christologie des Neuen Testaments, Tübingen 1957, 264ff., in etwas abgeschwächter Form vertreten, als dem johanneischen Text nicht voll gerecht werdend, abgelehnt. Gegenüber *Dupont* muß vor allem festgehalten werden, daß der Logos hier wirklich als »Person« verstanden ist. Abgelehnt wird auch das »mythologische« Verständnis *Bultmanns,* Johanneskommentar (H. A. W. Meyers Kommentarwerk 11. Aufl. Göttingen 1950) 9ff. Wir folgen hier mit *Lütgert* (»Vom Logos sagt er nicht, daß er wurde, sondern daß er war; er rechnet ihn nicht zu dem, was geworden ist, also nicht zur Welt«, Johanneische Christologie 67) und *Schlier* (Im Anfang war das Wort, Zum Prolog des Johannesevangeliums, in: Die Zeit der Kirche, Freiburg i. Br. 1956, 277f.) der alten Theologie (z. B. *Augustinus,* In Joh Ev tract. 1; *Thomas v. A.,* Super Ev. s. Ioa. lectura, ed. R. Cai, Turin–Rom 1952, Nr. 23–107), weil uns nur diese Auffassung dem Text in seiner vollen Tragweite gerecht zu werden scheint.

Wahrheit zu bleiben. Die Wahrheit Gottes ereignet sich als Geschichte. Daß die Wahrheit selbst in Jesus Christus geschichtlich wurde, zeigt die eschatologische Stunde, die Offenbarung als eschatologisches Heilsgeschehen an. Nun gibt es Wahrheit in der Welt, die absolute Wahrheit, als geschichtlich gewordene, wie es sie so vorher nicht gab. Die Verbindung aber zwischen der »*veritas Dei in se*« und der eschatologischen Offenbarungswahrheit *quoad nos* liegt *in dem Wort selbst.* Über den Logos, über Jesus Christus, erfolgt der tatsächliche Übergang der Wahrheit aus dem göttlichen, unweltlichen, »ewigen« in das geschichtliche, irdisch-welthafte, menschliche Sein. Das scheint uns der genaue Sinn des καὶ ὁ λόγος σὰρξ ἐγένετο zu sein. Denn, wie 17,17 von Jesus selbst gesagt wird: ὁ λόγος ὁ σὸς ἀλήθειά ἐστιν: »Dein Wort (=das Wort Gottes, des Vaters, an den sich das Gebet Jesu richtet) ist Wahrheit«. Die Wahrheit aber, als eschatologische Heilsgabe in Jesus Christus, ist das Werk der göttlichen Freiheit, sie ist Gnade. Daraus erhellt noch einmal der personale Charakter der Wahrheit, der das Wahrheits-Wort der Offenbarung als göttliche Anrede an die menschliche Person bestimmt, die als freie Person das Wort annehmen oder seine Annahme verweigern, glauben oder nicht-glauben kann.

Die gläubige Annahme des Offenbarungswortes Jesus Christus aber ist die Wahrheitstat des Menschen (3,21), durch die Gottes Wahrheit seine, des Menschen, Wahrheit wird.

Wahrheit ist also bei Johannes personal begründet und ihrem Inhalt nach als göttlich bzw. christologisch definiert. Sie hat als Heilsereignis eschatologischen und soteriologischen Charakter. Sie ist Gottes freie Heilsgabe an den Menschen.

3. Freiheits- und Ethosstruktur der Wahrheit

Zum Wesen der Wahrheit gehört nach dem Johannesevangelium die Freiheit. Das bedeutet, Wahrheit ist von ihrem Ursprunge her nicht nur auf Erkenntnis, sondern zugleich auf

Ethos, nicht nur auf Licht, sondern zugleich auf Leben und auf Liebe hingeordnet. Ihrer Offenbarungs- und der damit gegebenen Erkenntnisstruktur ist wesenhaft verbunden ihre Freiheits- und ethische Struktur. Beides ist nicht voneinander zu trennen. Wenn es daher 8,32 heißt: »Und ihr werdet die Wahrheit erkennen und die Wahrheit wird euch freimachen«, dann ist hier die Wahrheit in ihrem gnadenhaften Heilscharakter, als die den Menschen befreiende göttliche Heilsmacht gemeint. Der Grund dafür liegt darin, daß die Wahrheit selbst zugleich Gnade ist, d. i. Freiheit. Die lichte Freiheit Gottes, welche die Wahrheit ist, kann allein den Menschen frei machen. Sie befreit ihn von der Sklaverei der Sünde; denn »wer die Sünde tut, ist Sklave der Sünde« (8,35). Daß aber auch hier nicht allgemein an Wahrheit zu denken, sondern Wahrheit in ihrem christologischen Sinn aufzufassen ist, zeigt 8,36: »Wenn nun der Sohn euch frei macht, dann seid ihr wirklich Freie.« Die Erkenntnis der Wahrheit, die den Menschen befreit, ist darum nichts anderes als die Anerkennung des Sohnes, der Glaube an ihn und die mit dem Glauben zugleich immer vermittelten Gaben von Erkenntnis, Leben, Gnade, Freiheit.

Es folgt daraus, daß die menschliche Stellungnahme zur Wahrheit gleichfalls ethisch belangvoll ist[19]. Nicht im rein moralischen Sinn, sondern weil in der Stellungnahme zur Wahrheit der Mensch in einer umfassenden Weise über sich selbst verfügt, zu seinem eigenen Heil oder Unheil. Gerade weil der Mensch der eschatologischen Wahrheit gegenübersteht, wenn er Christus bzw. Christi Worten und Werken begegnet, gewinnt seine Stellungnahme eine außerordentlich große, ja absolute Tragweite; es geht dann nämlich um sein ewiges Heil selbst. In dieser Weise ist die Stellungnahme zur Wahrheit immer sittlich qualifiziert.

Wenn die Juden Jesus töten wollen, weil er ihnen die Wahrheit sagt (8,40); wenn sie seine Worte nicht hören können, dann

---

[19] *Percy,* Untersuchungen 119ff., erblickt darin, daß die Wahrheit an das Gewissen des Menschen appelliert, geradezu das Eigentümliche des johanneischen Wahrheitsbegriffes; das ist wohl doch zu einseitig.

wird das darauf zurückgeführt, »weil ihr aus eurem Vater (d. h.) dem Teufel, seid und die Begierden eures Vaters tun wollt«. Der Teufel aber wird ein »Menschenmörder« genannt; es wird von ihm gesagt, »er bestand nicht in der Wahrheit, weil in ihm Wahrheit nicht ist«. Der Teufel ist dadurch gekennzeichnet, daß er den Boden der Wahrheit gleichsam verlassen hat – auch sein nunmehriger »Status« ist ethisch qualifiziert. Die Begründung »weil Wahrheit in ihm nicht ist«, liefert nicht eigentlich den Grund für das οὐκ ἔστηκεν, sondern beschreibt seinen Zustand »von innen her«; das Nicht-Bestehen-in-der-Wahrheit und das Wahrheit-nicht-in-sich-Haben sind einander korrespondierende Momente; der Teufel ist durch sein völliges »Außerhalb von Wahrheit«, durch seine gänzliche Heillosigkeit, charakterisiert. Darum ist er ein Lügner, und Vater der Lüge, der, wenn er Lüge redet, recht »aus dem Eigenen« redet.

Durch das eschatologische Kommen der Wahrheit in die Welt ist ein Streit um die Wahrheit entfacht. Kein philosophisches oder theologisches Streitgespräch, sondern ein Rechtsstreit, ein Prozeß. Hier freilich tut sich ein Gegensatz auf. Er kommt aber nicht daher, weil die in die Welt gekommene Wahrheit als das der Welt »Fremde« mit gnostischen Farben geschildert würde, sondern weil in einer gottfeindlichen, vom Satan beherrschten Welt durch das eschatologische Handeln Gottes letzte Stellungnahmen akut werden. Das vorherrschende Ziel des Kommens der Wahrheit ist aber auch hier das Heil. Die Wahrheit erscheint als siegreiche Macht, die den Herrn des Kosmos entmächtigt (12,31) und die Werke des Teufels zerstört (1 Joh 3,8). Wenn es Joh 14,17 vom Kosmos heißt, er könnte das πνεῦμα τῆς ἀληθείας nicht empfangen, weil er es nicht sieht und nicht erkennt, dann ist solche Unempfänglichkeit Ausdruck seiner Schuld. Der Kosmos hat sich selbst in diese Verschlossenheit der Wahrheit gegenüber gebracht, weil er sie, als ihm die Möglichkeit ihrer Aufnahme gegeben war, nicht hat akzeptieren wollen. Seine Blindheit und Verständnislosigkeit sind also selbstverschuldet (vgl. 16,8ff.).

Genau betrachtet, ist der johanneische Wahrheitsbegriff von einer durchgehenden, großartigen Einheitlichkeit. Sie zeigt sich, sobald man sich die Mühe macht, von dem die Sache mehr verdunkelnden als erhellenden Dualismus-Schematismus abzusehen und die Strukturlinien im einzelnen zu verfolgen. Dann tritt die Absicht des Evangelisten deutlich zutage, auch vermittels des Wahrheitsbegriffes vor allem die große Heilstat Gottes, die durch das Kommen der Wahrheit in Christus geschah, zu verkünden, jene Gnade, kraft welcher Gottes ewige Wahrheit unter den Menschen Wohnung nahm. Von einem eigentlichen Dualismus wird man auch hier kaum reden wollen; gewiß, es gibt die Lüge als die Gegenmacht zur Wahrheit, aber es ist auch sicher, daß der Sieg der Wahrheit gehört.

Für das Verständnis der Wörter ἀληθής[20] und ἀληθινός[21], die bei Johannes ebenfalls eine große Rolle spielen, ist von den gewonnenen Einsichten auszugehen. Im Gefolge des Sprachgebrauches von *Bultmann*[22] haben sich hier die Ausdrücke »echt« und »eigentlich« eingebürgert, die so, wie sie dort gebraucht werden, mit dem gleichen existentialtheologischen Subjektivismus belastet sind wie der Wahrheitsbegriff. Auch hier ist vor allem auf die christologische Fundierung der Begriffe hinzuweisen. Sie erhalten ihren Sinn dadurch, daß sie allgemein eine Beziehung oder Teilhabe an der Offenbarungswirklichkeit im oben dargelegten Sinn zum Ausdruck bringen, und von dieser Wahrheit im ganzen her zu verstehen sind. Sie legen die eine Offenbarungswahrheit in verschiedener Rücksicht aus, wie besonders *Chr. Maurer* gezeigt hat[23]. Der

[20] ἀληθής: Joh 3,33; 4,18; 5,31.32; 6,55; 7,18; 8,13.14.17.26; 10,41; 19,35; 21,24.
[21] ἀληθινός: Joh 1,9; 4,23.37; 6,32; 7,28; 8,16; 15,1; 17,3; 19,35.
[22] Vgl. TWNT I 249f.
[23] *Chr. Maurer,* Ignatius von Antiochien und das Johannesevangelium (AbhTANT 18), Zürich 1949, 46: ἀληθής »drückt bei Johannes die Zuverlässigkeit und Treue aus, auf die der andere unbedingt bauen kann« (»hebräische« Komponente); ἀληθινός dagegen hat einen »streng exklusiven Sinn« und »drückt den alleinigen Anspruch des Offenbarers aus, neben dem kein anderer legitimer Anspruch erhoben werden kann«, 48.

Gedanke der »Eigentlichkeit« ist hier zunächst völlig fern zu halten. Denn *Bultmann* versteht diese »Eigentlichkeit« anthropologisch von unten aus, als Existenzmöglichkeit des Menschen, während Johannes theologisch »von oben« her denkt. Das ist am leichtesten an den Verbindungen: das wahre Licht – τὸ φῶς τὸ ἀληθινόν 1,9; das wahre Brot vom Himmel – ὁ ἄρτος ἐκ τοῦ οὐρανοῦ ὁ ἀληθινός 6,32; das wahre Weinstock – ἡ ἄμπελος ἡ ἀληθινή 15,1 zu erkennen. Diese Wendungen schließen zwar das Moment der Gegensätzlichkeit, oder richtiger, der Ausschließlichkeit ein; aber ihre sachliche Grundlage und damit ihre Bedeutsamkeit haben sie im Offenbarungsereignis, in Jesus Christus, von dem her sie zu verstehen sind. Wenn das Zeugnis als zuverlässig, die μαρτυρία als ἀληθής (5,31f.; 8,13.14.17; 10,41; 19,35; 21,24) bezeichnet wird, dann stehen damit nicht nur ihre sachliche Richtigkeit, ihre Verläßlichkeit, Gültigkeit und Glaubwürdigkeit zur Rede, sondern es handelt sich dabei immer auch um einen impliziten Bezug auf das Christusereignis. Die Beziehung zur »Sphäre Gottes«, von der *Bultmann* spricht[24], bleibt zu vage und allgemein; sie ist bei Johannes ohnehin niemals unmittelbar gegeben, sondern immer nur über Jesus Christus, hier aber notwendig und wirklich.

So darf nun abschließend vom »*christologischen Wahrheitsbegriff* des Johannes« gesprochen werden. Denn hier liegt das Zentrum, in dem wirklich alle Linien zusammenlaufen.

---

[24] Vgl. Anm. 21.

VIII. Die Gegenwartseschatologie des Johannesevangeliums

1. Zum eschatologischen Problem

Der Begriff der Eschatologie[1] ist in der heutigen ntl. Wissenschaft ebenso unentbehrlich wie schwer zu definieren. Man ist ja leicht geneigt, die Bedeutung eines Begriffes an seiner »Klarheit« und möglichst genauen, logistisch fixierbaren Eindeutigkeit zu bemessen; vor diesem Maßstab kann der Eschatologiebegriff nur als heillos verworren erscheinen. Je näher sich aber Bezeichnung und bezeichnete Sache kommen, je weniger also »Form« und »Inhalt« voneinander geschieden (wenn auch unterschieden) werden können, je enger die Verbindung von Wort und Sache ist – und das trifft in besonderer Weise für den ganzen Bereich der biblischen Offenbarung zu –, um so weniger ist mit dem Ideal formaler »Eindeutigkeit« etwas zu wollen. Eine reine Verbaldefinition hilft hier auch nicht viel; ebensowenig eine äußerliche, konventionelle Übereinkunft. Das bedeutet: Eschatologie ist im Bereich der Bibel niemals ein rein »formaler« Begriff, den

---

[1] Zum Ganzen vgl. Art. Eschatologie, LThK² III, 1083 ff. v. *G. Lanczkowski* (rel. gesch.), *N. Gross* (AT), *R. Schnackenburg* (NT); a.a.O. Art. Eschatologie, theol.-wissenschaftstheoretisch, 1094 ff. v. *K. Rahner;* RGG³ II, 650 ff. Art. Eschatologie v. *C. M. Edsman* (rel. gesch.), *A. Jepsen* (AT), *R. Meyer* (Jdtm), *H. Conzelmann* (Urchrstm); Bibl.-hist. Handwörterbuch I, Göttingen 1962, Art. Ende 405 ff. v. *E. Jacobi* (AT), *P. Prigent* (Jdtm und NT); *P. Volz,* Die Eschatologie der jüdischen Gemeinde im neutestamentlichen Zeitalter, Tübingen 1934; *O. Plöger,* Theokratie und Eschatologie, WMANT 2, Neukirchen 1959; *D. Rössler,* Gesetz und Geschichte, Untersuchungen zur Theologie der jüdischen Apokalyptik und der pharisäischen Orthodoxie, WMANT 3, Neukirchen 1960; *K. Schubert,* Die jüdischen Religionsparteien im Zeitalter Jesu, in: Der historische Jesus und der Christus unseres Glaubens, Wien–Freiburg–Basel 1962, 15–101; *H. D. Preuss* (Hrsg.), Eschatologie im Alten Testament, WdF CDLXXX. Darmstadt 1978.

man unter Absehen von seiner je besonderen Inhaltlichkeit darstellen und behandeln könnte. Mit ihm ist immer eine besondere theologische Sachproblematik verbunden, die nicht umgangen werden kann. Das gilt sowohl im Hinblick auf die verschiedenen ntl. Schriften als auch im Hinblick auf die heutige Exegese, in der, den verschiedenen Schulrichtungen entsprechend, der Eschatologiebegriff sehr verschieden akzentuiert und interpretiert werden kann.

Innerhalb der katholischen Theologie – von wenigen neuen Ansätzen, besonders bei *K. Rahner,* abgesehen[2] – besteht ein wichtiger Unterschied im Sprachgebrauch von Exegese und Dogmatik, der die Diskussion zwischen beiden Disziplinen erheblich belastet. Für die Dogmatik handelt Eschatologie von Tod, individuellem Gericht, Himmel, Fegfeuer, Hölle, vom allgemeinen Gericht und von den mit Christi Wiederkunft noch ausstehenden Endereignissen. Die Dogmatik empfindet eine Schwierigkeit, wenn die Exegese z. B. die Verkündigung Jesu, christologische und soteriologische Aussagen unter eschatologischem Aspekt betrachtet, da diese nach der üblichen Einteilung in andere Traktate gehören. Die Exegese hinwiederum muß, von ihrer Betrachtungsweise her gesehen, den in der Dogmatik üblichen Eschatologiebegriff als viel zu eng und starr empfinden. K. Rahner hat wohl ähnliche Schwierigkeiten im Auge, wenn er sagt: »Der Traktat der Eschatologie ist noch sehr im Anfang seiner Geschichte; das Geschichtlichste hat in der Theologie des Christentums noch am wenigsten Geschichte gehabt.«[3]

Für die Exegese besteht seit der Wiederentdeckung des eschatologischen Charakters des NTs durch *Johannes Weiß* und *Albert Schweitzer*[4], die man zu den Sternstunden der

---

[2] LThK[2] III, 1094 ff.; *ders.,* Theologische Prinzipien der Hermeneutik eschatologischer Aussagen, in: Schriften zur Theologie IV, Einsiedeln–Köln 1960, 401 ff.

[3] LThK[2] III, 1095.

[4] *A. Schweitzer,* Geschichte der Leben-Jesu-Forschung, 6. Aufl., Tübingen 1951, 222 ff., 232 ff., 390 ff.; *W. G. Kümmel,* Das Neue Testament, Geschichte der Erforschung seiner Probleme, Freiburg–München 1958,

neueren Theologiegeschichte rechnen muß, keine Möglichkeit, auf den Begriff zu verzichten. Er ist den sachlichen Gegebenheiten so adäquat, daß man in Zukunft auf ihn so wenig wird verzichten können wie auf den Personbegriff in der Trinitätslehre seit dem 3. bis 5. Jahrhundert. Seit der Wiederentdeckung des urchristlichen eschatologischen Denkens stehen nun aber alle Probleme an, die mit seiner Aufnahme erst richtig zum Vorschein gekommen sind. Man erkannte vor allem, daß sich die Reich-Gottes-Verkündigung Jesu und die damit verbundenen Begriffe (z. B. der Begriff Menschensohn) nur auf dem Hintergrund des eschatologischen beziehungsweise apokalyptischen Denkens des ATs sowie der nachexilischen jüdischen Gemeinde in der Zeit vom 5. bis 1. vorchristlichen Jahrhundert richtig verstehen lassen[5], so daß grundsätzlich zu sagen ist: Das NT ist von Grund auf, und nicht nur in einzelnen, herauszulösenden Partien, eschatologisch zu verstehen; die Eschatologie bildet den *primären* (nicht den einzigen) sachgemäßen Zugang zum NT und seinem ursprünglichen Verständnishorizont. Daran ist nicht zu rütteln, und eine Exegese, die sich nach späteren dogmatischen Einteilungen richtet oder die ntl. Aussagen unter »allgemein menschlichen« Kategorien versteht, ist, am NT selbst gemessen, unsachgemäß. Freilich hatte man Eschatologie zunächst, im Anschluß an die jüdisch-apokalyptische Literatur, über die hier nicht gesprochen zu werden braucht, sehr stark »religionsgeschichtlich« verstanden. Daraus ergaben sich charakteristische Mißverständnisse der ntl. Botschaft, die zum Teil heute noch nicht völlig beseitigt sind. Aber das ändert nichts an der grundsätzlichen Richtigkeit des eschatologischen Ansatzpunktes. Faßt man diesen nicht religionsgeschichtlich, sondern theologisch, dann ist zu sagen:

286ff., 298ff; *J. Weiss,* Die Predigt Jesu vom Reiche Gottes. Hrsg. v. *F. Hahn.* Göttingen [3]1964.

[5] Vgl. bes. *Volz,* Eschatologie; es sei darauf hingewiesen, daß das prinzipielle eschatologische Verständnis, für das wir eintreten, nicht mit der »konsequenten Eschatologie« *A. Schweitzers,* Geschichte, 390ff., verwechselt werden darf. Letztere ist eine bestimmte Interpretation der ntl. Eschatologie, die in der heutigen Exegese kaum noch Anhänger besitzt.

Das NT versteht Jesu Botschaft und die mit der Person Jesu verbundenen Ereignisse als das eschatologische Handeln Gottes, d. h. als solche Ereignisse, wie sie vom AT und von der nachexilisch-jüdischen Gemeinde bzw. deren verschiedenen Gruppen für die kommende Endzeit erwartet wurden. Das besondere Problem, an welche Form der Enderwartung Jesus anknüpft, ist eine Frage für sich, die hier ausgeklammert werden kann. Entscheidend ist, daß das NT Person und Botschaft Jesu als endzeitliche »Erfüllung« alttestamentlich-jüdischer Enderwartung bezeugt, als eschatologische Offenbarung. Wenn z. B. der Hebräerbrief sagt: »Zu vielen Malen und auf mancherlei Weise hat Gott früher zu den Vätern durch die Propheten gesprochen; *jetzt, am Ende dieser Tage,* hat er zu uns gesprochen durch (seinen) Sohn« (Hebr 1,1 f.), dann kennzeichnet hier eine relativ späte Schrift des NTs selbst die Offenbarung Gottes in Jesus Christus als eschatologische Offenbarung.

Zunächst erfolgte die Neuentdeckung der Eschatologie vor allem an der Reich-Gottes-Verkündigung Jesu, d. h. im Verfolg der Fragestellung der alten Leben-Jesu-Forschung. Was man zuerst erkannte, war der eschatologische Charakter der Botschaft Jesu. Das Johannesevangelium blieb davon vorerst noch unberührt; es war zu sehr in die Hände der Religionsgeschichtler geraten, die seine Nähe zum hellenistischen Denken bewunderten. Hier geschah der entscheidende Vorstoß von *Rudolf Bultmann* mit dem Aufsatz: »Die Eschatologie des Johannesevangeliums« (1928)[6]. Hier entwickelte Bultmann zum erstenmal seine Auffassung von der »Vergegenwärtigung« der Eschatologie bei Johannes, die später in seinem großen Johanneskommentar[7] und in der »Theologie des NTs«[8] großzügig entfaltet wurde. Es bleibt das unbestrittene Verdienst Bultmanns, das eschatologische Problem des Johannesevangeliums in seiner ganzen Tragweite bewußtgemacht und zur

---

[6] Jetzt in: Glauben und Verstehen I, Tübingen ²1954, 134ff.
[7] Das Evangelium des Johannes, MK 11, durchges. Aufl., Göttingen 1950.
[8] 1. Aufl., Tübingen 1953, 349ff.

Diskussion gestellt zu haben als das Problem der »Gegenwartseschatologie«. Daß Bultmann hier einen theologisch entscheidenden Sachverhalt richtig erkannte, steht außer Frage. Das eschatologische Kernproblem des vierten Evangeliums ist in der Tat das Problem der eschatologischen Gegenwart. Neuerdings hat *L. van Hartingsveld* gerade diesen Punkt bei Bultmanns Johannesexegese in Frage stellen wollen[9]; zu Unrecht, wie mir scheint. Die Kritik an Bultmanns Johannesverständnis hat nicht an der Gegenwartseschatologie anzusetzen, sondern am *Wie* seines Verständnisses bzw. an ihrer Begründung.

Hier ist es notwendig, unsere Auffassung gegenüber derjenigen Bultmanns abzugrenzen. Bultmann macht, davon ist auszugehen, die »eschatologische Existenz« zum eigentlichen Zentrum und Angelpunkt seines Eschatologieverständnisses, nicht eigentlich das »endzeitliche Handeln Gottes«. Ohne auf die oft schwierige Verhältnisbestimmung von Theologie und Anthropologie bei Bultmann näher einzugehen – ein Problem, das auf katholischer Seite noch eingehender Behandlung bedarf –, sei der Unterschied folgendermaßen bestimmt: Die Bedeutung der »eschatologischen Existenz« sei in keiner Weise bestritten. Aber wir können sie nur verstehen als jene menschliche Existenz, die sich im Glauben durch das prinzipiell vorgegebene Handeln Gottes in Jesus Christus gemeint, erreicht und

---

[9] Die Eschatologie des Johannesevangeliums, Eine Auseinandersetzung mit Rudolf Bultmann, Assen 1962. *Van Hartingsveld* meint: »Präsenteschatologische Aussagen sind nur möglich auf der Grundlage der futurisch-eschatologischen Aussagen... Ohne ein eschatologisches Futurum ist ein eschatologisches Präsens ausgeschlossen«, a. a. O. 154 f. Das ist, besonders im Hinblick auf Johannes, kaum richtig. *Van Hartingsveld* nimmt, bei vielen richtigen Einzelbeobachtungen, die durch die Verkündigung Jesu eingeleitete und durch die nachösterliche Situation definitiv markierte Neuorientierung der Eschatologie im Neuen Testament nicht genügend ernst. Von der atl.-jüd. Erwartung aus betrachtet wären die oben zitierten Sätze richtig. Die johanneische Gegenwartseschatologie, die auch er nicht gut leugnen kann, bekommt bei ihm den Charakter eines unumgänglichen Zugeständnisses. Indessen ist für Johannes genau umgekehrt zu sagen: Auf den Gegenwartseschatologie liegt das Schwergewicht; weil es diese gibt, darum gibt es auch noch eine Zukunftseschatologie.

getroffen weiß. Ohne dieses sachlich und objektiv vorgegebene »*Prae*« des Handelns Gottes in Jesus Christus, das ohne alles menschliche Zutun erfolgte und in sich selber steht[10], kann es nach unserer Auffassung sinnvollerweise keine »eschatologische Existenz« geben, da diese jeder echten Grundlage entbehren müßte. Auch die Vorgegebenheit des »Wortes der Verkündigung« – seine nicht zu umgehende Bedeutung sei ebenfalls ausdrücklich anerkannt – genügt für sich allein nicht. Denn dieses Wort hat seinen unaufgebbaren Grund selbst wiederum im Handeln Gottes und bezeugt gerade dieses Handeln Gottes, kurz gesagt Jesus Christus den Gekreuzigten und Auferstandenen als seinen eigenen Grund und Ursprung, als seine eigene sachliche Voraus-*Setzung*. Das sind die entscheidenden Argumente – andere kämen hinzu –, die uns gegen den Ansatz Bultmanns bei der »eschatologischen Existenz« zu sprechen scheinen, wobei nun allerdings auch zuzugeben ist, daß die theologische Explikation unvollständig bliebe, wenn sie die »Existenz« nicht erreichen würde bzw. einbezöge. Es scheint, daß Bultmann hier die Eschatologie vielleicht doch noch nicht streng genug gedacht hat, sondern sie von seinem Ausgangspunkt her »formal« verstand, d. h. als Denkform einer historisch vergangenen Epoche, die für uns heute völlig neu, nämlich »existential« zu interpretieren sei[11].

---

[10] Damit soll vor allem die letzte, religionsgeschichtlich nicht ableitbare, Unabhängigkeit Jesu und seiner Verkündigung herausgestellt sein, das radikal Neue und Einzigartige, an das die »religionsgeschichtlichen Parallelen«, gerade auch die des zeitgenössischen jüdischen Denkens, allenfalls heranführen, ohne es jedoch zureichend erklären zu können. Hier liegt eine prinzipielle Grenze für jeden religionsgeschichtlichen Vergleich; es ist gerade nicht so, daß man ntl. Aussagen dann verstanden hätte, wenn man sie religionsgeschichtlich untergebracht hat. In der evangelischen Theologie spricht man hier vom »*extra nos*« des Heiles (vgl. *E. Käsemann,* Das Problem des historischen Jesus, Exegetische Versuche und Besinnungen I, Göttingen 1950, 202), das man jedoch nicht nur historisch verstehen darf, sondern als theologische Kategorie ernst nehmen muß, als Gegebenheit, die ihren unableitbaren Grund und Ursprung im Handeln Gottes besitzt.

[11] Eine eingehende Auseinandersetzung mit *Bultmanns* Eschatologieverständnis ist hier nicht möglich. Sie müßte vor allem auch der geistes- und problemgeschichtlichen Herkunft Rechnung tragen. Besonders aufschluß-

Aus diesem existential-anthropologischen Ansatz ergeben sich bei Bultmann bedeutsame Folgen: Die erste zeigt sich in dem Weg, der zur »Entmythologisierung« führt. Die zweite, die mit der ersten unmittelbar zusammenhängt, ist der eklatante Ausfall (oder mindestens starke Minimalisierung) der Christologie im Denken Bultmanns[12]. Die Interpretation der Eschatologie im Horizont der »eschatologischen Existenz« muß zu jener Art von »Vergeschichtlichung« und »Vergegenwärtigung« von Eschatologie führen, wie sie im Johanneskommentar beispielhaft vorgeführt wird. Aber gerade dort zeigt sich dann auch, wie damit ein theologischer Abbau der johanneischen Christologie geschieht, und zwar durch die Eliminierung des »gnostischen Mythos«, mit dessen Vorstellungen Johannes gearbeitet habe. Es würde hier zu weit führen, den Bultmannschen Interpretationsvorgang im einzelnen zu verfolgen. Hier sei nur festgehalten, daß Bultmann die eschatologische Gegen-

---

reich ist der Aufsatz: »Die Bedeutung der Eschatologie für die Religion des Neuen Testaments«, in: ZThK 27 (1917), 76 ff. Von diesem Aufsatz bis zu dem berühmten Vortrag: »Neues Testament und Mythologie, Das Problem der Entmythologisierung der neutestamentlichen Verkündigung« (1942), Kerygma und Mythos I, 4. erw. Aufl., Hamburg 1960, ist – bei allen sachlich bemerkenswerten Unterschieden – eine Kontinuität nicht zu verkennen. Hier heißt es nun: »Die Mythologie, in deren Begrifflichkeit das Neue Testament redet, ist im wesentlichen die der *jüdischen Apokalyptik* und des *gnostischen Erlösungsmythos* ... Auch diese Mythologien haben ihren Sinn nicht in ihren objektivierenden Vorstellungen, sondern müssen auf das in ihnen liegende Existenzverständnis hin, d. h. existential, interpretiert werden«, KuM I,26. – Die Kritik an *Bultmann* kann nicht darin bestehen, das hermeneutische Problem, das hier vorliegt, zu leugnen. Es bleibt vielmehr zu fragen, ob die hermeneutische Aufgabe, die hier besteht, nicht doch wesentlich komplexer und schwieriger ist, als es bei *Bultmann* erscheint. Würde es sich nur um »objektivierende Vorstellungen« bzw. mythologische Einkleidung handeln, dann wäre die Sache relativ einfach. Aber so ist es ja nicht! Die eschatologische Begrifflichkeit, um nur von dieser zu reden, meint ja doch wesentlich die Sache selbst, um die es geht, und kann von ihr nicht einfach abstrahiert werden, so daß bei jeder – nicht nur bei der existentialen – Interpretation gefragt werden muß, wieweit sie der in der eschatologischen Sprache gemeinten Sache wirklich gerecht wird. Es ist der Begriff der »objektivierenden Vorstellungen«, der sehr problematisch ist und eingehender kritischer Durchleuchtung bedürfte.

[12] Dazu vgl. Theologie, 379–396; bes. 387 ff.

wart bei Johannes theologisch nicht von der Christusgegenwart als ihrem bleibend vorauszusetzenden Grund her, also nicht »christologisch« versteht, womit die Dinge ihre Richtigkeit hätten, sondern als Vergegenwärtigung der eschatologischen Existenz, freilich ermöglicht durch das »Jetzt« der Verkündigung. Es ist, genau betrachtet, nur eine Folge dieser konsequenten existentialen Interpretation christologischer Aussagen, wenn es für Bultmann am Ende nur die reine Gegenwärtigkeit der eschatologischen Existenz gibt und die eschatologischen Zukunftsaussagen bei Johannes dahinfallen. – Es dürfte sich bei den bisherigen Überlegungen schon gezeigt haben, daß bei Johannes zwischen Christologie und Eschatologie ein enger Zusammenhang besteht. Hat man diesen einmal erkannt, dann begreift man auch, was das eschatologische Problem für die neutestamentliche Exegese bedeutet, und daß es sich hier in der Tat um ein theologisches Kernproblem handelt.

Wenn Eschatologie die Ereignisse um Jesus von Nazareth als endzeitliches Handeln Gottes und damit auch als Erfüllung alttestamentlich-jüdischer Zukunftserwartung charakterisieren soll, dann doch hauptsächlich deshalb, weil das NT der festen Überzeugung ist, daß hier dieses endzeitliche Handeln Gottes tatsächlich stattgefunden hat. Daraus würde dann folgen, daß für das NT das Eschaton bereits herangekommen und also in irgendeiner Form schon Gegenwart ist. Dann wäre allerdings die Frage nach der Gegenwartseschatologie nicht auf Johannes zu beschränken, sondern sie würde sich, wenn auch in anderer Form und Akzentuierung, für die Synoptiker und Paulus, ja für alle neutestamentlichen Schriften, ebenso stellen. Mit anderen Worten, die besondere Form der johanneischen Eschatologie wäre dann in der Tat ein besonders ausgeprägter Fall jener eschatologischen Gegenwart, wie sie für das gesamte NT charakteristisch ist[13] und dieses von jeder alttestamentlichen oder jüdisch-apokalyptischen Zukunftserwartung grundlegend unterscheidet.

---

[13] *Schnackenburg,* LThK[2] III, 1090f. 3. Die Eschatologie im Urchristentum.

Wenn im folgenden auf den religionsgeschichtlichen Vergleich weitgehend verzichtet wird, dann aus zwei Gründen: Dieser Vergleich wird an anderer Stelle[14] eingehend durchgeführt, und dort findet sich auch die exegetische Begründung für manche Aussagen, die hier nur einfach hingestellt werden. Sodann ist dieser Vergleich für die sachliche Erhebung des johanneischen Denkens lange nicht so ergiebig, wie man oft meint, was nicht heißen soll, daß er überflüssig wäre. Wichtiger wäre jedoch die traditionsgeschichtliche Fragestellung, vor allem nach der innerchristlichen Traditionsgeschichte, auf die hier allerdings auch weitgehend verzichtet werden muß.

2. Die christologisch bestimmte Eschatologie des Johannesevangeliums

Im Johannesevangelium, das sei als These vorausgeschickt, ist die Eschatologie durch die Christologie begründet und bestimmt. Die johanneische Eschatologie muß in ihrer Eigenart, sowohl in den großen Linien wie in den eschatologischen Einzelaussagen, von der Christologie her verstanden werden, nicht umgekehrt. Sie ist in gewisser Hinsicht Folge und Funktion der Christologie. Man kann, wenn von Eschatologie so gesprochen werden soll, wie das Johannesevangelium selber es tut, wenn sie also im theologischen Horizont des Johannesevangeliums selber verstanden werden soll, die Christologie nicht umgehen, man muß vielmehr bei dieser einsetzen.

Die christologische Konzentration der Eschatologie zeigt sich rein äußerlich betrachtet daran, daß der Begriff der βασιλεία τοῦ θεοῦ, der Gottesherrschaft, der bei den Synoptikern als eschatologischer Grundbegriff eine zentrale Rolle spielt, bei Johannes nahezu völlig ausfällt. Er begegnet nur Jo 3,3.5. Dagegen ist Jo 18,36 dreimal von der βασιλεία Jesu die Rede.

---

[14] Es sei gestattet, hier auf meine Arbeit: Krisis, Zur johanneischen Christologie und Eschatologie, Freiburg i. Br. 1964 zu verweisen, deren Ergebnisse in der vorliegenden Abhandlung vorausgesetzt sind.

Das Johannesevangelium äußert sich Jo 20,31 über seine Zielsetzung folgendermaßen: »Dieses aber ist geschrieben, damit ihr glaubet, daß Jesus ist der Messias, der Sohn Gottes, und damit ihr als Glaubende das Leben habet in seinem Namen.« In diesem ersten Abschluß ist das eschatologische Programm des vierten Evangeliums *in nuce* enthalten: Jesus von Nazareth ist der Messias, und er ist der Sohn Gottes, ein Titel, der im vierten Evangelium seine letzte theologische Vertiefung erfährt. Jesus als Messias und Gottessohn: das ist, grob gesagt, die christologisch-eschatologische Grundthese, das Haupt- und Leitmotiv, das im Evangelium in erhabenen Variationen durchgeführt wird. Dazu kommt das zweite eschatologische Motiv: Im Glauben an seinen Namen hat man das Leben. Leben ist, wie vor allem *Mussner* gezeigt hat[15], die eschatologische Heilsgabe schlechthin. Leben ist der johanneische Inbegriff des Heils. Er ist die eschatologische Realität, an der der Glaubende durch den Glauben an Jesus Christus Anteil gewinnt. Damit ist in aller Kürze der Grundriß der johanneischen Eschatologie entworfen. Er ist in seiner Grundstruktur außerordentlich einfach, klar und durchsichtig. In der Durchführung jedoch zeigt er sich als sehr komplex und offenbart einen ungeahnten Reichtum. Es soll nun versucht werden, diese Thematik in drei Ansätze aufzuzeigen.

A. Die johanneische Christologie[16]

In dem großen Bericht vom Anschluß der ersten Jünger an Jesus Joh 1,35–51 fällt die Anhäufung christologischer Bezeichnungen sofort in die Augen. Was in den synoptischen Evangelien nur langsam, sporadisch und behutsam gesagt wird, das wird im vierten Evangelium gleich zu Beginn mit lauter Stimme verkündet und programmatisch an den Anfang gesetzt. Es ist kein Zweifel, daß dafür kein historischer Bericht,

---

[15] ZΩH, Die Anschauung vom »Leben« im vierten Evangelium unter Berücksichtigung der Johannesbriefe, MTS hist. Abt. 5, München 1952.

[16] Vgl. zum Ganzen *E. M. Sidebottom,* The Christ of the Fourth Gospel, London 1961.

sondern bewußte theologische Absicht des Evangelisten maßgeblich war. Der Anschluß der ersten Jünger an Jesus – daß sie vom Täufer den Weg zu Jesus fanden, dürfte historisch begründet sein – ist theologisch ausgestaltet zum typischen Vorgang des Gläubigwerdens überhaupt; Gläubigwerden heißt erkennen und bekennen, wer Jesus ist. 1,36 wird Jesus von Johannes dem Täufer als »Lamm Gottes« (vgl. 1,29) eingeführt. Die beiden ersten Jünger nennen Jesus »Rabbi«, Lehrer, 1,38. Andreas sagt zu seinem Bruder Simon, der schon bei der ersten Begegnung mit Jesus den Namen Kephas-Petrus bekommt (1,42): »Wir haben den Messias, den Christus gefunden« 1,41. Philippus sagt zu Nathanael: »Wir haben den gefunden, von dem Moses im Gesetz und die Propheten geschrieben haben, Jesus, den Sohn Josephs aus Nazareth« 1,45. Im Bekenntnis Nathanaels heißt es: »Rabbi, du bist der Sohn Gottes, du bist der König Israels« 1,49. Die Reihe wird abgeschlossen durch ein Wort Jesu über den Menschensohn 1,51. Der Evangelist entfaltet hier gleich zu Beginn sein christologisches Programm. Jesus wird nacheinander bezeichnet als Lamm Gottes, Rabbi, Messias, Sohn Gottes, König Israels und als Menschensohn; er ist derjenige, von dem Moses und die Propheten geschrieben haben. Zwischendurch erfährt man auch, daß der, von dem diese Aussagen gemacht werden, kein anderer ist als Jesus, der Sohn Josephs aus Nazareth. Man kann für alle genannten Einzelzüge in den synoptischen Evangelien Parallelen finden, jedoch keine Parallele für eine derartige kompakte Zusammenfassung aller christologischer Titulaturen.

Für die johanneische Eschatologie sind unter diesen Titeln die des Messias, des Gottessohnes und des Menschensohnes die wichtigsten. Dazu einige Bemerkungen.

a) *Messias (Christus, König Israels, König der Juden)*[17]: Für den Verfasser des vierten Evangeliums steht es als gläubigem

---

[17] R. *Schnackenburg*, Die Messiasfrage im Johannesevangelium, in: Neutestamentliche Aufsätze, Festschrift für J. Schmid, Regensburg 1963, 240 ff.

Christen selbstverständlich fest, daß Jesus von Nazareth der Messias ist. Der Glaube bekennt, wie es Martha beispielhaft tut: »Ja Herr, ich habe geglaubt, daß du der Christus, der Sohn Gottes bist, der in die Welt Kommende« (11,27; vgl. 9,22; 20,31). Die Samariterin am Jakobsbrunnen beginnt das Messiasgeheimnis wenigstens zu ahnen (4,25.29). Johannes der Täufer verneint, als er danach gefragt wird, entschieden, der Messias zu sein (1,20.25). Doch weiß auch das vierte Evangelium sehr wohl, in Übereinstimmung mit der synoptischen Tradition, daß sich Jesus während seiner irdischen Wirksamkeit niemals selber als Messias bezeichnet hat; als man ihn zum König machen will, zieht er sich sofort zurück (6,15). Die Frage, ob Jesus der Messias sei, steht daher immer wieder im Brennpunkt der Auseinandersetzung mit den »Juden« (7,26.27.31.42; 10,24; 12,34). Die Frage ist umstritten, oder sie wird radikal verneint, indem jeder, der Jesus als Messias bekennt, vom Synagogenverband ausgeschlossen wird (9,22), eine Formulierung, die wohl die spätere Entwicklung in die Jesuszeit zurückträgt. Nur der Glaube bekennt sich klar zur Messianität Jesu.

Indirekt kommt der messianische Anspruch zum Ausdruck in der Hirtenrede (10,1–21), als deren bedeutsamster Hintergrund sicher Ezechiel 34 anzusehen ist. Dort sind vor allem die eschatologischen Verheißungen zu beachten (Ez 34,11–16). Dort ist von der rettenden Sammlung der Schafe »aus allen Orten ... wohin sie zerstreut wurden«, die Rede (Ez 34,11–13.16); ferner von der Verheißung des messianischen Hirten (Ez 34,23) und der kommenden Heilszeit (Ez 34,24.21). Bei Johannes kommen als besondere Züge hinzu: Der rechte Hirt gibt sein Leben für seine Schafe (10,12.17); gerade in der Selbsthingabe für die Seinen erweist sich das rechte Hirtentum Jesu. Jesu Messiastum ist hier in der Verbindung mit dem Kreuz und, wie 10,17ff. zeigen, mit der Auferstehung Jesu gesehen, wie denn auch nach Johannes gerade der Gekreuzigte und Auferstandene, der »Erhöhte«, die universale Sammlung der eschatologischen Heilsgemeinde einleitet (vgl. 11,51 f.; 12,32)[18]. Kreuz und Auferstehung Jesu sind nach Johannes die Voraussetzung für die Sammlung der messianischen Herde. Diese Sammlung ist nicht mehr nur, wie in der prophetischen und spätjüdischen Heilserwartung die Heimführung der jüdischen Diaspora, sondern, wie der Hinweis auf die »anderen Schafe, die nicht aus dieser Hürde sind«, deutlich macht, die Sammlung zur universalen, über die Grenzen Israels hinausgreifenden messianischen Heilsgemeinde, zur Kirche. Messianischen Charakter hat auch bei Johannes der Einzug Jesu in Jerusalem (12,12–19), wo Jesus, mit geringfügigem Unterschied zu den synoptischen Berichten (vgl. Mk 11,9 f. par.; Mt 21,9; Lk 19,38), als »König Israels« begrüßt wird. In der Bezeichnung »König Israels« drückt sich für Johannes der legitime messianische Anspruch Jesu gegenüber dem alttestamentlichen Gottesvolk aus (vgl. 1,49; 12,13.15).

Im Pilatusprozeß[19] gewinnt der Messiasbegriff, näherhin die Bezeichnung »König der Juden«, größte Bedeutung (18,33.37.39; 19,3.12.14.15.19.21). Er wird geradezu zum Angelpunkt der Auseinandersetzung im Prozeßverfahren. Hier nun bekennt sich Jesus offen zu seinem messianischen Königtum, freilich nicht ohne genau zu präzisieren, in welchem Sinne er sein Königtum verstanden wissen will: nämlich nicht im Sinne eines irdisch-politischen Machtanspruchs. Seine Königsherrschaft ist »nicht aus dieser Welt«, sondern aus Gott. Der Herrschaftsanspruch, den Jesus erhebt, ist der des Wahrheitszeugen, der mit seiner ganzen Person für die Wahrheit Gottes und ihren Anspruch auf den Menschen einsteht (vgl.

[18] *Van Hartingsveld,* Eschatologie, 94 ff., geht hier mit Recht von dem schon im AT vorbereiteten Gedanken der »Sammlung der Zerstreuten« aus, geg. *Bultmann* zur Stelle, der hier gnostischen Hintergrund vermutet. Doch dürfte seine Deutung auf die Diasporajuden kaum zutreffen. Die »anderen Schafe« (10,16) bzw. die »in der Welt zerstreuten Gotteskinder« (11,52) sind nicht die Diasporajuden, die sich ja durchaus als zu Israel gehörig wußten, also bes. 11,52 dem »Volk« nicht gegenübergestellt werden können, vgl. auch *Schnackenburg,* Messiasfrage 258.
[19] Vgl. Kapitel VI dieses Bandes: Die Verhandlung vor Pilatus Joh 18,28–19,16.

18,33–38a). Durch diese Selbstaussage und durch die Situation, in der sich Jesus befindet – ihm sind alle menschlichen Machtmittel genommen –, ist jedes Mißverständnis der Messiasauffassung Jesu ausgeschlossen; darum kann Jesus hier, was vorher nicht möglich war, offen von seinem Königtum reden. Wenn der Gekreuzigte als Schuldtitel über sein Haupt die Inschrift bekommt: »Jesus von Nazareth, König der Juden«, dann ist klar, daß jeder, der sich zu Jesus als Messias bekennt, sich eben damit zum Gekreuzigten bekennen muß.

b) *Sohn Gottes (Sohn, eingeborener Sohn):* Das ist der christologische Titel, der bei Johannes am weitaus häufigsten vorkommt (1,38.34.49; 3,16.17.18.35.36; 5,19.20.21.22.25.26; 6,40; 8,35.36; 10,36; 11,4.27; 14,13; 17,1; 19,7; 20,31). Dem entspricht umgekehrt die Häufigkeit der Bezeichnung Gottes als Vater beziehungsweise »mein Vater« im Munde Jesu. Man darf wohl sagen, daß sich für Johannes im Sohnes-Namen sowie in der näheren Umschreibung des Verhältnisses von Vater und Sohn und in allen diesbezüglichen Aussagen das johanneische Offenbarungsverständnis am adäquatesten ausdrückt. Dabei wird das Sohn-Verhältnis Jesu auf seinen letzten theologischen Seins- und Wesensgrund zurückgeführt. Der Sohn ist »der Eingeborene Gott, der an der Brust des Vaters ist« und der auf Grund dieses wesenhaften Bei-Gott-Seins (Partizip Präsens: ὁ ὤν) den seinem Wesen nach unsichtbaren Gott aussagen, darstellen und in der Welt repräsentieren kann (1,18). Der Prolog nennt ihn den »Logos Gottes«, der im Ursprung bei Gott seiend, selber göttlicher Natur und Wesens ist, der dann in die Welt kam und Fleisch wurde (1,1–2.14). Hier ist die heilsgeschichtliche oder funktionale Christologie überschritten in ihren innergöttlichen (»innertrinitarischen«) Grund hinein, der freilich nach Johannes nicht von seiner offenbarungsgeschichtlichen Ereignishaftigkeit in Jesus Christus getrennt werden und ohne den Glauben an diese auch gar nicht gesehen werden kann. Nach Johannes offenbart Jesus keine Trinität »an sich«, »in sich«

oder »für sich«, er verkündet keine Trinitäts-*Lehre,* die von dem Offenbarungs-Ereignis Jesus Christus ablösbar wäre und zum Gegenstand selbständiger Betrachtung gemacht werden könnte. Vielmehr ist der fleischgewordene Logos, Jesus Christus selbst, die Offenbarungs-Aussage Gottes. Er selber ist die Offenbarung im Ereignis, weil er in Sich selbst und durch Sich selbst den unsichtbaren Gott »auslegt«. Daher kann Jesus 14,9 f. sagen: »Solange bin ich schon bei euch, und du, Philippus, hast mich nicht erkannt? Wer mich geschaut hat, hat den Vater geschaut; wie kannst du sagen: Zeige mir den Vater? Glaubst du nicht, daß ich in dem Vater (bin) und der Vater in mir ist?« Dieser letzte *innere* Grund, diese innere Relation zwischen Vater und Sohn, die mit dem bloßen »Gehorsamsverhältnis« nicht mehr erklärt werden kann, ist auch gemeint, wenn es heißt, der aus dem Himmel Kommende »bezeugt, was er gehört und gesehen hat« (3,32); oder: »Der Vater liebt den Sohn und zeigt ihm alles, was er selber tut« (5,26). Weil er selber wesenhaft göttlicher Lebensträger ist, darum kann er auch eschatologischer Lebensspender sein. Oder wenn davon gesprochen wird, daß der Sohn nichts »von sich aus« (ὰφ' ἑαυτοῦ) tun kann (5,19.30; 8,28), wenn er nicht »von sich aus redet« (12,49), wenn er in allem den Willen des Vaters vollbringt und dies seine Speise ist, »daß ich den Willen dessen tute, der mich gesandt hat und sein Werk zur Vollendung bringe« (4,34), dann ist in alldem nicht nur gesagt, daß der Sohn stets im Gehorsam gegen den himmlischen Vater handelt und eine durchgehende Gleichförmigkeit zwischen dem Willen Jesu und Gottes Wille besteht, sondern es ist darin zugleich die stete innere Rückbindung des Handelns und Redens Jesu an den Vater ausgesprochen. Anders gesagt: Wenn Jesus »von sich aus« handeln oder reden, wenn er den eigenen Willen vollbringen könnte und dies faktisch täte, dann wäre er nicht der Sohn. D. h. Jesus als Sohn kann gar nicht verstanden werden ohne Gott als Vater. Auch der Begriff der »Sendung« – wenn Jesus davon spricht, daß ihn der Vater gesandt habe, beziehungsweise wenn der Vater als »der mich gesandt hat«

bezeichnet wird – muß bei Johannes streng theologisch verstanden werden. Es handelt sich hier nicht um »gnostische Begrifflichkeit«, die von einem himmlischen Gottgesandten sprechen würde und die zur Deutung Jesu herangezogen worden sei[20]. Es ist vielmehr der im rabbinisch-jüdischen Schaliach-Institut vorliegende Gesandten-Begriff, der hier aufgenommen wird. Hier ruht der Ton auf der Tatsache der Sendung in Verbindung mit der Person des Sendenden, wie der jüdische Rechtsgrundsatz: »Der Abgesandte eines Menschen ist wie dieser selbst« sagt. Dieser Sendungsbegriff ist vor allem durch den Repräsentationsgedanken im Hinblick auf einen bestimmten Auftrag charakterisiert. In diesem Repräsentationsgedanken liegt auch das eigentliche Analogon zum johanneischen Verständnis, nicht in einer allgemeinen Erklärung eines »Woher«. Wenn Jesus bei Johannes von seiner Sendung beziehungsweise von seinem Gesendet-Sein durch den Vater spricht, dann beansprucht er damit für sein Reden und Handeln göttliche Autorität; es kommt darauf an, daß »alle den Sohn in gleicher Weise wie den Vater ehren sollen. Wer den Sohn nicht ehrt, der ehrt auch den Vater nicht, der ihn gesandt hat« (5,23). Das ist die genaue Anwendung des oben genannten jüdischen Rechtsgrundsatzes. Der Rahmen menschlicher Sendung wird dabei freilich überschritten. Der johanneische Sendungsbegriff ist nicht nur formell-juristischer Art; sondern weil der Sendende Gott und der Gesandte der Sohn ist, und weil darüber hinaus die Sendung ereignishaften Charakter hat (»*missio incarnatio est*« heißt es mit Recht bei *Augustinus* und *Thomas v. A.*), so daß sie von der Existenz Jesu überhaupt nicht ablösbar ist (der Sendungsbegriff in seiner johanneischen Form kann gerade nicht genausogut auf irgend jemand anderen übertragen werden, wie dem Johannes den Begriff »Apostel« weitgehend vermeidet – mit Ausnahme von 13,16); erst der Auferstandene sendet »euch, wie mich der Vater gesandt hat« (20,21), darum kann gerade der Sendungsbegriff Ursprung, Tatsache und

[20] *Bultmann,* Theologie, 380 ff.

formellen Charakter der Offenbarung des Vaters in Jesus Christus ausdrücken. Sendung besagt dann, daß in Jesus als dem Sohn Gottes selber redet und handelt. Sie bringt den eschatologischen Charakter der Offenbarung Gottes im Sohn zum Ausdruck. »Denn Gott hat seinen Sohn nicht in die Welt gesandt, damit er die Welt richte, sondern damit die Welt durch ihn gerettet werde« (3,17). Die Sendung des Sohnes ist also nichts anderes als das eschatologische Offenbarungs- und Heilshandeln Gottes selber. Der Sohnes-Name hat daher im Johannesevangelium zwei Momente, die miteinander zur Einheit verbunden sind: das erste Moment ist die innere Relation des Sohnes zum Vater; das zweite Moment ist das Moment des geschichtlich-eschatologischen Heilshandelns Gottes im Sohn. Darum ist Gott im Sohn so in der Welt präsent, daß sich in der Stellungnahme zum Sohn die Stellung des Menschen gegenüber Gott entscheidet.

c) *Der Menschensohn*[21]. Wie die synoptische Tradition, so kennt auch Johannes den Begriff des υἱὸς τοῦ ἀνθρώπου, des Menschensohnes (1,51; 3,13f.; 5,27; 6,27.53.62; 8,28; 9,35; 12,23.34; 13,31). Auch darin stimmt Johannes mit der synoptischen Tradition überein, daß die Menschensohn-Aussagen nur in der dritten Person und fast ausschließlich im Munde Jesu begegnen (Ausnahmen: 3,13ff.; 12,34). Es soll hier auf einige Eigentümlichkeiten der johanneischen Menschensohntheologie aufmerksam gemacht werden.

Wenn Jo 5,27 gesagt wird, Gott habe dem Sohn »Vollmacht gegeben, Gericht zu halten, weil er der Menschensohn ist«, so hält sich diese Aussage noch in der Linie der danielisch-henochischen Menschensohnvorstellung, nach welcher der Menschensohn im Auftrag Gottes das Endgericht hält; neu ist hier lediglich die Beziehung auf den Sohn, d.h. auf Jesus und die damit verbundene Beziehung auf die Gegenwart. – 1,51: »Ihr

---

[21] S. *Schultz,* Untersuchungen zur Menschensohn-Christologie im Johannesevangelium, zugleich ein Beitrag zur Methodengeschichte der Auslegung des 4. Evangeliums, Göttingen 1957; *Sidebottom,* The Christ, 84ff.

werdet sehen die Himmel geöffnet und die Engel Gottes aufsteigen und niedersteigen über dem Menschensohn«: An dieser ersten Stelle geht Johannes erheblich über die apokalyptische Menschensohnvorstellung hinaus. Der Menschensohn ist auf Erden, er ist Jesus selbst. Er ist, im Anschluß an Gen 28,12 (die Erzählung vom Traum Jakobs von der Himmelsleiter) jetzt der Ort der Gegenwart Gottes. – Eine weitere Vertiefung erfährt der Begriff in der Brotrede 6,26–65. Hinter der Brotrede steht, wie vor allem *Dodd*[22] gesehen hat, der Menschensohn. Er ist der eschatologische Heilbringer und Lebensspender. 6,27 wird gesagt, daß der Menschensohn die »Speise bleibend zum ewigen Leben« geben wird; denn diesen hat Gott der Vater dazu autorisiert. Der Spruch: »Ich bin das Lebensbrot« ist daher zu verstehen: »Ich als der Menschensohn bin das Lebensbrot.« Man kann die Menschensohntheologie von Jo 6,26–65 auf folgenden Nenner bringen: Der Menschensohn ist vom Himmel herabgestiegen, wohin er wieder zurückkehren wird (καταβαίνειν und ἀναβαίνειν gehören bei Johannes zur Menschensohn-Terminologie, vgl. 3,13; 6,33.38.41.42.50.51.58.62). Darin ist der Präexistenzgedanke eingeschlossen. Der Menschensohn ist der Fleischgewordene, konkret: Jesus, »der Sohn Josephs, dessen Vater und Mutter wir ja kennen« (6,42). Er ist selber das Lebensbrot sowie derjenige, der sein Fleisch gibt für das Leben der Welt; er ist der eschatologische Lebensspender, und zwar als der Gekreuzigte (vgl. 6,48–51). Er gibt sein Fleisch und Blut zum Essen und Trinken in der Eucharistie (6,53ff.). Der Menschensohn ist der zu Gott Erhöhte (6,62) sowie derjenige, vor dem sich die Menschen zu Glauben oder Unglauben entscheiden müssen (6,60ff.).

3,14; 8,28; 12,23.34; 13,31 ist von der Erhöhung beziehungsweise Verherrlichung des Menschensohnes die Rede[23]. 3,14

---

[22] C. H. *Dodd*, The Interpretation of the Fourth Gospel, repr. Cambridge 1958, 248.

[23] W. *Thüsing*, Die Erhöhung und Verherrlichung Jesu im Johannesevangelium, NtlAbh XXI/1. bis 2. Heft, Münster i. W. 1959.

wird gesagt, so wie Moses in der Wüste die Schlange erhöht hat, so muß auch der Menschensohn erhöht werden, damit alle, die an ihn glauben, ewiges Leben haben. Was ist mit dieser »Erhöhung« gemeint? Manche Exegeten wollen den Ausdruck von der jüdischen Apokalyptik her verstehen, wo, besonders äthiopischer Henoch 70–71, von einer Erhöhung des Henoch zum Menschensohn gesprochen werde[24]. Dazu ist jedoch zu sagen, daß hier allenfalls von einer Entrückung Henochs zum Menschensohn (im Anschluß an Gen 5,24) geredet wird; der Ausdruck »Erhöhung« begegnet nicht. Hinzukommt, daß Johannes von einer Erhöhung des Menschensohnes selber spricht, nicht von einer Erhöhung zum Menschensohn! Die Rede von der Erhöhung des Menschensohnes aber setzt mindestens voraus, daß der Menschensohn selber der zu Erhöhende ist, dann muß aber der Erhöhung ein Zustand der Erniedrigung vorausgehen, in welchem der Erniedrigte bereits als Menschensohn verstanden ist. – Eine andere Auffassung will in der Erhöhung lediglich die Kreuzigung verstanden wissen[25]. Doch dem steht entgegen, daß Erhöhung nach dem AT immer die Versetzung eines Erniedrigten, Verfolgten oder sonstwie Bedrängten in den Status des Sieges und der Herrlichkeit durch Gott besagt. Das ist im NT zunächst nicht anders. Wenn hier von der Erhöhung Jesu gesprochen wird, dann ist damit die auf Grund der Auferstehung Jesu erfolgte Einsetzung zum himmlischen Kyrios gemeint (Phil 2,7; Apg 2,33; 5,31). Johannes bezeichnet nun bereits die Kreuzigung Jesu als Erhöhung. Man hat darin einmal ein sehr altes Stadium der urchristlichen Verkündigung erblicken wollen, im Sinne einer »Himmelfahrt vom Kreuze aus«. Aber das ist traditionsgeschichtlich sehr unwahrscheinlich. Vielmehr kann die Sache kaum anders verstanden werden, als daß Johannes das Kreuz

---

[24] *Schulz,* Untersuchungen, 105, erkennt zwar auch, daß sich »keine Belegstelle dafür, daß der Menschensohn erhöht werden soll«, findet, kommt dann aber doch auf die »Erhöhung des irdischen Jesu zum Menschensohn« zurück. Damit verfehlt er den eigtl. Sinn der johanneischen Aussage.
[25] So vor allem *Thüsing,* Erhöhung, 12.

als entscheidendes Moment in den Erhöhungsvorgang selber hereingenommen hat. Das Kreuz ist selber schon der Anfang des Sieges, der Erhöhung, vorzüglich deshalb, weil an ihm das Gericht über den Herrn des Kosmos, den Teufel, und damit der entscheidende Sieg über den Kosmos stattfindet (vgl. 12,31; 16,33). Die Erhöhungsbegrifflichkeit aber dürfte ihren historischen Hintergrund im Lied vom Gottesknecht Is 52,13–53, 12 haben, wo der Endsieg des leidenden Gottesknechtes als »Erhöhung« bezeichnet wird (vgl. bes. LXX-Text). Johannes war sich des Neuen und Befremdlichen dieser Formulierung offenbar genau bewußt, so, wenn die Menge 12,34 fragt: »Wir wissen aus dem Gesetz, daß der Christus ewig bleibt; wie kannst du sagen: der Menschensohn muß erhöht werden? Welcher Menschensohn ist das?« Einen Menschensohn, der erhöht werden muß, kannte das Judentum nicht. Hier war der Menschensohn eine Herrlichkeitsgestalt, deren Epiphanie man erwartete; daß er eine Erniedrigung erfahren, gar gekreuzigt werden müsse, war ein unvollziehbarer Gedanke. Erst Jesus hat jene Verbindung von Gottesknecht und Menschensohn, wie sie in der johanneischen Wendung von der Erhöhung des Menschensohnes vorliegen dürfte, möglich gemacht. Und gerade von diesem Menschensohn gilt, daß er in Ewigkeit bleibt.

Der johanneische Menschensohnbegriff unterscheidet sich also erheblich von dem der jüdischen Apokalyptik; aber auch gegenüber der synoptischen Tradition bestehen wichtige Unterschiede, denen hier jedoch nicht weiter nachgegangen werden kann. Da ist einmal die konsequente Bindung an die historische Gestalt Jesu von Nazareth; bereits der Menschgewordene ist der Menschensohn. Sodann ist er bei Johannes, und darauf liegt sogar das Hauptgewicht, der eschatologische Lebensspender, eine Funktion, die dem apokalyptischen Menschensohn nirgends zugeschrieben wird. Die Richterfunktion, die er schon in der Apokalyptik hatte, behält er bei, aber sie ist der Lebens- und Heils-Funktion nach- und untergeordnet. Die Rede vom Herabsteigen (καταβαίνειν) und Aufsteigen (ἀναβαίνειν) des Menschensohnes deutet das Kommen des Menschensohnes als ein Geschehen an, das in Gott selbst seinen Ursprung und sein Ziel hat; darin ist die Präexistenz-Aussage eingeschlossen. Kommen und Fortgehen Jesu sind als ein Weg und als Offenbarungs-Ereignis verstanden. Der – auch geschichtlich-faktische – Ereignischarakter wird noch dadurch unterstrichen, daß durch den Begriff der Erhöhung Kreuz und Auferstehung zu den entscheidenden Momenten des »Weges« des Menschensohnes werden. Könnte man Abstieg und Aufstieg noch allenfalls als gnostisch-mythologische Redeweise begreifen, was jedoch durch die Terminologie, die so in gnostischen Texten nicht vorkommt, beziehungsweise wo sie vorkommt, ihre Herkunft aus dem NT deutlich erkennen läßt, unwahrscheinlich gemacht wird, so wäre von allem durch die Bindung von Abstieg und Aufstieg an Kreuz und Auferstehung Jesu die mythologische Deutung endgültig hinfällig. Daß dieser irdisch-geschichtliche Weg mit dem Menschensohnbegriff verbunden ist – in der Apokalyptik ist der Menschensohn eben doch nur eine »Vorstellung«, eine »himmlische Gestalt« – das gibt ihm bei Johannes ein völlig neues Gepräge. So reizvoll die traditionsgeschichtliche Frage nach dem Verhältnis der johanneischen zur synoptischen Tradition wäre, sie muß hier auf sich beruhen bleiben. Doch müßte sie einmal aufgenommen und neu durchdacht werden.

Abschließend sei zur johanneischen Christologie noch gesagt: Sie hat, das bezeugen vor allem die Titel »Sohn« und »Menschensohn« sowie die damit verbundenen Aussagen, durchwegs eine doppelte Struktur: Sie macht Aussagen, die das innerste Wesen des Verhältnisses Jesu Christi zu Gott betreffen (Präexistenz, Göttlichkeit des Logos bzw. des Eingeborenen, das »innere« Verhältnis zwischen Vater und Sohn; dogmatisch ausgedrückt: innertrinitarische Relations-Aussagen), die das Ereignis Jesus Christus als göttliches Offenbarungsereignis in streng theologischem Sinn ausdeuten und innerlich begründen. Der göttliche Logos ist wirklich Fleisch geworden. Aber damit sind zugleich immer Geschehens-Aussagen verbunden, die das Christus-Ereignis als eschatologisches Heilsereignis bestimmen. Zur personalen Christologie gehört bei Johannes unlöslich die eschatologische Soteriologie. Jesus Christus, das ist bei Johannes stets eine bestimmte Person in Verbindung mit ihrer »Geschichte«, einer Geschichte, die Präexistenz, Inkarnation, Kreuz und Auferstehung, Verherrlichung umgreift. Der Messias-Begriff hat in diesem Zusammenhang vor allem die Aufgabe, das eschatologische Christus-Ereignis mit der atl.-jüdischen Heilsgeschichte zu verbinden. Diese besondere Fassung der Christologie wirkt auf die johanneische Darstellung des Evangeliums zurück, so daß sich für unser Verständnis eine merkwürdige Verschiebung des Perspektiven ergibt. Jo 3 oder Jo 6 kann völlig unbefangen von Kreuz und Erhöhung gesprochen werden, obschon das alles noch in der Zukunft zu liegen scheint. Bereits im 2. Kapitel, im Bericht von der Tempelreinigung, ist der Auferstandene gegenwärtig. Zwischen »Historie« und »Theologie« beziehungsweise theologischer Gestaltung und Durchdringung sauber zu scheiden, erweist sich als unmöglicher Versuch. Das Evangelium ist vom Gekreuzigten und Auferstandenen her entworfen, und wir haben es so hinzunehmen, wie es ist, um seine eigentümliche Botschaft zu erkennen.

B. Die Eschatologie

Indem wir von der Christologie sprachen, waren wir eigentlich immer schon mit der Eschatologie befaßt. Denn das Offenbarungs- und Heilshandeln Gottes in Jesus Christus ist selber das eschatologische Ereignis, das einerseits geschehen ist und als geschehenes, als »vollbrachtes«, verkündigt wird; das aber nun andererseits, gerade als »vollbrachtes« selber kein Ereignis der Vergangenheit ist, sondern stete Gegenwart, das eine neue Zukunft von Christus her eröffnet. Wenn die Juden 12,34 sagen: »Wir haben doch aus dem Gesetz gelernt, daß der Messias ewig bleibt«, so wäre darauf mit 8,35 zu entgegnen:

»Der Knecht bleibt nicht ewig im Hause; der Sohn dagegen bleibt in Ewigkeit.« Der Vorgang der Erhöhung und der Verherrlichung in Kreuz und Auferstehung enthebt das Christusereignis der rein historisch-zufälligen Ordnung irdischer Geschichte, ohne deshalb die Geschichtlichkeit auszuklammern; er verleiht ihm den Charakter des Bleibenden, des Endgültigen und Definitiven, er macht es zu einem Ereignis, das vom Ende her und über das »Ende« hinaus eine eigene, neue Ordnung aufrichtet und die göttliche Zukunft erschließt. An dieser Stelle wäre vor allem von der Rolle des Geist-Parakleten zu sprechen, den sogenannten »Paraklet-Worten« (a) 14,15–17; (b) 14,25–26; (c) 15,26–27; (d) 16,4b–11; (e) 16,12–25[26]. Man darf das Wirken des Geist-Parakleten nicht als Wirken eines »Anderen« neben Christus verstehen. Das Kommen des Geistes setzt freilich die Vollendung des Christuswerkes voraus. Aber die eigentliche Wirksamkeit des Geist-Parakleten besteht darin, durch sein Dasein bei der Jüngergemeinde Jesu, der Kirche (14,17), durch sein »Lehren« und »Erinnern« (14,26), sowie durch sein »Leiten in die ganze Wahrheit hinein« (16,13) das Christusereignis stets gegenwärtig zu halten. Der Geist bringt keine neue, über Christus hinausgehende Offenbarung mehr. Aber er erschließt das in Christus endgültig gegebene Wahrheits-Ganze, indem er die Gemeinde der Glaubenden in es hineingeleitet. Ebenso hält er gegenüber dem Kosmos, der ungläubigen Welt, das Christusereignis gegenwärtig. Damit ist in einem groben Umriß die Grundlage der johanneischen Gegenwarts-Eschatologie aufgezeigt.

Das Christusgeschehen ist das Endgeschehen, weil, vor allem in Kreuz und Auferstehung Jesu, die »Welt«, der Kosmos, selbst an sein Ende gekommen ist. 12,31 f. heißt es: »Jetzt ergeht das Gericht über diese Welt; jetzt wird der Herrscher dieser Welt hinausgeworfen; doch ich, wenn ich von der Erde erhöht sein

---

[26] *F. Mussner,* Die johanneischen Parakletsprüche und die apostolische Tradition, BZ 5, 1961, 56 ff.; *O. Betz,* Der Paraklet, Leiden 1963.

werde, werde ich alle zu mir ziehen.«[27] Das Ereignis der Stunde, des »Jetzt«, nämlich Verherrlichung und Erhöhung des Menschensohnes (vgl. 12,23 ff.) in Kreuz und Auferstehung, bedeutet das Gericht über den bisherigen Herrn des Kosmos, über den Statan. Er wird »hinausgeworfen«, wohin, wird nicht gesagt. Man darf die Aussage so verstehen: Die Krisis dieses Kosmos besteht darin, daß der Kosmos seinen bisherigen Herrn verliert, daß also der Herrscher des Kosmos seiner Herrschaft entmächtigt und aus seiner Herrschaftsstellung verdrängt wird. Die Krisis des Kosmos ist bedingt durch den Herrschaftswechsel, die Welt bekommt einen neuen Herrn. Das ist der entscheidende Gerichtsvorgang. Der »Herr des Kosmos«, Satan, ist seitdem gerichtet (16,11). Schon in der Passion und am Kreuz geschieht, wie besonders eindrucksvoll die johanneische Passionsgeschichte zeigt, die Inthronisation des neuen Herrn und Königs: *Regnat Deus a ligno,* Das heißt nun aber, daß hier, der Kosmos, die Welt, in Jesus Christus in ihr Heil gelangt. Der Erhöhte wird, so heißt es, »alle zu sich selber ziehen« – ein Ausdruck dafür, daß die Glaubenden in die Gemeinschaft mit dem Erhöhten gelangen und so am Heil Anteil gewinnen.

Wir haben beim Ende eingesetzt und kommen von hier zu den früher bei Johannes erfolgenden eschatologischen Aussagen zurück, um zu erkennen, daß sie alle eigentlich erst von diesem Ende her verständlich werden. In dem eschatologischen Abschnitt 3,13–21 werden nacheinander folgende Gedanken entwickelt: Kein Mensch kann zum Himmel aufsteigen, d. h. Zugang zu Gott und damit das Heil gewinnen, außer dem Menschensohn, der vom Himmel herabgestiegen ist. Der Menschensohn ist der einzige Zugang zu Gott (V.13). Er ist das

---

[27] *Van Hartingsveld,* Eschatologie; 45: »Dann wird auch der Satan verbannt werden. Prophetisch werden diese eschatologischen Perspektiven zusammengeschaut…« Es handelt sich nach ihm um »eine Ankündigung der Nähe des letzten Tages. Das Sterben und Auferstehen Jesu ist kein Ersatz für die Eschatologie, sondern Vorspiel der Eschatologie« ibid. Die Auffassung scheitert am Text und Kontext der Stelle.

aber durch seine Erhöhung; denn er muß erhöht werden, damit jeder, der glaubt, in Ihm ewiges Leben habe (V.14f.). Denn so sehr hat Gott den Kosmos, die sich im Unheil und unter der Satansherrschaft befindliche Welt, geliebt, daß er seinen Eingeborenen Sohn gab, damit jeder, der glaubt, nicht verlorengehe, sondern ewiges Leben gewinne. Gott hat durch die Sendung des Sohnes die Welt nicht richten, sondern retten wollen (V.16f.). Hier wird zunächst statuiert: Es geht in Jesus Christus um das Heil der Welt; Erhöhung des Menschensohnes, der Sohn als Gabe Gottes an die Menschen, seine Sendung in die Welt: das ist das von Gott in seiner Liebe zu der sich im Unheil befindlichen Welt veranstaltete Heilsgeschehen. Gott will nicht das Gericht, das Verderben oder den Untergang des Menschen, er will vielmehr seine Rettung, das Heil. Dieser Heilswille Gottes aber wird sichtbar in der Heilstat. Diese bezeugt den göttlichen Heilswillen; ein vielleicht parallellaufender Unheilswille Gottes, etwa im Sinne einer doppelten Prädestination, wird ausdrücklich ausgeschlossen.

Wer darum, so fährt der Text fort, glaubt, der wird nicht gerichtet; wer dagegen nicht glaubt, der ist schon gerichtet, weil er nicht an den Namen des Eingeborenen Sohnes Gottes geglaubt hat (V.18). In Jesus Christus ist der Heilswille Gottes offenkundig und endgültig befestigt worden. Wer darum glaubt, d. h. wer sich mit seiner ganzen Existenz zu diesem Heilsereignis Jesus Christus bekennt, wer es als Gottes Tat, geschehen zu unserem Heil, anerkennt und es so für sich selber gelten läßt, für den ist damit eo ipso das Gericht erledigt. Der steht nicht mehr unter dem göttlichen Strafgericht, vielmehr ist er dem Unheilsbereich entnommen und hat Anteil am Heil, an Christus und am Leben. Wer dagegen nicht glaubt, der ist schon gerichtet, der hat sich das Gericht bereits zugezogen, und zwar durch seinen eigenen Unglauben. Damit liegt der entscheidende Vorgang zu Heil und Gericht *nicht mehr in der Zukunft, sondern bereits in der Gegenwart.* Glaube und Unglaube sind zu den heilsentscheidenden Alternativen geworden. Dabei ist es jedoch so, daß die göttliche Heilstat, die ausdrücklich als Tat der göttlichen Liebe zur Menschenwelt verstanden ist, ihrer tiefsten und ureigensten Intention nach auf das Heil des Menschen und also auf den Glauben abzielt; eigentlich sollte sich der Mensch dadurch zum Glauben und zum Heil bestimmen und bewegen lassen. Im gläubigen Menschen erreicht die Heilstat Gottes ihr Ziel. Der Unglaube ist deshalb, genau bedacht, keine *gleichwertige* Alternative zum Glauben; es stehen sich hier nicht, wie in der frühjüdischen »Zwei-Wege-Lehre«, zwei Wege gegenüber, zwischen denen der Mensch zu wählen hätte. Vielleicht ist der Unglaube als ein sich dem Heil Verweigern zu bestimmen, das eben dadurch den Menschen außerhalb des Heiles stellt bzw. beläßt; der Unglaube hat den Charakter frei gewählter Negation. Von einem Dualismus im Sinne von Qumran oder des gnostischen Denkens kann bei Johannes meines Erachtens überhaupt nicht gesprochen werden; auch der Ausdruck »ethischer Dualismus« dürfte das, was die Alternative Glaube/Unglaube bei Johannes meint, nicht treffen. – Das Gericht geschieht, nachdem nun das »Licht« in die Welt gekommen ist – »Licht« ist bei Johannes christologisch zu verstehen –, so, daß die Menschen anstatt die Gegenwart des Lichtes zu ergreifen, die Finsternis mehr als das Licht lieben, weil sie in ihre »bösen Werke« verstrickt sind. Sie wollen sich und ihre bösen Werke vor Gott nicht aufdecken lassen. Unglaube, Haß gegen das Licht, die bösen Werke: das alles zusammen umschreibt den menschlichen Unheilsstand. Wer dagegen »die Wahrheit tut«, also die Wahrheitstat des Glaubens setzt – Wahrheit ist nach Johannes gleichfalls christologisch zu verstehen[28] –, der kommt zum Licht. Er enthüllt sich selber als ein Heilswerk Gottes; an ihm hat Gottes Heilsabsicht ihr Ziel erreicht (V.19–21).

Ähnliches sagt der eschatologische Abschnitt 5,19–30. Hier weisen schon die sprachlichen Wendungen: Lebendigmachen, richten, die Toten lebendigmachen, ewiges Leben, ins Gericht

---

[28] *H. Schlier,* Meditationen über den johanneischen Begriff der Wahrheit, in: Martin Heidegger zum 70. Geburtstag, Pfullingen 1959, 195 ff. Vgl. Kapitel VII dieses Bandes: Der johanneische Wahrheits-Begriff.

kommen, Menschensohn, Auferstehung zum Leben auf den eschatologischen Charakter hin.

Der Abschnitt gliedert sich in drei Stufen:

a) V.19–23 behandelt die christologischen Voraussetzungen: Der Sohn ist in seinem ganzen Sein und Tun an den Vater gebunden; der Vater enthält dem Sohn nichts vor, sondern teilt ihm alles mit, weil er ihn liebt. Darum besitzt der Sohn genauso wie der Vater die Vollmacht, lebendig zu machen (ζωοποιεῖν). Auch das Gericht hat sich der Vater nicht vorbehalten, sondern es ganz und ohne jede Einschränkung dem Sohn übergeben, damit man den Sohn genauso anerkenne und ehre wie den Vater. Der Sohn ist also der vom Vater autorisierte eschatologische Lebensspender und Richter.

b) V.24–27 zieht nun daraus die Folgerungen im Sinne der Gegenwartseschatologie: Wer Jesu Wort hört, es aufnimmt und darin dem Vater glaubt, der kommt nicht ins Gericht, sondern er ist bereits jetzt vom Tod in das Leben hinübergeschritten. Der hat den Überschritt aus dem Bereich des Unheils und des Todes in den Bereich von Heil und Leben schon vollzogen, und zwar dadurch, daß er zum Glaubenden geworden ist. Ja, so fährt V.25 weiter, jetzt ist schon die Stunde der Totenerweckung, in der die Toten die Stimme des Gottessohnes hören, und diejenigen, die sie gehört (und geglaubt) haben, ins Leben gelangen. Das »Jetzt« bzw. die »Stunde« meinen das durch Jesu gegenwärtiges Wort zur entscheidenden Stunde gemachte »Jetzt«; im Hintergrund steht aber auch noch die eigentliche »Stunde« Jesu, also Kreuz und Auferstehung: durch sie ist die eschatologische Qualifizierung der Gegenwart ein für allemal erfolgt. So ist Jesu Wort das Wort, das die Toten zum Leben ruft. Man darf hier nicht spiritualisieren, etwa so, daß man hier von einer »geistigen« Totenerweckung spricht, der die leibliche Auferstehung gegenübergestellt wird. Tod, Sünde und Unheil gehören nach Johannes zusammen; sie beziehen sich auf die gesamtmenschliche Existenz; die Anthropologie, die bei Johannes im Hintergrund steht, ist nicht die griechische, auch nicht die gnostische, sondern die alttestamentlich-jüdische. Der Unterschied, der hier zu machen ist, heißt deshalb nicht »geistig-leiblich«, sondern »gegenwärtig-zukünftig«, wobei Gegenwart und Zukunft nicht als formale Zeitkategorien zu nehmen sind, sondern als die von Jesus Christus bestimmte Gegenwart und Zukunft. Schon im AT sind »Leben« und »Tod« keine rein physisch-biologischen Gegebenheiten. Leben ist die Gabe Jahwes, die ihren vollen Sinn in der Lebensgemeinschaft mit Jahwe gewinnt; der Tod ist dagegen das Getrenntsein von dieser Lebenssphäre. Für den alttestamentlichen Frommen liegt die größte Bitterkeit des Todes darin, daß er aus der Gemeinschaft mit Jahwe ausschließt[29]. Bei Johannes ist diese Auffassung vor allem eschatologisch und christologisch gewendet: Leben ist die Teilhabe an der in Christus erschlossenen göttlichen Lebenswirklichkeit, Tod ist der Ausschluß, das Getrenntsein von dieser Lebenssphäre. Ausschluß aus der Gottes- und Christusgemeinschaft ist darum in einem tieferen Sinne Tod als das biologische Erlöschen. Jesu Wort ruft also tatsächlich die Menschen zum Leben, indem es sie zum Glauben ruft. Darum ist der Anfang des Glaubens Beginn des Lebens, Totenerweckung, Teilhabe an der Lebenswirklichkeit Christi. Freilich »im Glauben«, im Glauben aber auch wirklich und tatsächlich. Man muß diese Aussage in ihrer ganzen Tragweite ohne jede Abschwächung stehenlassen. Gerade darum wird V.26 noch einmal ausdrücklich gesagt, daß der Sohn genauso Leben in sich habe wie der Vater. Voll verständlich werden diese Aussagen erst dann, wenn man erkennt, daß sie im Lichte des Auferstandenen gesagt sind. Der Überschritt vom Tod zum Leben erinnert darüber hinaus nicht nur an Verkündigung, Wort und Glaube – obschon man die theologische Bedeutung, die hier dem Wort Jesu beigemessen wird, nicht minimalisieren darf –, sondern wohl auch an das Taufgeschehen und an den Eintritt in die

---

[29] *G. von Rad,* »Gerechtigkeit« und »Leben« in der Kultsprache der Psalmen, in: Gesammelte Studien zum Alten Testament, München 1959, 225 ff.

christliche Gemeinde, die den Übergang vom Unglauben zum Glauben auch im sozialen Bereich viel stärker als Überschritt in eine neue Lebenssphäre empfand, als dies uns heute geläufig ist[30]. Der Glaube ist ein Engagement des Menschen auf einer völlig neuen Basis; zugleich wird ersichtlich, welche Bedeutung die Realität der Lebenswirklichkeit des Auferstandenen für den Glauben besitzt. Der Auferstandene ist in der Tat nicht nur Gegenstand, sondern tragender Grund des Glaubens, und glauben heißt, an Seinem Leben Anteil gewinnen bzw. haben. So betrachtet, gewinnen die johanneischen Aussagen erst wieder ihre volle Aussagekraft zurück.

In diesem Zusammenhang sind auch die »Ich-bin-Aussagen«[31] 11,25 f. und 14,6 zu erwähnen: »Ich bin die Auferstehung und das Leben; wer an mich glaubt, der wird, auch wenn er stirbt, leben; und jeder, der lebt und an mich glaubt, wird in Ewigkeit nicht sterben«; »Ich bin der Weg, die Wahrheit und das Leben; niemand kommt zum Vater außer durch mich.« Hier geht es jedesmal um die Frage der Lebensgemeinschaft mit Gott, um die Teilhabe am eschatologischen Heil, zu der man nur durch den Glauben an Jesus Christus gelangt. Es ist auch deutlich, daß der Glaube, der sich auf diese Wahrheit einläßt, eine völlig neue Einstellung des Menschen zu den Erscheinungen von Tod und Leben, von Krankheit, Sterben usw. mit sich bringt.

V.27 merkt noch an, daß der Lebensspender auch der Richter ist, ohne viel darüber zu sagen. Wer außerhalb der Lebenssphäre Christi bleibt, der zieht sich das Gericht zu und bleibt im Tode.

c) V.28 ff. bringen einen zukunftseschatologischen Abschluß. *Bultmann* wollte diesen Abschluß eliminieren; er sei auf Kosten einer kirchlichen Redaktion zu setzen und entschärfe die Gegenwartsaussagen[32]. Aber das ist keineswegs der Fall. Der Abschluß mindert die Gegenwartsaussagen in keiner

---

[30] *G. Bardy*, La Conversion au Christianisme durant les premiers siècles, 1949.

[31] *H. Zimmermann*, Das absolute Ego eimi als die neutestamentliche Offenbarungsformel, BZ 4 (1960), 54 ff., 266 ff.

[32] Johanneskommentar, 196.

Weise herab; es wird von dem vorher Gesagten nichts eingeschränkt oder zurückgenommen. Von einer eschatologischen Entscheidung in der Zukunft ist nicht mehr die Rede. Es wird lediglich gesagt, daß bei der noch ausstehenden Totenerweckung die Guten die Auferstehung zum Vollbesitz des Lebens, die Bösen dagegen die Auferstehung zum definitiven Strafgericht erfahren werden. Die Entscheidung, das setzt der Abschnitt ja gerade voraus, ist bereits gefallen. Die fällt aber im Jetzt und Heute, gegenüber der Person Jesu und seinem Wort, in der Entscheidung zu Glauben oder Unglauben. Was die zukünftige Auferstehung noch zu leisten hat, ist dies, daß erstens die Rolle der Zeit für den Glauben nicht eliminiert wird; zweitens, daß das Leben, das wir hier im Glauben wirklich haben, aber nur im Glauben und noch verborgen, am Menschen auch leibhafte Erscheinung werden soll; drittens, daß darin die unbedingte Vorrangstellung Christi gegenüber den Glaubenden gewahrt bleibt. Wollte man die Zukunftseschatologie ausscheiden, dann würde man dem Glauben etwas zusprechen, was primär von Jesus Christus gilt und erst von Jesus Christus her auch für die Glaubenden. Denn der Glaube hält sich nicht nur an das Wort, sondern an Jesus Christus selbst.

Auch die große johanneische Brotrede 6,26 ff. handelt von der Heilsgegenwart des Lebens für den Glauben: Jesus selbst ist das Lebensbrot; wer zu ihm kommt, wird nicht mehr hungern, und wer an ihn glaubt, wird nicht mehr dürsten (6,35). Ja, der Glaubende hat ewiges Leben (6,47). Jesus, der Menschensohn, ist das Lebensbrot, das vom Himmel herabstieg, damit man davon esse und nicht sterbe (6,50). Und dann heißt es im Hinblick auf die Eucharistie, daß, wer das Fleisch des Menschensohnes nicht ißt und sein Blut nicht trinkt, »Leben nicht in sich selber« habe (6,53). Das heißt, »Leben haben« besagt, Leben »in sich selbst« (ἐν ἑαυτοῖς) als eine innere Qualität zu eigen haben, freilich nur durch Jesus, aber doch in einer analogen Weise, wie Jesus »Leben in sich selber« hat. Denn: »Wie mich der lebendige Vater gesandt hat und ich durch den

Vater lebe, so wird jeder, der mich ißt, leben durch mich« (6,57). Aber in der Brotrede ist nun wieder deutlich zu sehen, wie die eschatologischen Gegenwartsaussagen durch die dahinterstehende Menschensohnchristologie bestimmt sind und eigentlich nur in Verbindung mit dieser Christologie, über deren Eigenart oben das Wichtigste gesagt wurde, ihre Gültigkeit haben. Weil Jesus selber das Lebensbrot ist, darum hat der Glaubende, der sich im Glauben der Christuswirklichkeit erschlossen hat, am Leben Anteil. Die Eucharistie aber ist das sichtbare Zeichen, das diese Teilhabe am Leben in der Christusgemeinschaft der Gemeinde immer wieder verbürgt und vertieft. Dabei begegnen auch hier wieder die zukunftseschatologischen Aussagen: »Ich werde ihn auferwecken am Jüngsten Tage« (6,39.40.44.54). Man darf sie auch hier nicht im Gegensatz zu den Gegenwartsaussagen verstehen, vielmehr ergeben sie sich folgerichtig aus dem schon gegenwärtigen Lebensbesitz. Die eschatologische Gegenwart wird durch sie in keiner Weise in Frage gestellt. Sie ist vielmehr die Voraussetzung und der Grund für die noch ausstehende eschatologische Zukunft, die ihrerseits wiederum in der Gegenwart ihre sichere Bürgschaft besitzt. Daß auch hier der christologische Grund ausschlaggebend ist, erweist sich daran, daß in der eschatologischen Zukunft derselbe Christus der Handelnde ist, der auch jetzt schon dem Glaubenden Anteil am Leben gewährt. Er selber wird die Glaubenden am letzten Tag auferstehen lassen. Man kann zur eschatologischen Gegenwart bei Johannes generell sagen: Ausgangspunkt ist die Offenbarung und das Heilshandeln Gottes in Jesus Christus. In Jesus hat Gott sich in einer endgültigen Weise geoffenbart; in ihm hat er so gehandelt, daß in Jesus Christus das eschatologische Heil voll verwirklicht und für alle Zeiten gegeben ist. Das *Consummatum est* von Jo 19,30, mit dem nach Johannes der Gekreuzigte sein irdisches Leben aushaucht und seinen Geist Gott übergibt, besagt die Vollendung des Heilswerkes[33], dessen ewige Gültig-

---

[33] *A. Corell*, Consummatum est, Eschatology and Church in the Fourth Gospel, London 1958.

keit die Auferstehung besiegelt. Die eschatologische Gegenwart ist darum zuerst und grundlegend die Gegenwart Jesu Christi, der in seiner Heimkehr zum Vater sein »Werk« ja nicht hinter sich läßt, sondern nun für alle Zeit mit diesem seinem Werk identisch ist. Im Bilde drückt es sich darin aus, daß der Auferstandene die Wundmale trägt und diese den Jüngern bei seinem Erscheinen zeigt (20,20). So ist also Jesus Christus, der gekreuzigte und auferstandene Sohn Gottes, selbst das Heilswerk Gottes für die Menschen. Er selbst ist der neue Lebensäon. Diese »Personalisierung« und »Christologisierung« der eschatologischen Begriffe, die schon bei Paulus (und in anderer Form auch bei den Synoptikern) zu beobachten ist, gibt, aufs ganze gesehen, der johanneischen Eschatologie ein neues Gepräge, das sie von der jüdischen Eschatologie grundlegend unterscheidet. Die »eschatologische Existenz« der Glaubenden aber ergibt sich dann folgerichtig aus dem in Jesus Christus bereits verwirklichten und darum gegenwärtigen Eschaton. Diese Gegenwart ist der Grund der Zukunft; durch sie ist die Zukunft erschlossen. Das macht keinerlei Schwierigkeiten, wenn man die christologische Konzentration der Eschatologie bei Johannes einmal erkannt hat. Man wird sogar sagen müssen, daß dieses Denken von der alttestamentlich-prophetischen Denkweise her besonders gut verständlich wird. Wie im AT das prophetische Wort die Zukunft so eröffnet, daß sie gleichsam von der Ferne her die Gegenwart bestimmt, so bestimmt bei Johannes, nun freilich umgekehrt, Jesus Christus, das fleischgewordene Wort, so die Gegenwart, daß in ihm die Zukunft erschlossen ist, doch so, daß dies nicht mehr rückgängig gemacht werden kann. Der Glaube ist darum der Zugang zum Heil, während der Unglaube deshalb das Gericht ist, weil er vom Heil ausschließt bzw. weil der Mensch, der nicht glaubt, sich eben darin selber vom Heil ausgeschlossen hat. So betrachtet, erscheint die eschatologische Linienführung bei Johannes durchaus in sich folgerichtig, einleuchtend und ohne Widersprüche; die Ausklammerungen, wie *Bultmann* sie vornehmen zu müssen meinte, haben keinen Grund.

C. Die Krisis Israels

Jesus Christus selbst ist die eschatologische Offenbarung Gottes. Darum ist die Frage der Stellungnahme zu ihm die entscheidende Heilsfrage. Ihm gegenüber ist die Entscheidung von Glaube oder Unglaube zu fällen, d. h. daß sich ihm gegenüber, angesichts seiner Person, die Krisis vollzieht. Joh 6; 5; 7–12 wird dieser Vorgang der Krisis in der Auseinandersetzung zwischen Jesus und den »Juden« dargestellt. Es ist wichtig zu sehen, daß hier offenbar nicht einfach eine allgemeine »Krisis des Kosmos« am Beispiel der »Juden« dargestellt wird, sondern daß hier die Krisis der »Juden«, der alttestamentlich-jüdischen Kultgemeinde, zunächst im Vordergrund steht und daß dieser konkrete Vordergrund zur »Krisis des Kosmos« typisch erweitert wurde.

Worum geht es in dieser prozeßhaften, sakralrechtlichen Auseinandersetzung zwischen Jesus und den »Juden«, d. h. vor allem den führenden Männern der Jerusalemer Kultgemeinde? Es ist ja gewiß kein Zufall, daß die Orte dieser Auseinandersetzung stets mit dem Kult zusammenhängen: die Synagoge in Kapharnaum (Joh 6); dann aber in der Hauptsache Jerusalem, die heilige Stadt, und hier wiederum in erster Linie der Tempel. Es hat sicher programmatischen Sinn, wenn nach Johannes die erste Aktion Jesu bei seinem Auftreten in Jerusalem die Tempelreinigung ist; historisch wird man hier gewiß der synoptischen Darstellung die größere Wahrscheinlichkeit zubilligen (vgl. Jo 2,13–22; Mk 11,15–19 par). Bei Johannes steht im Mittelpunkt das Wort: »Zerstöret diesen Tempel, und in drei Tagen werde ich ihn wiedererstehen lassen« (2,19). Die Tempelreinigung soll nach Johannes in Verbindung mit dem angeführten Wort als Zeichen verstanden werden. Wofür? Wenn man das Wort über den eschatologischen Kult 4,22ff. heranzieht, wird man wohl sagen müssen: Das Zeichen soll darauf hinweisen, daß das Ende des Tempels als Stätte der Gottesgegenwart in die Nähe gerückt ist; Stätte der Gottesgegenwart wird Jesus selbst sein.

In der kritischen Auseinandersetzung zwischen Jesus und den »Juden« werden nun in systematischer Folge alle religiösen Ehrenprädikate und Privilegien, auf die sich das jüdische Selbstverständnis gründete, in Frage gestellt, ja direkt bestritten. Zu beachten ist aber, daß die Schrift, das AT als Offenbarung Gottes an Israel, nicht bestritten wird, es wird vielmehr als Christuszeugnis reklamiert und in Anspruch genommen. Bestritten wird dagegen das Recht der »Juden« auf das AT und das jüdische Selbstverständnis. Die Auseinandersetzung treibt gleichsam einen Keil zwischen das AT, das mit Moses, Abraham und den Propheten auf die Seite Jesu zu stehen kommt, und zwischen das herrschende jüdische Selbstverständnis, das als Unglaube, Blindheit, Verstocktheit und Haß gedeutet wird. Es scheint mir deutlich, daß eine solch scharfe Auseinandersetzung, ein solcher Kampf um die Offenbarung, wie das Johannesevangelium ihn führt, nur vom jüdischen Hintergrund her denkbar und verständlich ist[34].

5,31–47 geht es um das Zeugnis für Jesus. Nach dem Zeugnis des Täufers (5,33–35) beruft sich Jesus auf ein »größeres Zeugnis« als das des Täufers, zunächst auf sein »Werk«, dann aber auf das Zeugnis »dessen, der mich gesandt hat«, des Vaters. Dieses Zeugnis des Vaters für Jesus, ist, wie der Zusammenhang beweist das AT als Wort des Vaters, das zum Glauben (an Jesus Christus) ruft, verstanden (vgl. auch 6,43–46). Aber, so wird gesagt, die »Juden« haben weder Gott reden hören, noch ihn gesehen, »und ihr habt sein Wort nicht in euch bleibend«, denn sonst müßten sie den Vater auch in Jesus reden hören und glauben. Die »Juden« erforschen die Schrift und meinen, darin auch das Heil, das Leben, zu finden – doch gerade die Schrift gibt Zeugnis für Jesus; sie ist, recht gelesen und recht gehört, Christuszeugnis. Den »Juden« geht es nicht

---

[34] *Schnackenburg,* Messiasfrage, 260, wirft die Frage auf: »Wieweit berücksichtigt der Evangelist Fragestellungen und Auseinandersetzungen seiner Zeit? Wieweit spiegelt das Evangelium das Zusammentreffen des (joh.) Christentums mit dem Judentum seiner Umgebung wider?« Diese Fragen sind in der Tat in Rechnung zu stellen.

um Gott und Gottes Wort, sondern um die eigene Ehre, um die Selbstbestätigung als auserwähltes Volk Jahwes. Jesus braucht sie darum nicht zu verurteilen, sondern das besorgt Moses; würden sie dem Moses wirklich glauben, dann müßten sie auch Jesus glauben. »Denn über mich hat jener geschrieben.« Die Schrift, sowohl als Wort Gottes (des Vaters) wie als menschliches Zeugnis (Wort des Moses) verstanden, legt also für Jesus Zeugnis ab. Nach Johannes ging es bereits im AT um den Glauben; die Schrift ruft immer und überall zum Glauben, und deshalb ruft sie auch hier, durch Jesus, wo Gott sein letztes, entscheidendes Wort sagt, zum Glauben an Jesus, der selber das fleischgewordene Wort Gottes ist. Dort wie hier redet der gleiche Gott. Und dort wie hier ist der Mensch gefragt, ob es ihm um seine eigene *Doxa,* um die Selbstverherrlichung und Selbstbestätigung, und sei es auch mit Hilfe der Schrift, geht oder um die *Doxa* Gottes in der Selbstpreisgabe des Glaubens. Denn im Wort Jesu redet Gott aktuell und konkret den Menschen an. Wer darum den Willen Gottes tut und glaubt, der wird dann auch erkennen, ob Jesu Lehre aus Gott ist oder nicht (7,17; vgl. 7,15–24). In dem Abschnitt 7,25–51 steht die Messiasfrage im Brennpunkt der Auseinandersetzung. Vom Messias weiß man, wenn er kommt, seine Herkunft nicht (7,27); die Schrift sagt, er werde aus Bethlehem kommen und aus Davids Same sein (7,42). Jesu Herkunft kennt man bzw. wähnt sie zu kennen, man weiß, daß er aus Galiläa kommt (7,27a.41). Man ist sich unter der Menge über diese Frage uneins, ein Schisma entsteht (7,43f.). Die Fragen bleiben bewußt offen, das liegt hier in der Natur der Sache. Das Einschreiten der Hohenpriester und Pharisäer, das erfolglos bleibt, »weil seine Stunde noch nicht gekommen ist«, deutet die Ablehnung der Synedristen an (7,30.32.45–52).

Die »Lichtrede« (8,12–20) stellt die Eigenart des Selbstzeugnisses Jesus heraus. Jesus beruft sich auf den Grundsatz der zwei Zeugen, deren Zeugnis übereinstimmen muß, und sagt dann: »Ich gebe Zeugnis von mir selbst und es gibt Zeugnis über mich der Vater, der mich gesandt hat« (8,17f.). Das erscheint paradox. Aber Jesus kann sich nur so bezeugen, daß er sich bezeugt als der von Gott dem Vater gesandte Sohn, und so wird gerade im Selbstzeugnis Jesu das Zeugnis des Vaters für den Sohn mit-vernommen. So wie im AT Jahwe sich durch sein Wort bezeugt, besonders in der Selbstoffenbarungsformel: »Ich bin Jahwe« oder »Ich bin Jahwe, dein Gott, der dich aus dem Lande Ägypten herausgeführt hat...« (Ex 20,2), so bezeugt er sich hier in und durch Jesus selbst. Das ist der tiefere Sinn der »Ich-bin«-Worte, die der johanneische Christus spricht.

Das tritt nun vor allem in den großen Abschnitten 8,31–36. 37–41a.41b–47.48–50.51–59 in Erscheinung. Im Mittelpunkt steht die Frage der Abrahamskindschaft, dem σπέρμα 'Αβραάμ. Hier wird gesagt: Wahrhaft frei macht nicht die biologische Abrahamskindschaft, sondern die »Wahrheit«, beziehungsweise was dasselbe ist, der Sohn. Dieser ist – das steht im Hintergrund – der eigentliche »Same Abrahams«. D. h. Jesus ist sowohl die Erfüllung der atl. Heilserwartung wie der Grund eines neuen Israel. Die Abrahamskindschaft der »Juden«, dann auch ihre Gotteskindschaft, würden sich darin erweisen, wenn die »Juden« Abrahams ihres Vaters Werke täten, wenn sie glauben würden. Aber das tun sie nicht, sondern sie wollen Jesus töten – also können sie weder Abraham noch Gott zu ihrem Vater haben. Ihr Vater ist in Wahrheit der Teufel. Abraham steht auf einer anderen Linie: »Abraham, euer Vater, jubelte, daß er meinen Tag schauen würde, er sah ihn und freute sich. Darauf sprachen die Juden zu ihm: Du bist noch keine fünfzig Jahre alt und willst Abraham gesehen haben. Jesus sprach zu ihnen: Wahrlich, wahrlich, ich sage euch, ehe Abraham wurde, BIN ICH« (8,56–58). Nach diesem Text greift Jesus jenes »Ich bin« auf, das im AT Jahwe allein vorbehalten ist, und bezieht es auf sich selbst, für jüdische Ohren eine Ungeheuerlichkeit. Damit ist Jesus als der Ort der höchsten Selbstoffenbarung Gottes bezeichnet. Vom »Ich bin der Ich bin« der Gottesoffenbarung im brennenden Dornbusch (Ex 3,14) bis zu diesem »Ehe Abraham wurde, bin Ich« führt ein gerader Weg. Wo man dieses Wort ernstlich bedenkt, da gibt es offenbar nur die beiden Alternativen, daß man entweder sich diesem Anspruch beugt und glaubt, oder den, der so redet, steinigen muß.

Es ist klar, daß hier die heiligsten Güter des Judentums in Frage gestellt werden. Nach Johannes konfrontiert Jesus die »Juden« in denkbar schärfster Form mit dem lebendigen Gott, und zwar durch seine ganze Existenz. Das tut auch schon der synoptische Jesus; bei Johannes aber ist dies mit einer letzten Schärfe herausgearbeitet. Nach Johannes steht Jesus da, wo im AT der Bund, die Forderung Jahwes, der Tempel, Jerusalem-Sion stehen. Eine Analogie zu diesem Prozeß um die Offenbarung, wie ihn Johannes darstellt, dürfte wohl in dem Motiv des »Rechtsstreites Jahwes mit Israel« zu erblicken sein, wie er bei den Propheten (Hos 4,1 f.; 12,3 f.; Is 3,13 f.; 5,1 ff. [Weinberglied]; Mi 6,1 ff.; Jer 2,5 ff.; Ps 50) begegnet[35]. Bei diesem Rechtsstreit geht es ja nie um Bagatellen; sondern Gott klagt durch den Propheten, der den Rechtsstreit im Namen Jahwes führt, Israel schwerer Vergehen gegen die Bundesforderungen, vor allem gegen das erste Gebot, die sakralrechtliche Grundlage des Bundes, und gegen den Dekalog an. Es sind Vergehen, die das Bundesverhältnis selber tangieren und die damit die Fälligkeit der göttlichen Strafsanktion an Israel auslösen. Ähnlich geht es in der Auseinandersetzung Jesu mit den »Juden« um den Bestand Israels als Gottesvolk. Indem die »Juden« Jesus ablehnen, sagen sie sich – so jedenfalls sieht es Johannes, vor allem im Prozeß Jesu – von ihrer eigenen Grundlage und ihrer messianisch-eschatologischen Heilserwartung los. Das Schlußwort dazu fällt Jo 12,37–43. Dort wird der Unglaube der »Juden« als Erfüllung von Is 53,1 verstanden, wo Deutero-Isaias sagt, daß die Botschaft vom leidenden Gottesknecht keinen Glauben finden wird, und von Is 6,9 f., des isaianischen »Verstockungsbefehls«.

Die Ablehnung Jesu durch die offiziellen Vertreter des

---

[35] E. *Würthwein*, Der Ursprung der prophetischen Gerichtsrede. ZThK 49 (1952), 1 ff.

Judentums ist ein wichtiger Zug in der Gesamtdarstellung der johanneischen Eschatologie. Es drückt sich darin die Tatsache aus, daß die eschatologische Botschaft Jesu, die bei Johannes konsequent als die letzte abschließende Offenbarung Gottes im Sohn dargestellt wird, womit er eigentlich nur explizit herausstellt, was in der synoptischen Tradition ebenfalls anklingt (vgl. Kapitel IV dieses Bandes zum Gleichnis von den bösen Winzern Mk 12,1–12 par.), sich zunächst an Israel gerichtet hat. Aber die Führer des Judentums haben Jesus verworfen und ihn durch Pilatus kreuzigen lassen. Sie haben, sagt Johannes, die »größere Schuld« als Pilatus. 12,20 fragen – und dies wird mit dem Eintreten der »Stunde« in Verbindung gebracht, so daß sich in diesem Vorgang die Zukunft abzuzeichnen beginnt – die ersten Heiden nach Jesus. Die Krisis Israels ist darüber hinaus ein Zeichen und typisches Beispiel für die Krisis überhaupt, die Krisis des Kosmos. Was in Jerusalem geschah, das hat Bedeutung für die ganze Welt und Menschheit. D. h., wo das Evangelium verkündet wird, da wird für den Menschen immer auch die Möglichkeit der Krisis akut.

Die christliche Gemeinde, für die Johannes sein Evangelium schreibt und die man wohl mit der Tradition in Kleinasien beziehungsweise Ephesus suchen muß, ist gewiß eine heidenchristliche Gemeinde. Diese neuen Verhältnisse haben sicher auf die Formulierung der johanneischen Eschatologie eingewirkt. Aber es ist nun doch bezeichnend, daß das vierte Evangelium trotzdem kein »hellenistisches Werk« ist, auch dem gnostischen Denken fernsteht, sondern durch und durch jüdischen Geist atmet. In einer Hinsicht ist es eine scharfe Abrechnung mit dem jüdischen Selbstverständnis: Der atl. Kult ist endgültig erledigt; die Stunde ist da, »wo man weder auf diesem Berg noch in Jerusalem den Vater anbeten wird...«, sondern »wo die wahren Anbeter den Vater anbeten in Geist und Wahrheit« (4,21.23). Doch findet sich, was nie vergessen werden sollte, im gleichen Zusammenhang die Stelle: »Das Heil kommt von den Juden« (4,22). An die Stelle der alten Kultgemeinde Jerusalems und des Tempels ist Jesus

Christus, der Gekreuzigte und Auferstandene, getreten; an die Stelle der »Juden« die Jüngergemeinde Jesu. Das Johannesevangelium setzt also die endgültige Trennung von Synagoge und Kirche voraus. Die Gemeinde der Glaubenden ist der Ort, wo das eschatologische Heil bereits Gegenwart ist, weil der Herr durch Seinen Geist bei den Seinen bleibt. Davon, und von der Stellung der Jesusgemeinde in der Welt handeln die Abschiedsreden. Die eschatologische Heilsgemeinde hat in Jesus Christus die Verheißung der Zukunft, unter der Bedingung des In-Ihm-Bleibens.

Es sei abschließend gesagt, daß diese Ausführungen keinen Anspruch auf Vollständigkeit erheben. Es kam hier vielmehr darauf an, zu zeigen, daß und wie das eschatologische Problem bei Johannes immer wieder auf die Frage nach der Offenbarung Gottes in Jesus Christus hinausläuft. Daß dort, wo im Judentum Erwartungen, Vorstellungen und Begriffe stehen, bei Johannes eine Person begegnet, die den Menschen hier in der Welt durch ihr persönliches Dasein mit der Wirklichkeit Gottes selbst konfrontiert, mit Gottes Heil, Liebe und Leben: dies scheint mir der entscheidende Punkt der johanneischen Eschatologie zu sein.

IX. Der Mensch vor der radikalen Alternative
Versuch zum Grundsansatz der »johanneischen Anthropologie«

1. Zum Problem

»Anthropologie« ist in den johanneischen Schriften des Neuen Testamentes, das heißt für dieses Kapitel im Johannesevangelium und im 1. Johannesbrief, die zumindest schulmäßig einander nahestehen, wobei die Verfasserfrage auf sich beruhen bleiben mag[1], kein eigenständiges Thema. Vielmehr gilt es, zuerst den Ort ausfindig zu machen, den größeren Kontext, in welchem die anthropologische Thematik sich stellt. Beim ersten Hinblick könnte es scheinen, daß es überhaupt ein müßiges Unterfangen sei, nach einer johanneischen Anthropologie zu fragen; wenn man nämlich unter Anthropologie eine mit klaren Methoden und festen Begriffen arbeitende »Lehre vom Menschen« versteht, mit der Absicht, ein möglichst abgerundetes, komplettes »Bild vom Menschen« zu entwerfen.

2. Zur biblischen Anthropologie

Bekanntlich tut man sich damit im Bereich der biblischen Theologie überhaupt schwer. Man kann, wie dies *Hans Walter Wolff* in seiner »Anthropologie des Alten Testaments«[2] getan hat, versuchen, eine Reihe anthropologisch bedeutsamer

---

[1] Zur Problematik vgl. *Werner Georg Kümmel,* Einleitung in das Neue Testament, Heidelberg [18]1976, § 10, 155–212; §§ 31/32, 383–401; – *Rudolf Schnackenburg,* Das Johannesevangelium Erster Teil, HTK IV, 1, Freiburg–Basel–Wien 1965, 2–196; – ders., Die Johannesbriefe, HTK XIII, 3, Freiburg–Basel–Wien [6]1979, 1–48.

[2] *Hans Walter Wolff,* Anthropologie des Alten Testaments, München 1973.

Hauptbegriffe zusammenzustellen, die zentralen menschlichen Lebensphänomene zu beschreiben und darüber hinaus eine »soziologische Anthropologie« zu entwerfen. In einer ähnlichen Weise war schon *Rudolf Bultmann* verfahren, als er die paulinische Theologie zugleich als Anthropologie darzustellen unternahm[3]. Doch stoßen wir bei Bultmann bereits auf ein typisches Problem, das bei der Darstellung der biblischen Anthropologie immer wieder auftaucht und das ich am Begriff σῶμα kurz illustrieren möchte. Bultmann definiert den Begriff σῶμα bei Paulus folgendermaßen: »...durch σῶμα kann der Mensch, *die Person als ganze,* bezeichnet werden... *Er heißt σῶμα, sofern er sich selbst zum Objekt seines Tuns machen kann oder sich selbst als Subjekt eines Geschehens, eines Erleidens erfährt.* Er kann also σῶμα genannt werden, *sofern er ein Verhältnis zu sich selbst hat*«[4].

Es ist nicht zu verkennen, daß in dieser Begriffsdefinition philosophische Begriffe aufgenommen sind, die eine hochkarätige Traditions- und Problemgeschichte hinter sich haben. So lesen wir bei *Sören Kierkegaard,* »Die Krankheit zum Tode«: »Der Mensch ist Geist. Aber was ist Geist? Geist ist das Selbst. Aber was ist das Selbst? Das Selbst ist ein Verhältnis, das sich zu sich selbst verhält, oder ist das im Verhältnis, daß das Verhältnis sich zu sich selbst verhält; das Selbst ist nicht das Verhältnis, sondern daß das Verhältnis sich zu sich selbst verhält«[5].

Fraglos ist *Bultmann* in seiner Definition von diesem Text her mitbestimmt, so daß sich die Frage nach der Berechtigung einer solchen Definition grundsätzlich stellt. Gibt der paulinische Begriff σῶμα wirklich das her, was Bultmann in seiner

---

[3] *Rudolf Bultmann,* Theologie des Neuen Testaments, Tübingen [1]1953, 187: »Jeder Satz über Gott ist zugleich ein Satz über den Menschen und umgekehrt. Deshalb und in diesem Sinne ist die *paulinische Theologie zugleich Anthropologie*«.

[4] *Bultmann,* Theologie 192.

[5] *Sören Kierkegaard,* Die Krankheit zum Tode, in: Philosophisch-theologische Schriften, hrsg. von *Hermann Diem* und *Walter Rest,* Köln–Olten 1956, 23–177; 31.

Definition darüber sagt, oder handelt es sich nicht eher um eine *Substitution* denn um eine exegetisch-theologisch vertretbare *Interpretation?* Macht der systematische Charakter dieser Definition nicht den offenen semantischen Spielraum von σῶμα in seinen verschiedenen Kontextvarianten zunichte? Die meisten biblischen Begriffe entziehen sich einer rigorosen definitorischen Festlegung, wie man gerade den modernsten theologischen Wörterbüchern entnehmen kann[6]. Man verzichtet daher auch weitgehend auf eine präzise systematische Definition und bringt statt dessen eine möglichst umfangreiche, kontextbezogene Beschreibung der einschlägigen Wörter. Was für den ersten Zugang ohne Zweifel hilfreicher ist; doch bleibt dann immer noch die Frage, ob man nicht doch weiter gehen und die Begriffe gründlicher durchreflektieren muß. Immerhin wird dabei eines klar: Die biblischen Texte und Wortfelder liefern eher bestimmte, mehr oder weniger *bedeutsame Aspekte des menschlichen Seins,* als daß sie als dessen feste und fertige Begriffe in Anspruch genommen werden dürften. Es scheint freilich, daß diese Methode gerade für das Johannesevangelium wenig ergiebig erscheint.

3. Zur Johannes-Interpretation Bultmanns

Bleiben wir noch bei *Rudolf Bultmann* und seiner Konzeption der johanneischen Theologie, die für unser Problem *gerade in der Fragestellung* nach wie vor äußerst hilfreich ist. Ich beziehe mich hier hauptsächlich auf Bultmanns »Theologie des Neuen Testaments«, zumal auf die §§ 41–50: »Die Theologie des Johannes-Evangelium und der Johannesbriefe«[7].
Für die johanneische Theologie stellt Bultmann zunächst fest,

---

[6] Vgl. *Ernst Jenni/Claus Westermann* (Hrsg.), Theologisches Handwörterbuch zum Alten Testament (THAT), 2 Bde., München–Zürich 1971–1976;
– *G. Johann Botterweck* und *Helmer Ringgren* (Hrsg.), Theologisches Wörterbuch zum Alten Testament, 1970 ff.: Bd. I/1973; II/1977.

[7] *Bultmann,* Theologie 349–439.

»daß die spezifisch *heilsgeschichtliche Terminologie des Paulus bei Johannes nicht begegnet*[9]. Das könnte darauf hindeuten, daß sich bei Johannes auch die Theologie nicht ohne weiteres als Anthropologie darstellen ließe, wie dies umgekehrt bei Paulus der Fall ist. »Es ist klar: Johannes gehört nicht in die paulinische Schule und ist durch Paulus nicht beeinflußt, sondern er ist eine originale Gestalt und steht in einer anderen Atmosphäre theologischen Denkens«[9]. Trotzdem meint Bultmann, daß »ungeachtet aller Unterschiede der Denkweise und Begrifflichkeit eine tiefe *sachliche Verwandtschaft zwischen Johannes und Paulus* besteht«[10]. Dieses Urteil ist überraschend; denn es bedeutet offenbar, daß auch bei Johannes die anthropologische Problematik eine ausschlaggebende Rolle spielt. Aber wie? Die Antwort dürfte lauten: Die anthropologische Problematik kommt in der johanneischen Theologie in anderer Weise, das heißt in anderer Begrifflichkeit sowie in anderer sprachlicher und gedanklicher Struktur zur Sprache als bei Paulus, nämlich weniger in festen anthropologischen Begriffen, *als vielmehr durch die Rezeption des »gnostischen Mythos«*, in dessen Begrifflichkeit und Vorstellungen.

Welche Rolle spielt in diesem Konzept der »gnostische Mythos«? Ich nehme diesen Begriff zunächst einmal ganz im Sinne Bultmanns und der »Religionsgeschichtlichen Schule«, wie er von *Wilhelm Bousset, Richard Reitzenstein* und dann vor allem von *Hans Jonas* in seinem grundlegenden Werk »Gnosis und spätantiker Geist, I. Teil« verstanden wurde[11]. Nach *Hans*

---

[8] *Bultmann,* Theologie 354.

[9] *Bultmann,* Theologie 356.

[10] *Bultmann,* Theologie 356.

[11] Vgl. dazu *Wilhelm Bousset,* Hauptprobleme der Gnosis (1907), Neudruck Göttingen 1973; – *Richard Reitzenstein,* Die hellenistischen Mysterienreligionen (³1927), Darmstadt 1956; – ders., Poimandres (1904), Neudruck Darmstadt 1966; – *Rudolf Bultmann,* Der religionsgeschichtliche Hintergrund des Prologs zum Johannesevangelium, in: *Bultmann,* Exegetica, Aufsätze zur Erforschung des Neuen Testaments, hrsg. von *Erich Dinkler,* Tübingen 1967, 10–35; – ders., Die Bedeutung der neuerschlossenen mandäischen und manichäischen Quellen für das Verständnis des Johannesevangeliums, Exegetica 55–104; – ders., Untersuchungen zum Johannes-

Jonas sind die mythologischen Aussagen der Gnosis bekanntlich keineswegs deren »letztes Wesensmerkmal«, sondern nur
die in mythischen Bildern und Vorstellungen erfolgende
Objektivation einer bestimmten »Daseinshaltung«, eines
»menschlichen Existenzverständnisses«, das in ihnen sich
auslegt und zur Darstellung bringt. Der »gnostische Mythos« in
seinen verschiedenen Variationen bringt nach diesem Konzept,
das letztlich auf *Martin Heideggers* Existenzialanalyse zurückgeht, eine *anthropologische Grundproblematik,* eben *das gnostische Daseins- und Existenzverständnis* zur Sprache. Das aber
bedeutet, daß die anthropologische Problematik nach dieser
Auffassung die eigentliche Grundlage, der entscheidende
Ausgangspunkt für den gnostischen Mythos ist. In der Tat
gehören anthropologische Spekulationen wohl von Anfang an
zum Themenkatalog der Gnosis, wie beispielsweise das große
Interesse an Spekulationen über Genesis 1,26 zeigt[12]. Die
Gnosis stellt die Frage nach dem Menschen, nach seinem
Woher und Wohin, nach seiner Situation in der Welt usw., nach
dem berühmten Text der »*Excerpta ex Theodoto*«:

> »Wer waren wir? Was sind wir geworden?
> Wo waren wir? Wohinein sind wir geworfen?
> Wohin eilen wir? Wovon sind wir befreit?
> Was ist Geburt? Was ist Wiedergeburt?«[13]

In solch radikaler Form war die Frage nach dem Menschen
noch nie gestellt worden. Die Gnosis aber in diesem Sinne, als
Frage des Menschen nach sich selbst und seiner Welt-Situation
ist grundlegend anthropologisch orientiert, auch wenn die

evangelium, Exegetica 124–197; – *ders., Das Evangelium des Johannes, Mk,*
Göttingen [11]1950; – *Hans Jonas, Gnosis und spätantiker Geist, Teil 1 Die
mythologische Gnosis,* FRLANT 51, Göttingen 1934; – Zur Kritik vgl.
*Carsten Colpe, Die religionsgeschichtliche Schule. Darstellung und Kritik
ihres Bildes vom gnostischen Erlösermythus,* FRLANT 78, Göttingen 1961.

[12] Vgl. dazu *C. H. Dodd,* The Bible and the Greeks, London [3]1964; Part II;
Hellenistic Judaism and the Hermetica, 99–248; – *Hans-Martin Schenke,*
Der Gott »Mensch« in der Gnosis, Göttingen 1962.

[13] *Clément d'Alexandrie,* Extraits de Thédote, ed. *F. Sagnard,* SC 23, Paris
1948, Nr. 78.

gnostischen Texte in ihrer mythologischen oder auch philosophischen Form diesen Tatbestand eher verhüllen. Dann ist auch klar, daß mit der Rezeption des »Gnostischen Mythos« durch Johannes die anthropologische Problematik noch viel radikaler mit der Theologie verquickt erscheint als dies bei Paulus der Fall war.

Der »Gnostische Erlösermythus« leistet bei *Bultmann* zweierlei. Er dient einmal dazu, die christliche Erlösergestalt Jesus von Nazareth mit Zügen auszustatten, die dem gnostischen Gesandten–Offenbarer–Erlöser entlehnt sind. Er spielt also eine maßgebliche Rolle in der johanneischen Christologie und Offenbarungstheologie. Zweitens spricht sich in seinen Vorstellungen und Bildern als in einem undeutlichen *Vorverständnis* das menschliche Heilsverlangen aus. Beides setzt Johannes zueinander in Beziehung, das unklare Vorverständnis als Artikulation der Heils*frage* einerseits, und *die Antwort* des Offenbarers und der Offenbarung andererseits. So artikuliert sich etwa in der menschlichen Sehnsucht nach »Licht« oder nach »Leben« die Sehnsucht des Menschen nach dem Heil, nach seiner wahren und vollen Existenz, heute würde man sagen, nach seiner »wahren Identität«. Die Antwort darauf erteilt der Offenbarer Jesus, indem er sagt: »Ich bin das Licht der Welt« (Joh 8,12); oder »Ich bin der Weg, die Wahrheit und das Leben« (Joh 14,6). Die Vermittlung zwischen der menschlichen Heilsfrage und ihren eigentümlichen Objektivationen und der Antwort, die die Offenbarung gibt, wird aber nach Bultmann durch die Sprache und Vorstellungswelt des »gnostischen Mythos« geleistet. Anthropologie, Christologie und eschatologische Soteriologie werden also durch die Rezeption des »Gnostischen Mythos« miteinander verknüpft.

Freilich darf man sich diese Verknüpfung nach Bultmann auch nicht zu einfach denken[14]. Zwischen den menschlichen Vorstellungen vom Heil und der Antwort, die die Offenbarung dem Menschen anbietet, besteht eine Differenz, ein Bruch, eine

[14] Vgl. dazu die Ausführungen *Bultmanns*, Das Evangelium des Johannes, zu Joh 6,27, 164–169.

Kluft. Auf der menschlichen Seite haben die mythischen Symbole, in denen sich das Heilsverlangen objektiviert, den Charakter eines *Vorverständnisses,* das als solches verworren, ungenau und ungeklärt, ja in bestimmter Hinsicht »falsch« ist. Es bleibt immer im engen Horizont des Irdischen und Vergänglichen, d. h. »Welthaften« befangen. Dagegen bringt die Offenbarung die *wahre* Heilswirklichkeit. Das Attribut ἀληθινός – wahr, echt eigentlich, im Gegensatz zum bloßen Schein und Anspruch, z. B. in der Wendung ὁ ἄρτος ἐκ τοῦ οὐρανοῦ ὁ ἀληθινός – »das wahre, echte Brot vom Himmel« (Joh 6,32) ist typisch für die Beschreibung des Sachverhalts. In der *Artikulation der Heilsfrage* (als der vorläufigen, objektivierenden Selbstauslegung der menschlichen Existenz), wie in der Formulierung der *Antwort des Offenbarers* werden dieselben Bilder und Symbole verwendet, jedoch in verschiedenem Sinn und mit verschiedenen Assoziationen, mit verschiedenem Kontext oder Kode, wie die moderne Sprachwissenschaft sagt[15]. Die Frage und ihr Hintergrund, sowie die Antwort und ihr Hintergrund sind, entgegen dem äußeren Anschein, *nicht deckungsgleich.* Beide gehören grundverschiedenen Dimensionen an. Aufgrund dieser Differenz ergeben sich dann die typischen »johanneische Mißverständnisse«[16], die vom Evangelisten bewußt als literarische Stilmittel aufgenommen und eingesetzt werden. Es geht daher letztlich um jenen Unterschied, den Johannes in der Differenz von »oben« und »unten«

[15] »*Kode* ist ein Schlüsselbegriff der Semiotik. Er bezeichnet das jeweilige Repertoire an Zeichen und die dazugehörigen Verknüpfungsregeln, z. B. in der verbalen Sprache den Wortschatz und die Grammatik. Man spricht von *Kodieren* (oder Enkodieren), wenn jemand seine Vorstellung, die er mitteilen will, mit Hilfe eines oder mehrerer Kodes in einem Zeichen bzw. einer Zeichenkette zum Ausdruck bringt. Dieses Zeichen wird vom Adressaten *dekodiert* d. h. durch Anwendung des gleichen Kodes wird dem Zeichen bzw. der Zeichenkette die gemeinte Mitteilung entnommen. So notwendig menschliche Kommunikation an Zeichen gebunden ist, so unausweichlich ist sie dadurch von Kodes und Kodierungsprozessen abhängig«. So *Günther Schiwy und andere,* Zeichen im Gottesdienst, München 1976, 21.

[16] Vgl. dazu vor allem *Hubert Leroy,* Rätsel und Mißverständnis. Ein Beitrag zur Formgeschichte des Johannesevangeliums, Bonn 1968.

ausdrückt: »Ihr seid von unten, ich bin von oben; ihr seid von dieser Welt, ich bin nicht von dieser Welt« (Joh 8,23); oder: »Der von oben Kommende ist über allen, der aus der Erde Seiende ist aus dem Irdischen und redet aus dem Irdischen heraus« (Joh 3,31), das heißt, daß die Herkunft »aus der Erde, aus dem irdischen Bereich« auch die Art des menschlichen Seins bestimmt und seine Weise zu denken und zu sprechen prägt. Der »irdische Mensch« hat von sich aus keinen Zugang zur Offenbarung und versteht den Sinn der Offenbarung zunächst nicht. Darüber hinaus bietet die Offenbarung unendlich mehr, als der Mensch zu hoffen wagen kann. Sie hat den Charakter der »Fülle« (vgl. Joh 1,16: »Denn aus seiner Fülle haben wir alle empfangen Gnade über Gnade«; – 2,1–11: das Weinwunder aus Kana, das diese Aussage als »Zeichen« demonstriert). So ist die Offenbarung einerseits die Erfüllung alles dessen, was der Mensch für sich als Heil erwartet, aber sie ist zugleich auch einschneidende Korrektur und eschatologische Überbietung aller menschlichen Heilserwartungen, darin auch ein Anstoß, eine Herausforderung des Menschen, ob er sein bisheriges Selbstverständnis festhalten oder preisgeben und das Angebot der Offenbarung annehmen will. – Soweit das Interpretationsmodell von *Rudolf Bultmann,* das in seinem Aufriß der Problemstellung noch immer äußerst hilfreich ist und in seiner Durchsichtigkeit fasziniert.

4. Der johanneische Ansatz

Tatsächlich liefert uns das Johannesevangelium keine selbständig zu erhebende Anthropologie, schon deshalb nicht, weil im Zentrum seines Interesses nicht »der Mensch an sich und als solcher« steht, sondern die Gestalt des Jesus von Nazareth als der Offenbarer und Heilbringer Gottes. Das »christologische Interesse« hat hier eindeutig den Vorrang[17]. Jesu Offenba-

---

[17] Vgl. dazu *Josef Blank,* Krisis. Untersuchungen zu johanneischen Christologie und Eschatologie, Freiburg i. Br. 1964; – *Ernst Käsemann,* Jesu letzter

rungsreden und Offenbarungszeichen machen den eigentlichen Inhalt des Johannesevangeliums aus, dessen Verfasser es darum geht, aufzuzeigen, »daß Jesus der Christus ist, der Sohn Gottes, und daß ihr als Glaubende das Leben haben sollt in seinem Namen« (Joh 20,31). Dieser »erste Schluß« des Johannesevangeliums verdeutlicht den engen Zusammenhang zwischen Christologie und Soteriologie, zwischen Christologie und Anthropologie. Die Anthropologie kommt also nicht als eigenständiges Thema zur Sprache, sondern als ein bedeutsames Element des Offenbarungsgeschehens, als Element der Soteriologie und Eschatologie, aber auch zugleich als Element der Christologie. Denn nicht nur die Menschen, an die sich die Offenbarung richtet, sondern auch der Offenbarer selbst ist nach dem Johannesevangelium »wirklicher Mensch«. Er ist der »fleischgewordene Logos« (Joh 1,14), für den das volle, unverkürzte Menschsein wesentlich ist, und der in dem berühmten »ecce homo« (Joh 19,4) seine Menschlichkeit gerade in seiner Leidensgestalt dokumentiert. Als wirklicher, geschichtlich-konkreter Mensch ist Jesus der Offenbarer und der Zeuge Gottes in der Welt (vgl. Joh 18,37). In seinem Zeugnis wird die Welt fortgesetzt mit der Offenbarung konfrontiert. Sie muß sich mit dem Anspruch dieses Zeugnisses auseinandersetzen. Sie muß sich entscheiden, und bei dieser Entscheidung geht es um nichts Geringeres als um das »Heil«, in johanneischen Sprache um »das ewige Leben«, »das Leben« einfachhin[18]. Diese Entscheidung fällt aber mitten in der Geschichte, gegenüber dem geschichtlichen Jesus von Nazareth und gegenüber der auch weiterhin geschichtlich vermittelten Heilsbotschaft.

Wille nach Johannes 17, 3. veränderte Aufl. Tübingen 1971; – *C. H. Dodd,* The Interpretation of the Fourth Gospel, Cambridge 1958; – *E. M. Sidebootom,* The Christ of the Forth Gospel in the Light of First-Century Thought, London 1961; – *T. E. Pollard,* Johannine Christology and the Early Church, Cambridge 1970.

[18] Vgl. dazu *Franz Mußner,* ZΩH. Die Anschauung vom »Leben« im vierten Evangelium unter Berücksichtigung der Johannesbriefe, MTS hist. Abt. 5, München 1952.

Es geht also im Johannesevangelium nicht um eine objektivierende Beschreibung des Menschen »an und für sich«, sondern es geht um den Menschen in seiner pointierten Extrem-Situation, in welcher sich sein »Heil«, seine Existenz vor Gott entscheidet. Das »Sein des Menschen vor Gott« ist aber im Johannesevangelium als das Sein des Menschen bzw. der »Welt«, des Kosmos[19] gegenüber der Offenbarung und ihrem geschichtlichen Träger Jesus von Nazareth konkretisiert. Die Auseinandersetzung zwischen Gott und Mensch begibt sich nicht im Himmel oder in der Abgeschlossenheit der Einzelseele. Sie begibt sich mitten in der Welt, in der Geschichte, in welcher der ewige Logos Gottes als »der Fleischgewordene«, das heißt als ein geschichtlicher Mensch erscheint. Dabei wird hier vom Johannesevangelium ein Grundzug aufgenommen und neu artikuliert, der für die gesamte biblische Anthropologie charakteristisch ist, nämlich daß der Mensch grundlegend von seinem Handeln, von seinen Entscheidungen her verstanden werden muß, und zwar im Hinblick auf eine letzte Instanz, der gegenüber er verantwortlich ist. Entscheidend für den Menschen ist, was er durch sein geschichtlich-soziales Handeln – hier verschärft durch das Gegenüber zum Offenbarer Jesus – aus sich macht. Eben dies bestimmt des Menschen »Heil«, sein »Sein vor Gott«.

Dies soll im Folgenden an einigen Texten paradigmatisch verdeutlicht werden.

5. Anthropologische Implikationen des Johannes-Prologs

Bereits der Johannes-Prolog (Joh 1,1–18) läßt die Umrisse einer theologischen Anthropologie erkennen[20] (Ich verzichte auch hier, wie durchgängig in diesem Kapitel darauf, auf

---

[19] Vgl. *Blank*, Krisis, 186–198.
[20] Zum Folgenden vgl. vor allem die Kommentare von *Bultmann*, 1–57; – *Schnackenburg* I, 197–269.

literarkritische Einzelheiten einzugehen). Schon die Schöpfungsaussage V.3 (»Alles ist durch ihn [den göttlichen Logos] geworden, und ohne ihn ward auch nicht eins des Gewordenen«) hat, wie der biblische Schöpfungsgedanke überhaupt, eine Hinordnung auf den Menschen. Die »Welt«, von der die Bibel handelt, ist vorwiegend die geschichtliche Welt des Menschen, der Mensch in seiner von der Geschichte geprägten und diese zugleich mitprägenden Umwelt. Die Schöpfungsaussage meint also in erster Linie den Menschen. Als Geschöpf des göttlichen Logos ist der Mensch in seiner ursprünglichen Herkunft zumindest von diesem Logos geprägt. Ist dieser doch zugleich jenes Leben, das das Licht des Menschen ist (Joh 1,4). Insofern behauptet der Prolog ein ursprüngliches, wesenhaftes Bestimmtsein des Menschen durch das Wort Gottes. Das wird in V.9 noch einmal unterstrichen durch die Aussage, daß der Logos das »Licht ist, das jeden Menschen erleuchtet«; eben der kam auch in die Welt. Auch hier wird betont, daß alle Menschen, eben als »Geschöpfe des Wortes« eine grundlegende Affinität zum Logos als dem »wahren Licht« haben. Sie sind nicht selbst das Licht, auch nicht die Funken oder Teile desselben, aber als Menschen sind sie immer schon vom Licht betroffen. Ihre ganze Existenz ist wesenhaft und strukturell durch das Wort Gottes geprägt, so daß dieses Wort bei seinem Erscheinen in der Welt dem Menschen nicht als eine »fremde Größe« begegnet, sondern als dasjenige Wort, das zugleich im Menschen dessen wahres Sein anspricht und erschließt. Diese Vorbestimmtheit des Menschen durch das Wort und seine Hinordnung auf dieses macht also in theologischer Hinsicht das schöpfungsmäßige »Wesen« des Menschen aus, so daß der Mensch ohne diese »Hinordnung auf das Wort Gottes« theologisch nicht verstanden werden kann. Darum ist das »Wesen des Menschen« keine in sich ruhende »statische Natur«, sondern dieses unruhige »*existere in Deum*«, das »Bewegtsein auf Gott zu«, das sich im »Beunruhigtsein durch Gott« zu erkennen gibt.

Zugleich steht der Mensch als geschichtliches Wesen in der

Freiheit seines Entscheidens und Handelns. Das Johannesevangelium entwickelt keine »Lehre von der Erbsünde«.
Gleichwohl hat es bestimmte Vorstellungen von dem, was
»Sünde« ist. Vielmehr zeichnet es den Menschen in seiner
geschichtlichen Situation, die gerade durch die Begegnung mit
Jesus Christus, mit der Offenbarung, ihre schärfste Zuspitzung
erfährt. Die eigentliche Heils-Entscheidung des Menschen fällt
gegenüber dem in der Geschichte sich offenbarenden und
bezeugenden Gott. Umgekehrt spricht der geschichtliche
Offenbarer Gottes Jesus durch sein Wort das innerste Wesen
des Menschen an, seine Sehnsucht nach Gott und nach seinem
Heil. Freilich zeigt sich in der Begegnung des Menschen mit
dem Offenbarer, daß die Annahme der Offenbarung, zumal in
ihrer konkret-geschichtlichen Menschlichkeit, nicht selbstverständlich ist. Der Mensch wird in dieser Begegnung noch
einmal neu auf die Probe gestellt. Er ist gefragt, ob er
gegenüber dem Licht der Offenbarung sich selbst verschließen,
oder ob er das Licht ergreifen und glauben will. In der
existentiellen Glaubensentscheidung fällt nicht nur die Entscheidung des Menschen gegenüber Jesus von Nazareth,
sondern auch Gott gegenüber und gegenüber sich selbst als
Entscheidung zwischen des Menschen Leben oder Tod. Der
Glaube als Anerkennung Jesu ist zugleich die Anerkennung
Gottes, die die Anerkennung meiner selbst als heilsbedürftiges
Geschöpf einschließt. Die Glaubensentscheidung ist deshalb
nach Johannes auch der wesentliche Akt in der Selbstverwirkli-
chung des Menschen, während der Unglaube als Verlust des
Heils zugleich mit dem Selbst-Verlust identisch ist. Indem der
Mensch zu Jesus Christus und durch ihn zu Gott kommt,
kommt er auch in Wahrheit zu sich selbst. Das Problem wird in
den Versen 9–12 angesprochen:

»Er war das wahre Licht, das jeden Menschen erleuchtet,
und kam in die Welt.
Er war in der Welt, war doch die Welt durch ihn
geworden;

allein die Welt erkannte ihn nicht.

In das Seine kam er; doch die Seinen nahmen ihn nicht auf.

Denen aber, die ihn aufnahmen,
gab er die Vollmacht, Kinder Gottes zu werden,
den an seinen Namen Glaubenden ...« (Joh 1,9–12).

Der Kosmos, die geschichtlich verfaßte Menschenwelt, ist einerseits Gottes Schöpfung, in der das Licht des Wortes scheint. Sie ist in diesem Sinne auch »das Eigentum« des Wortes. Trotzdem erkennt die Welt den Logos nicht, und gerade seine eigenen Leute, »die Seinen« (das heißt wohl nicht primär »die Juden«, sondern die Menschen als seine Geschöpfe), verschlossen sich ihm. Jene dagegen, die sich ihm öffnen, gewinnen die Vollmacht, Kinder Gottes zu werden, und zwar durch den Glauben.

Abstrakt formuliert, die Menschen kommen vom Lebenswort Gottes her und haben von daher auch ein eingeprägtes, unverlierbares Wissen um diese ihre Herkunft. Aber dieses Wissen ist ihnen verdeckt; gerade ihre kosmisch-geschichtliche Herkunft hat das Wissen um ihre wahre Herkunft verdunkelt. In diesem Gedanken ist eine gewisse Ähnlichkeit zur gnostischen Erlösungslehre festzustellen; doch bleibt durch die Schöpfungsaussage eine deutliche Grenze gegenüber der gnostischen Denkstruktur bestehen. Allerdings gibt es bei Johannes bestimmte Sprachsybmole, religiöse Vorstellungen und Bilder (Licht; Lebens-Wasser; Lebens-Brot; Leben; Wahrheit; Auferstehung etc.), in denen die »Herkunft des Menschen vom Wort« sich andeutet, wenn auch in einer vorläufigen, unklaren und verfälschten Form. Der Offenbarer Gottes, Jesus Christus, stellt durch sein Wort den Menschen immerzu vor die Glaubensentscheidung und spricht damit auch das verdeckte Wesen des Menschen, seine Herkunft vom Wort, an. Wenn der Mensch glaubt, dann gewinnt er den verdeckten Zugang zu seinem wahren Ursprung im Wort zurück und zugleich den konkreten Ort seines eigenen geschichtlichen

Daseins als »Glaubender in der Welt von heute«. Damit gewinnt er aber zugleich seine wahre und volle Menschlichkeit – »das ewige Leben« – für Gegenwart und Zukunft. Im Unglauben dagegen lehnt der Mensch nicht primär irgendwelche Dogmen ab, wie das verbreitete dogmatische Mißverständnis von Glauben und Unglauben meint, sondern er scheidet sich von seinem lebendigen Ursprung ab, von seiner kreatürlichen Wesenstiefe, und damit auch von der Quelle seiner wahren Menschlichkeit. Das fleischgewordene Wort Gottes, Jesus Christus also, ist es, das den Menschen zum Schöpferwort und zum ewigen Wort als dem Grund und Ursprung des menschlichen Seins zurückbringt.

Darin enthüllt sich, daß nach den Aussagen des Johannesevangelium der Mensch wesentlich vom »Wort Gottes« her verstanden werden muß. Allgemeiner ausgedrückt, *das Wort* und *die Sprache* bilden letztlich den Schlüssel zum vollen Verständnis des Menschen. Oder um an dieser Stelle *Ferdinand Ebner* zu zitieren: »Der Mensch hat das Wort. Daß er es hat, und hierin aber auch eine für ihn wesentliche Beziehung zum Wort, das im Anfang war, das ist seine Auszeichnung vor allen Geschöpfen Gottes. Im Wort hat er seine Menschlichkeit und den Unterschied vom Tier«[21].

6. Die Bedeutung der johanneischen Gegenwarts-Eschatologie[22]

An dieser Stelle ist nun auf die »Gegenwarts-Eschatologie« des Johannesevangeliums einzugehen (vgl. vor allem Joh 3,14–21; 5,28–29).

---

[21] *Ferdinand Ebner,* Zum Problem der Sprache und des Wortes, Schriften I, Fragmente, Aufsätze, Aphorismen. Zu einer Pneumatologie des Wortes, München 1963, 643–717, 648.
[22] Vgl. *Bultmann,* Theologie 379–439 (= §§ 45–50; – *Blank,* Krisis, 53–182; – vgl. auch Kapitel VIII dieses Bandes: Die Gegenwartseschatologie des Johannesevangeliums.

Die Grundlage für die johanneischen »Gegenwarts-Eschatologie« bildet der Gedanke der »Gegenwarts-Christologie«, das heißt die Vorstellung, daß das Heilsereignis der Inkarnation des Todes und der Auferstehung Jesu nicht als »historische Vorgänge« der Vergangenheit angehören, sondern in ihrer Heilsbedeutung in Verkündigung und Gottesdienst immer neu präsent sind. Im Hintergrund steht wohl doch die Kategorie einer *kultischen repraesentatio,* die das zentrale Heilsgeschehen mit dem »Heute« als gegenwärtiger Einheit verbindet. Joh 3,14 f. wird demgemäß die »Erhöhung des Menschensohnes« in doppelsinniger Weise als »Erhöhung am Kreuz« und zugleich als »Erhöhung in die göttliche Herrlichkeit«, als »Verherrlichung« verstanden[23]. Auch die Passionsgeschichte wird im Johannesevangelium als »Herrlichkeits«- und »Siegesgeschichte« dargestellt[24]. Kreuz und Auferstehung Jesu sind hier als einheitlicher Vorgang begriffen, in welchem Gott ein für allemal das Heil gewirkt hat. Die »Erhöhung Jesu« ist also geschehen, »damit jeder Glaubende in ihm ewiges Leben habe. Denn so sehr hat Gott die Welt geliebt, daß er den einzig gezeugten Sohn gab, damit jeder, der glaubt, nicht verlorengehe, sondern ewiges Leben habe. Denn Gott hat den Sohn nicht in die Welt gesandt, damit er die Welt richte, sondern damit die Welt durch ihn gerettet werde« (Joh 3,16).

[23] Vgl. *Wilhelm Thüsing,* Die Verherrlichung Jesu im Johannesevangelium, Münster i. W. 1960; – *Blank,* Krisis 76–85. »Der Menschensohn muß erhöht werden das bedeutet, er muß als Menschensohn-Gottesknecht den Leidensweg gehen bis zum Kreuz und eben dadurch eingehen in die Herrlichkeit Gottes. Der ›Erhöhte‹ ist für Johannes, in Übereinstimmung mit der urchristlichen Tradition, der Gekreuzigte und Verherrlichte in seiner Identität«, 85. Dort habe ich auch die These vertreten, »daß der Erhöhungsbegriff traditionsgeschichtlich auf Js 53 zurückgeht«, vgl. besonders die LXX-Fassung von Jes 52,13; ferner *Josef Blank,* Der leidende Gottesknecht (Jes 53), in *Peter Pawlowsky/Erika Schuster,* Woran wir leiden, Innsbruck–Wien–München 1979, 28–67.

[24] Vgl. *Josef Blank,* Das Evangelium nach Johannes, 3. Teil, Geistliche Schriftlesung 4/3, Düsseldorf 1977, wo die johanneische Leidensgeschichte unter dem Gesichtspunkt der »Siegesgeschichte Jesu« ausgelegt wird. Vgl. auch Kapitel VI dieses Bandes: Die Verhandlung vor Pilatus Joh 18,28–19,16.

In diesem Text geht es darum, den göttlichen Heilswillen, wie er sich in Tod und Auferweckung Jesu bekundet, betont herauszustellen und die Liebe Gottes zum »Kosmos«, zur gottentfremdeten Menschenwelt, als das entscheidende »Motiv« des göttlichen Heilswillens sichtbar zu machen. Auch hier gilt: Gott offenbart sich als der »Handelnde«, und zwar konkret als der in der Geschichte. Jesu Christi Handelnde, so daß in der Geschichte Jesu die letzte Absicht Gottes mit der Welt sichtbar wird. Die Geschichte Jesu ist die konkrete Selbst-Offenbarung und Selbst-Auslegung Gottes in seinem Verhältnis zum Menschen (vgl. Joh 1,18). Dieses Verhältnis ist aber bestimmt als die grundlose und bedingungslose Liebe Gottes zur Welt, als »Heilswille«:

> »Daran ist die Liebe Gottes unter uns offenbar geworden,
> daß Gott seinen eigenen Sohn in die Welt gesandt hat,
> damit wir durch ihn leben.
> Darin besteht die Liebe:
> nicht daß wir Gott geliebt hätten,
> sondern daß er uns geliebt hat
> und seinen Sohn gesandt hat
> zur Sühne für unsere Sünden«   (1 Joh 4,9–10).

Das Motiv der »Liebe Gottes zur Welt« läßt sich nicht mehr hinterfragen; das heißt es läßt sich auf kein anderes Motiv mehr zurückführen oder durch ein anderes Motiv begründen. Für die Liebe gibt es keinen anderen Grund als eben die Liebe selbst. In ihr vollzieht sich die »Zuwendung Gottes zur Welt«, wie sie in Tod und Auferstehung Jesu sich endgültig realisiert hat und fortgesetzt realisiert. So wird unter diesem Aspekt in der Tat die Aussage »Gott ist Liebe« (vgl. 1 Joh 4,7–21) zur letzten und eigentlichen Gottesaussage schlechthin. Sie ist nach dem NT das Letzte und Einfachste, was es über Gott überhaupt zu sagen gibt, und eben darin auch das Letzte und Einfachste, was es über den Menschen zu sagen gibt, nämlich daß er durch diese Liebe und in dieser Liebe den wahren, letzten und tiefsten Sinn seiner Existenz findet:

> »Gott ist Liebe,
> und wer in der Liebe bleibt, der bleibt in Gott,
> und Gott bleibt in ihm« (1 Joh 4,16b).

Von daher ergibt sich dann auch folgerichtig die absolute und bedingungslose Priorität der Heilszusage gegenüber der Unheils-Aussage. »Heil« und »Unheil« sind keine gleichwertigen, keine gleichberechtigten Alternativen; Gott will ausdrücklich »das Heil des Menschen«, sein »Leben«, nicht sein Unheil, nicht seinen Untergang[25]. Im Hinblick auf die Alternative »Tod und/oder Leben« hat Gott gleichsam in Jesus Christus eindeutig und unbedingt für das Leben Partei ergriffen. Das widerspricht insofern aller menschlichen Erfahrung, als in der Welt der Tod am Ende doch der Sieger zu sein scheint, vor dem der Mensch die Segel streichen muß. Die Option »für das Leben«, für die unbedingte Priorität des Lebens gegenüber dem Tod gewinnt auf diese Weise den Charakter einer Grundentscheidung, einer *»option fundamentale«*, die gleichsam gegen den vordergründigen »Lauf der Welt« gefällt und festgehalten werden muß.

An dieser Stelle wird dann auch klar, weshalb dieser Übergang aus dem Unheil zum Heil den Charakter des »Gerichts«, einer »Krisis« im doppelten Sinne bekommt, die durch das Kommen des Offenbarers in die Welt ausgelöst wird und die zu einer Entscheidung drängt, und des »(End-)Gerichts«, also einer »Krise mit tödlichem Ausgang«, wenn dem Offenbarer der Glaube versagt wird:

> »Wer an ihn glaubt, der wird nicht gerichtet;
> wer nicht glaubt, der ist schon gerichtet,
> weil er an den Namen des Einziggezeugten Sohnes Gottes nicht geglaubt hat.

[25] Zum Problem der »Präponderanz des göttlichen Heilswillens« vgl. *Blank*, Krisis 86 ff.

Dieses aber ist das Gericht, daß das Licht in die Welt kam,

und die Menschen die Finsternis mehr liebten als das Licht;

denn ihre Werke waren böse« (Joh 3,18–19).

Das heißt, das Endgericht über den Menschen findet in der Begegnung mit Jesus Christus bzw. mit dem Wort der Offenbarung statt. Ebenso geschieht in der Gegenwart die »Auferweckung der Toten«. Glauben und Nicht-Glauben sind nach johanneischen Auffassung die »radikale Alternative« im Hinblick auf »Leben und Tod«:

»Wer an den Sohn glaubt, hat ewiges Leben;

wer dem Sohn nicht gehorcht, wird das Leben nicht schauen,

sondern der Zorn Gottes bleibt über ihm« (Joh 3,36).

Das ewige Leben, das Heil ist nach Johannes bereits gegenwärtige Gabe. Der Glaubende »hat« schon jetzt in der Gegenwart »das Leben«, und zwar einfach aufgrund des Glaubens. Der Glaube ist als solcher der Anfang des Lebens, Teilhabe am Endheil des Lebens. Im Rahmen der johanneischen Theologie wird auch sofort einsichtig, daß dieses Leben in seiner eschatologischen Heils-Qualität nur »ewiges Leben«, Ζωὴ αἰώνιος sein kann, »Leben« mit der radikalen Negation des Todes. Der Unglaube schließt sich eben deshalb selbst vom »Leben« aus, weil er diese radikale Negation des Todes nicht schafft. Er ist daher das »Selbstgericht«. Der Gedanke, daß der Unglaube des Menschen als solcher »das Gericht« ist, das ihm nicht einseitig »von außen« zudiktiert wird, sondern das er durch sein eigenes Verhalten über sich selbst fällt, wird verständlich vom alttestamentlichen Gedanken der »immanenten Nemesis« des »Tun–Ergehens–Zusammenhanges« her. Danach war Israel »der Überzeugung, daß von jeder bösen oder guten Tat eine Bewegung ausgelöst wurde, die über kurz oder lang auf den Täter selbst zurückwirkte. Er hatte es also weithin selbst in der Hand, sich der Strahlkraft des Unheils oder des Segens auszusetzen«[26]. Von daher kann das Glauben selbst als Heil, das Nicht-Glauben als Unheil verstanden werden. An dieser entscheidenden Lebens-Krise kommt aber deshalb niemand vorbei, weil es sich um einen echten »Überschritt«, um eine »Neu- oder Wiedergeburt von oben« handelt. Das heißt freilich auch, daß es sich um einen Vorgang handelt, der sich nicht nur auf der rationalen Ebene von »Vernunft und Wille« vollzieht, sondern der eine Veränderung im Kern der menschlichen Person bedeutet, wenn er tatsächlich geschehen soll. So ist es wohl gemeint, wenn es Joh 5,24 heißt:

> »Wahrlich, wahrlich ich sage euch:
> Wer mein Wort hört und dem glaubt, der mich gesandt hat,
> hat ewiges Leben;
> und ins Gericht kommt er nicht,
> sondern er ist aus dem Tod in das Leben hinübergeschritten«.

Dazu die analoge Aussage von 1 Joh 3,13f.:

> »Brüder, wundert euch nicht, wenn die Welt euch haßt.
> Wir wissen, daß wir aus dem Tod zum Leben hinübergeschritten sind,
> weil wir die Brüder lieben.
> Wer nicht liebt, bleibt im Tod«.

In beiden Fällen geht es um ein μεταβεβηκέναι ἐκ τοῦ θανάτου εἰς τὴν ζωήν, um einen »Übergang« aus dem Bereich des Todes

---

[26] So *Gerhard von Rad,* Weisheit in Israel, Neukirchen 1970, 171. Er fährt fort: »Diese Vorstellung war also keineswegs spezifisch ›weisheitlich‹; sie stand als solche längst fest, ehe sie von den Weisen lehrhaft formuliert wurde. So tief war sie im Denken verwurzelt, daß sich niemand in Israel, auch die Propheten nicht, von ihr emanzipierten. Jeremia bezeichnet einmal das Unheil, das Jahwe über das Volk bringen werde, als »Frucht ihres Trachtens« (Her 6,19). Ihre Bosheit ist es, die Jahwe über Jerusalem ausgießt« (Jer 14,16). Es ist nützlich zu bedenken, daß diese ontologische Bestimmung des Bösen und des Guten nicht nur für den alten Orient, sondern auch bis etwa zum Anbruch der Neuzeit eine weltweite Gültigkeit hatte«, a. a. O.

in die neue Lebensdimension. Dieser Übergang erscheint einmal mit dem Glauben, das anderemal mit der Liebe verbunden, wobei Glauben und Liebe als die beiden existentiell-dynamischen Einstellungen des Menschen, der diesen Überschritt vollzogen hat, erscheinen. Wer so lebt, der realisiert eben das, was nach Johannes das Wesen der glaubenden Existenz ausmacht.

In den »Betrachtungen über Sünde, Leid, Hoffnung und den wahren Weg« von *Franz Kafka* findet sich Nr. 40 die folgende interessante Bemerkung:

> »Nur unser Zeitbegriff läßt uns das jüngste Gericht so nennen;
> eigentlich ist es ein Standrecht«[27].

Diese Aussage führt ziemlich in die Nähe der johanneischen Auffassung. In beiden Fällen entscheidet der Mensch über sich selbst. Es handelt sich immer um ein »Selbstgericht«, das eigentlich keines nachträglichen Urteils mehr bedarf. Auf der anderen Seite, und eben dies macht diesen an sich heil- und aussichtslosen Befund nicht nur erträglich, sondern wendet ihn ins Positive, bleibt der in Jesus Christus vollzogene Heils-Entscheid Gottes »zum Leben« als bleibendes Angebot für den Menschen bestehen. Der Mensch hat den guten Grund, sich für das Leben zu entscheiden.

---

[27] *Franz Kafka,* Hochzeitsvorbereitungen auf dem Lande und andere Prosa aus dem Nachlaß, Frankfurt a. M. 1966, 43.

Nachweis der Veröffentlichungen

Einleitung: Exegese als theologische Basiswissenschaft. In: Theologische Quartalschrift 159 (1979), S. 1–23.

I. Zum Problem der neutestamentlichen Christologie. In: Una Sancta 20 (1965), S. 108–125.

II. Das Jesus-Bild in der christlichen Exegese von heute. In: *A. Falaturi* – *W. Strolz* (Hrsg.), Glaube an den Einen Gott. Menschliche Gotteserfahrung im Christentum und im Islam, Verlag Herder, Freiburg i. Br. 1975, S. 22–44.

III. Lernprozesse im Jüngerkreis Jesu. In: Theologische Quartalschrift 158 (1978), S. 163–177.

IV. Die Sendung des Sohnes. Zur christologischen Bedeutung des Gleichnisses von den bösen Winzern Mk 12,1–12. In: *J. Gnilka,* Neues Testament und Kirche (FS R. Schnackenburg), Verlag Herder, Freiburg i. Br. 1974, S. 11–41.

V. Zur eschatologischen Konzeption des historischen Jesus. In: Bibel und Kirche (1973), S. 2–5.

VI. Die Verhandlung vor Pilatus Joh 18,28–19,16 im Lichte johanneischer Theologie. In: Biblische Zeitschrift NF 3 (1959), S. 60-81.

VII. Der johanneische Wahrheitsbegriff. In: Biblische Zeitschrift NF 7 (1963), S. 163–173.

VIII. Die Gegenwartseschatologie des Johannesevangeliums. In: *K. Schubert* (Hrsg.), Vom Messias zum Christus, Verlag Herder, Wien 1964, S. 279–313.

IX. Der Mensch vor der radikalen Alternative. Versuch zum Grundansatz der »johanneischen Anthropologie«. In: Kairos 22 (1980), S. 146–156.

Weitere Werke von Josef Blank:

Paulus und Jesus

Eine theologische Grundlegung
361 Seiten. Kartoniert

Für die Bibelwissenschaft war und ist die Stellungnahme
zum Verhältnis Paulus und Jesus grundlegend für das
Gesamtverständnis des Neuen Testaments. Josef Blank
versucht in seiner Arbeit die sich hinter dem »und« des
Titels mehr verbergende als andeutende Problematik zu
erhellen. Sachlich geht es Blank um die Untersuchung
der Auferstehung Jesu als Offenbarungsereignis; er versteht die Berufung des Paulus als offenbarungshafte
Grundlage seines Apostolats und seiner Theologie.

Schriftauslegung in Theorie und Praxis

260 Seiten. Leinen

Von verschiedenen Gesichtspunkten her versucht der
Autor in diesem Arbeitsbuch die neutestamentliche Exegese, ihre Methode und ihre möglichen Ergebnisse zur
gegenwärtigen Situation in Beziehung zu setzen. Es
soll also eine Brücke zwischen dem wissenschaftlichen
Theoretiker und dem Praktiker geschlagen werden, der
sich infolge der veränderten Bewußtseinslage einer
neuen spezifischen Nicht-Selbstverständlichkeit christlicher Glaubensaussagen gegenübersieht.

Kösel

Bernhard Lang (Hrsg.)

Der einzige Gott

Die Geburt des biblischen Monotheismus

149 Seiten. Kartoniert

Von der Verehrung vieler Götter zum Wissen um den
einzigen Gott: Diese Revolution hat im biblischen Israel
stattgefunden und ist zum Grundpfeiler von Judentum,
Christentum und Islam geworden. Was Kopernikus und
Darwin für die Naturwissenschaft, das sind für die Religion jene Israeliten, die im Gott ihres Volkes den einzigen erkannten.

Wissen wir etwas über die Umstände, unter denen der
Eingottglaube in das Leben eines Volkes getreten und
erstmals wirksam geworden ist? Die Bibelwissenschaft
ist heute in viele Unterdisziplinen aufgespalten, so daß
grundlegende Fragen in der letzten Generation fast außer
Blick geraten sind. Eine kleine Gruppe von Forschern
ist zum wichtigsten Problem der israelitisch-jüdischen
Religionsgeschichte zurückgekehrt und erläutert ihre
Ergebnisse einem breiten Publikum. Diese werden hier
zum erstenmal vorgelegt.

Der Band enthält folgende Beiträge:
Morton Smith, Religiöse Parteien bei den Israeliten vor
587; *Bernhard Lang,* Die Jahwe-allein-Bewegung; *Hermann Vorländer,* Die Entstehung des Monotheismus in
der Exilzeit; *Imre Mihalik,* Unterwegs zum Monotheismus. Die Bedeutung des El-Glaubens für Israels Religion.

Kösel